MICROWAVE COOKING

BENJAMIN

Editor: Ellyn Polshek
Production Assistants: Pat Drew, Susan Jablonski
Chief Home Economist: Betty Sullivan
Consulting Home Economists: Thelma Pressman, Susan K. Ribordy,
  Dora Jonassen, Maggie Fagan, Irene Falk, Sharon Kahn,
  Gloria Kelly, Joan McClain, Mary Lou Merritt, Debbie Moore,
  Marianne Olix, Gerry Paxson, Marcia Schwall
Project Manager: M. K. Duncan
Art & Design: Thomas C. Brecklin
Typography: A-Line, Milwaukee
Photography: Walter Storck

USER INSTRUCTIONS
PRECAUTIONS TO AVOID POSSIBLE EXPOSURE TO EXCESSIVE MICROWAVE ENERGY

(a) DO NOT ATTEMPT to operate this oven with the door open since open-door operation can result in harmful exposure to microwave energy. It is important not to defeat or tamper with the safety interlocks.

(b) DO NOT PLACE any object between the oven front face and the door or allow soil or cleaner residue to accumulate on sealing surfaces.

(c) DO NOT OPERATE the oven if it is damaged. It is particularly important that the oven door close properly and that there is no damage to the:
  (1) DOOR (bent)
  (2) HINGES AND LATCHES (broken or loosened)
  (3) DOOR SEALS AND SEALING SURFACES

(d) THE OVEN SHOULD NOT BE ADJUSTED OR REPAIRED BY ANYONE EXCEPT PROPERLY QUALIFIED SERVICE PERSONNEL.

Copyright © 1985 by SRC
Legal deposit
National Library of Quebec
Third Quarter 1985

ISBN: 0-87502-169-7
Published by The Benjamin Company, Inc.
One Westchester Plaza
Elmsford, New York 10523
Printed in Japan

CONTENTS

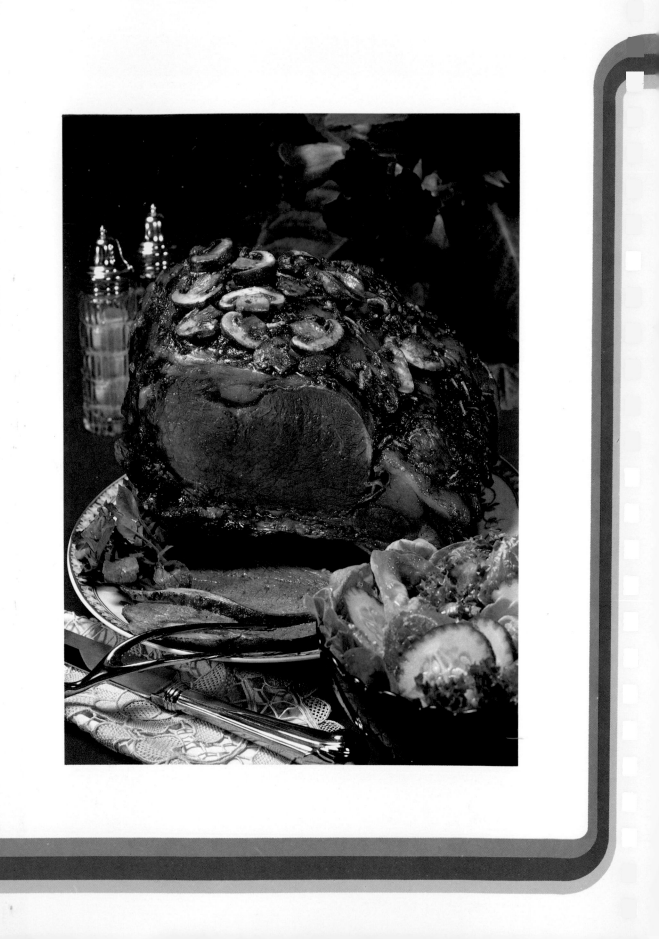

Welcome to the exciting world of microwave cooking. You are joining the countless thousands of people who have discovered the joys of the microwave oven and have delighted in this fast, easy, and efficient method of cooking. But, as with any new appliance, before you start using it you should take time to read the instructions carefully. The illustrated introductory chapters will show and tell you all about the way the oven works, why it works that way, what it can do, and how to get the most out of it. There is nothing complicated about using the oven; all you need is a little understanding of the special qualities of microwave cooking and you'll be on your way. Like any comprehensive conventional cookbook, this book tries to leave nothing to chance, so that cooking in the microwave oven will be as easy as it looks, and is. Whether you plan to use the microwave for all of your cooking or only part of it, take a few minutes to familiarize yourself with the principles and techniques of the oven, then try the wonderful recipes in the chapters that follow. You'll soon find you'll never want to cook any other way but the microwave way.

To install your oven, follow the manufacturer's directions. A microwave oven operates on standard 110-120v household current and does not require an expert to ready it for regular use.

The microwave oven requires little maintenance. Again, follow your manufacturer's directions for the few simple cleaning steps. Unlike a conventional oven, which generates heat in the oven cavity, there is no heat in the microwave cavity, so food and grease do not bake on. No harsh cleaning agents or difficult cleaning tasks are necessary. Just a simple wiping is all you need to keep the oven clean.

Keep the door and gasket free of food buildup to maintain a tight seal. Now, let's find out how the microwave oven works.

How Does It Work?

In conventional cooking by gas or electricity, food on top of the stove cooks by heat applied to the bottom of the pan, and in the oven by hot air, which surrounds the food. In microwave cooking, microwaves travel directly to the food, without heating the oven. Inside the top of the microwave oven is a magnetron vacuum tube, which converts ordinary electrical energy into high-frequency microwaves, just like radio and television waves. A fan-like device called a stirrer helps distribute the microwaves evenly throughout the oven. Microwaves are waves of energy, not heat. They are either

← *Prime Rib Roast of Beef (Guide, page 59)*

reflected, pass through, or are absorbed, depending upon the material contacted. For example, metal reflects microwaves; glass, pottery, paper, and most plastics allow the waves to pass through; and, finally, food absorbs microwaves. Very simply then, the absorbed microwave energy causes the food molecules to vibrate rapidly against each other, inducing friction, which in turn produces the heat that cooks

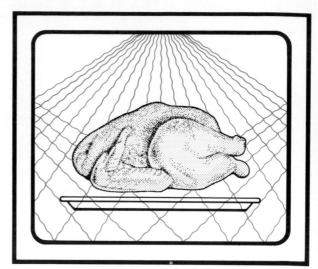

Microwaves bounce off oven walls and are absorbed by food. The air in the oven remains cool.

the food. This is somewhat like the way heat is generated when you rub your hands together. The waves penetrate the food, and cooking begins from the exterior. The interior then cooks by conduction. The prime rib photo on page 7 illustrates this principle. This process produces the much-appreciated cooking speed of the microwave oven. Because the cooking containers used in the microwave oven do not absorb microwave energy, they do not

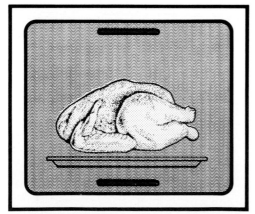

Conventional ovens cook by hot air.

become hot. The microwaves pass through the containers directly into the food. However, the containers may absorb heat from the food itself, so you will occasionally need to use potholders. The see-through panel in the microwave oven door is made of a specially prepared material that contains a metal screen. The metal screen reflects the microwaves, yet enables you to observe the food as it cooks. The waves cannot penetrate this screen. Opening the microwave oven door turns the unit off automatically, so you can stir, turn, or check doneness with ease. And you don't have to face that blast of hot air you expect when opening a conventional oven.

Now that you've learned something about how the microwave oven works, let's take a look at all the wonderful things you can do with it.

You can cook just about anything in the microwave oven, but some foods are so especially good done this way that we want to show several of them to you. The recipes for all the dishes illustrated here are included in the book. You'll find that the microwave oven not only cooks food superbly from scratch, but also reheats and defrosts with excellent results. Let's take a look.

☐ *Roast beef* is juicy and rare, with less shrinkage than in the conventional oven. ☐ You can enjoy all kinds of *vegetables* at their wholesome best. Their true flavor and color are preserved. Potatoes are fluffy, cauliflower crisp, and broccoli the beautiful green it was born with. ☐ You'll want *scrambled eggs* for breakfast, lunch, and supper when you've tried them microwave style. They're fluffier than in conventional cooking, and more pleasing to the eye as well as the palate. ☐ You'll think positively about *leftovers* after you try them reheated in the microwave. Food will have that just-cooked taste and look.

☐ Cook luscious *chocolate cakes,* so tantalizingly moist, rich, and high. ☐ *Fruit,* such as this baked apple, can be prepared without water; like vegetables, fruit retains that just-picked color and flavor. ☐ *Sauces* are a blessing to cook in the microwave oven. Constant stirring is a thing of the past. Just imagine the convenience of mixing, cooking, and serving all in the same container.

Hollandaise sauce is smooth with just a few stirrings. ☐ The microwave can't be beaten for *heating rolls and bread* so quickly they don't have a chance to be anything but perfect. And you can cook them right in the serving basket as long as there are no metal fasteners or trim. ☐ *Bacon* cooked in the microwave is incomparable — flat and crisp — and one slice takes less than a minute to

cook. It can be placed on a microproof bacon rack or between paper towelling. □ *Candy* is a particular favorite for microwave cooks because it's as easy as pie. Chocolate and caramelized mixtures won't require constant stirring. Try this white chocolate Almond Bark or the party mints and see for yourself. □ *Hot appetizers* are ready as needed, cooking quickly, with no mess and no pan to clean. Just cook them directly on paper plates or in a serving dish. Rumaki (bacon wrapped chicken livers and water chestnuts) and mushrooms make delectable hors d'oeuvres. □ *Casseroles* cook without sticking and are just as good served later. This casserole is called Macaroni Supreme because it is!

☐ Explore the pleasures of cooking *seafood* in your microwave oven. Fish fillets and steaks are moist and tender, their natural juices enhancing their delicate flavor. ☐ And for a pick-me-up that's really quick there's no equal to a *bowl of soup,* a cup of coffee, or a mug of cocoa served directly from the oven. ☐ *Melt chocolate* and *soften butter or cream cheese* in seconds and save the time and mess of double boilers and burned pans.

Now that you've had a sampling of what this appliance can do, let's take a look at what you need to know in order to start cooking.

In this chapter you will find everything you need to know to make microwave cooking easy, efficient, and pleasurable. Once you know the principles, the techniques will become second nature. Read this basic information with its accompanying illustrations carefully. As you begin to use the oven, you can always refer back to this handy guide whenever a question arises about a cooking term or method. Here you will learn why some foods cook faster than others, what you should know about timing and temperature, which cooking utensils are appropriate, how to cook most efficiently, and much more.

Because of the unique qualities of microwave energy, microwave cooking uses certain terms and methods that are different from those of conventional cooking. For example, in microwave cooking, many foods complete their cooking after being removed from the oven. This is known as standing time. In addition, how food is arranged in the cooking dish is important to its being cooked evenly throughout. You'll also discover the alternative method of microwave cooking with the automatic temperature probe. You'll be introduced as well to the oven's facility to defrost and to reheat quickly, with special hints for best results.

ABOUT TIMING

Time is an important element in microwave cooking. But isn't that statement true for all cooking? You, the cook, have to be the judge, as you consider your family's preferences and use your own instincts. Chances are, you can tell if a chicken is done simply by looking at it. You might even scoff at the timing chart given on a package because you know that a particular food always seems to need more or less time. It is important to know that even though the microwave oven is a superb product of computer technology, it is no more or less precise than any other cooking system. Nevertheless, because of the speed with which most foods are cooked, timing is more crucial in microwave cooking than in conventional cooking. One minute can cause a significant difference. When you consider that a cooking task requiring one hour in a conventional oven generally needs only one-quarter of that time in a microwave oven, you can understand why microwave cooking requires a somewhat different approach to timing. Where an extra minute in conventional cooking is seldom critical, in microwave cooking one minute can be the difference between overcooked and undercooked foods. As a result, most microwave recipes express probable minimum-maximum cooking times, as in "cook on 70 (roast) 4 to 5 minutes." This direction is often assisted by a phrase such as "or until sauce is thickened." As you become familiar with your oven you will recognize when to begin to check for doneness. Remember that it is better to under-cook and add more cooking time than to overcook — then it's too late.

Cooking times might be precise if a way could be found to guarantee that all foods would be exactly the same each time we cook them; if the utility company would guarantee not to alter our source of power (there are frequent changes in the voltage levels reaching our homes); and if the size, form, and content of foods would be consistently the same. The fact is that one potato or one steak varies from another in density, moisture or fat content, shape, weight, and temperature. This is true of all food.

The cook must be ready to adjust to the changes, to be flexible and observant. This discussion really comes down to the fact that you, not the microwave oven, are the cook. The oven can't make judgments, so you must. The recipes in this book have all been meticulously kitchen tested by expert home economists. You will find that the ranges of cooking times suggested are exact. As in all fine cooking, however, microwave cooking needs and benefits from your personal touch.

ABOUT FOOD CHARACTERISTICS

Food is made up of distinct elements that specifically affect timing in microwave cooking. Understanding these important qualities will help you become a skilled and successful microwave cook.

Quantity

The larger the volume of food there is, the more time is needed to cook it. For example, one potato may cook in 4 to 6 minutes but 2 potatoes take about one and a half times as long. One ear of corn in the husk cooks in about 3 minutes where 3 ears may cook in 8 minutes. Therefore, if the quantity in a recipe is changed, be sure to make an adjustment in timing. When increasing a recipe, increase the amount of cooking time. Here is a general rule to follow: When doubling a recipe, increase the cooking time approximately 50 percent. When cutting a recipe in half, reduce the time by approximately 40 percent.

Shape and Size

Thin food cooks faster than thick food; thin sections faster than thick. Small pieces also cook faster than large pieces. For even cooking, place thick pieces toward the outside of the dish since the outside areas cook faster than the inside areas. For best results, try to cook pieces of similar size and shape together.

of the oven. Food close to the top may require shielding with pieces of aluminum foil or turning for even cooking.

Density

Dense foods like potatoes, roast beef, and carrots take longer to cook than porous foods, such as cakes, ground

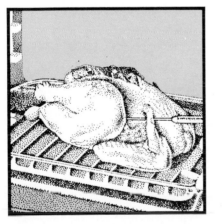

The density of food affects cooking time (above). Irregularly-shaped food requires special arrangement (above left). Food areas close to the energy source are turned or shielded during cooking (left).

Height

As in conventional cooking, areas that are closer to the energy source cook faster. In most microwave ovens, the energy source is at the top

beef, and apples, because it takes the microwaves longer to penetrate the denser texture. For example, a 2-pound roast will take longer than a 2-pound meat loaf.

Moisture Content

Moist food cooks faster than dry food because microwave energy is easily absorbed by the moisture within the food. For example, 1 cup of sliced zucchini will cook faster than 1 cup of carrots because of the high water content in the zucchini. In fact, the amount of free moisture within a food helps determine how rapidly it cooks.

Sugar and Fat Content

Food high in sugar and fat heats quicker than items low in these ingredients, because microwave energy is attracted by sugar and fat. For example, the fruit or cheese filling of a sweet roll will heat faster than the roll itself and will be hotter, since sugar and fat reach higher temperatures than food low in sugar or fat content.

Moist food cooks faster than dry (left). Frozen food takes longer to cook than canned (center). A sweet roll heats a bit faster than a dinner roll (right).

Delicate Ingredients

This term is used to refer to food that cooks so quickly in the microwave oven that it can overcook — toughening, separating, or curdling. For example, mayonnaise, cheese, eggs, cream, dairy sour cream, etc. Other food may "pop," such as snails, oysters, and chicken livers. For this reason, a lower power setting is often recommended for proper cooking. However, when these ingredients are mixed with other food, as in a casserole, stew, or soup, you may use a higher power setting, because volume automatically slows down the cooking.

Starting Temperature

As in conventional cooking, the temperature at which food is placed in the microwave oven affects the length of cooking time. More time is needed to cook food just out of the refrigerator than food at room temperature. For example, it takes longer to heat frozen green beans than canned green beans. Also, hot tap water will start boiling sooner than cold. Recipes in this book start with food at its normal storage temperature.

ABOUT UTENSILS

A wide variety of cookware and cooking implements can be used in the microwave oven. In order to indicate an item made of material that is safe and recommended for microwave cooking, we have created a new term, *microproof.* The Materials Checklist and Microproof Utensils Chart on the following pages will aid you in selecting the appropriate microproof utensil. Except for metal, most materials are microproof for at least a limited amount of cooking time. But unless specifically approved, items made of metal, even partially, are never to be used in the microwave oven, because they reflect microwaves, preventing them from passing through the cooking utensil into the food. In addition, metal that touches the oven sides will cause sparks, a static charge, known as arcing. Arcing is not harmful to you, though it will deface the oven. Metal twist ties or dishes or cups with gold or silver trim should not be used. See the Materials Checklist for those approved types of metal, such as pieces of aluminum foil, used as a shield over certain areas of food to prevent overcooking, or metal clips attached to frozen turkey.

When selecting a new piece of cookware, first check the manufacturer's directions. Also review the Materials Checklist and the Guide to Microproof Cookware. If you are still in doubt, try this test: Pour a cup of water into an ovenproof glass measure and place in the oven next to the container or dish to be tested.

Cook on HI (max. power) for 1 minute. If the new dish feels hot, don't use it — it is absorbing microwave energy. If it feels warm, the dish may only be used for warming food. If it remains at room temperature, it is *microproof.*

The rapid growth of microwave cooking has created many new products for use in the microwave oven. Among these are microproof replacements for cookware formerly available only in metal. You'll find a wide variety at your store — cake, bundt, and muffin pans, roasting racks, etc. When you add these to traditional microproof cookware and the incredible array of microproof plastic and paper products, you'll find that microwave cooking enables you to select from many more kinds of cookware than available for conventional cooking.

Selecting Containers

Containers should accommodate the food being cooked. Whenever possible use round or oval dishes, so that the microwaves are absorbed evenly into the food. Square corners in cookware receive more concentration of energy than the rest of the dish, so the food in the corners tends to overcook. Some cake and loaf recipes call for ring molds or bundt pans to facilitate more even cooking. This is because the center area in a round or oval dish generally cooks more slowly than the outside. Round cookware with a small glass inserted open end up in the center works just as well to eliminate undercooked centers. When a particular size or

Unique roasting racks, browning dishes, and other cookware have been developed for microwave use (top left). Familiar items, such as molds and muffin pans, are now available in microproof materials (top right). A wide variety of glass, ceramic, and wood items are perfect for microwave use (above right). All kinds of paper products make microwave cooking especially easy (above left). Many plastics are safe for microwave use (left).

shape of container is specified in a recipe, it should be used. Varying the container size or shape may change cooking time. A 2-quart casserole called for in a recipe refers to a bowl-shaped cooking utensil. A 12×8-inch or a 9-inch round baking dish refers to a shallow cooking dish. In the case of puddings, sauces, and candies, large containers are specified to prevent the liquids, especially milk-based ones, from boiling over. For best results, try to use the dish cited in the recipe.

Materials Checklist

☐ CHINA, POTTERY: Ideal for microwave use. However, if they have metallic trim or glaze, they are not microproof and should not be used.

☐ GLASS: An excellent microwave cooking material. Especially useful for baking pies to check doneness of pie shells through the bottom. Since ovenproof glass is always safe, "microproof" is not mentioned in any recipe where a glass item is specified.

☐ METALS: *Not* suitable except as follows:

Small strips of aluminum foil can be used to cover areas on large pieces of meat or poultry that defrost or cook more rapidly than the rest of the piece — for example, a roast with jagged areas or thin ends, or the wing or breast bone of poultry. This method is known as shielding in microwave cooking.

Shallow aluminum frozen TV dinner trays with foil covers removed can be heated, provided that the trays do not exceed 3/4 inch depth. (However, TV dinners heat much faster if you "pop" the blocks of food out and arrange them on microproof dinner plates.)

Frozen poultry containing metal clamps may be defrosted in the microwave oven without removing the clamps. Remove the clamps after defrosting.

Trays or any foil or metal item must be at least 1 inch from oven walls.

☐ PAPER: Approved for short-term cooking and for reheating at low settings. These must not be foil-lined. Extended use may cause the paper to burn. Waxed paper is a suitable covering.

☐ PLASTICS: May be used if dishwasher safe, but only for limited cooking periods or for heating. Do not use plastics for tomato-based food or food with high fat or high sugar content.

☐ PLASTIC COOKING POUCHES: Can be used. Slit the pouch so steam can escape.

☐ STRAW AND WOOD: Can be used for quick warming. Be certain no metal is used on the straw or wood items.

Browning Dish

A browning dish is used to sear, grill, fry, or brown food. It is made to absorb microwave energy when the dish is preheated empty. A special coating on the bottom of the dish becomes very hot when preheated in the microwave oven. There are a variety of dishes available. Follow the manufacturer's instructions for care and use and for the length of time to preheat the dish.

After the dish is preheated, vegetable oil or butter may be added to enhance the browning and prevent food from sticking. After the food is placed on the preheated browning dish, the dish is returned to the oven, where the microwaves cook the interior of the food while the hot surface of the dish browns the exterior. The food is then turned over to brown the other side. When cooking hamburger or moist foods, you may wish to pour off accumulated juices before turning the food over. The longer you wait to turn the food the less browning occurs, since the dish cools off rapidly. You may need to drain the dish, wipe it out, and preheat it again. In doubling a recipe, such as fried chicken, wipe out the browning dish after the first batch, reheat the empty dish, and repeat the procedure. Since the browning dish becomes very hot, be sure to use potholders when handling it.

Used as a grill, the browning dish speeds cooking time. However, if you wish to use the dish to brown certain foods prior to adding them to a recipe, your recipe time will remain about the same. Some foods, such as eggs or sandwiches, require less heat for browning than other foods, such as chicken or meat.

Bottom Glass Tray

The bottom glass tray in the microwave oven is the primary cooking level. It is made of glass because microwaves penetrate glass to cook the bottom of the food. Glass is also easy to clean. Never operate the oven without the bottom tray in place.

Middle Metal Rack

The removable middle metal rack of your oven is used when certain double quantities are cooked. The rack is made of specially engineered metal and is safe for the microwave oven. The microwaves bounce off the rack and are absorbed by the food. Generally, for more even and faster cooking, it is best to cook a few batches one after another rather than on two levels at the same time. The rack should be removed from the oven when not in use.

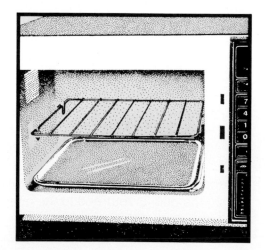

The bottom glass tray is the primary cooking level. The middle metal rack is used for certain double-batch recipes such as Oysters Rockefeller (page 85).

A GUIDE TO MICROPROOF COOKWARE

ITEM	GOOD USE	GENERAL NOTES
China plates, cups	Heating dinners and drinks.	No metal trim.
Cooking pouches (plastic)	Cooking meat, vegetables, rice, other frozen food.	Slit pouch so steam can escape.
Corelle® Livingware	Heating dinners, soups, drinks.	Closed-handle cups should not be used.
Corning Ware® or Pyrex casseroles	Cooking main dishes, vegetables, desserts.	No metal trim.
Microwave browning dishes or grills	Searing, grilling, and frying small meat items; grilling sandwiches; frying eggs.	These utensils are specially made to absorb microwaves and preheat to high temperatures. They brown food that otherwise would not brown in a microwave oven.
Microwave roasting racks	Cooking roasts and chickens, squash and potatoes.	Special racks are available for cooking bacon.
Oven film and cooking bags	Cooking roasts or stews.	Substitute string for metal twist ties. Bag itself will not cause tenderizing. Do not use film with foil edges.
Paper plates, cups, napkins	Heating hot dogs, drinks, rolls, appetizers, sandwiches.	Absorbs moisture from baked goods and freshens them. Paper plates and cups with wax coatings should not be used.
Plastic wrap	Covering dishes.	Fold back edge to ventilate, allowing steam to escape.
Pottery and earthenware plates, mugs, etc.	Heating dinners, soups, drinks.	Some pottery has a metallic glaze. To check, use dish test (page 15).
Soft plastics, sherbet cartons	Reheating leftovers.	Used for very short reheating periods.
Thermometers	Measuring temperature of meat, poultry, and candy.	Use only approved microproof meat or candy thermometer in microwave oven. Microwave temperature probe is available with oven (see page 26).
TV dinner trays (aluminum)	Frozen dinners or homemade dinners.	No deeper than ¾ inch. Food will receive heat from top surface only. Foil covering food must be removed.
Waxed paper	Covering casseroles. Use as a tent.	Prevents splattering. Helps contain heat where a tight seal is not required. Food temperature may cause some melting.
Wooden spoons, wooden skewers, straw baskets	Stirring puddings and sauces; for shish kabobs, appetizers, warming breads.	Can withstand microwaves for short cooking periods. Be sure no metal fittings on wood or straw.

ABOUT METHODS

The evenness and speed of microwave cooking are affected not only by the characteristics of the food itself, but also by certain methods, described below. Some of these techniques are used in conventional cooking as well, but they have a particular application in microwave cooking because of the special qualities of microwave energy. Many other important variables that in-

Arrangement

The way food is arranged in the dish and in the oven enhances even cooking and speeds defrosting and cooking. The microwaves penetrate the outer portion of food first; therefore, food should be arranged so that the denser, thicker areas are near the edge, and the thinner, more porous areas are near the center. For example, when cooking broccoli, split the heavy stalks to expose more

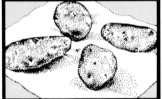

Microwave arrangement methods create unique cook-and-serve opportunities. The cauliflower and broccoli dish, for example, is cooked, covered, for 9 minutes on HI (max. power) with ¼ cup water.

fluence cooking, defrosting, and reheating in the microwave oven are included here. Becoming familiar with these terms and methods will make microwave cooking easy and successful.

area, then overlap with flowerets; or you can alternate flowerets of cauliflower with broccoli for an attractive dish. This gives even density to the food and provides even cooking. Place shrimp in a ring with the tails toward the center. Chicken legs should be arranged like the spokes of a wheel, with the bony end toward the center. Food such as cupcakes, tomatoes, and potatoes should be arranged in a circle, rather than in rows.

throughout. When rearranging food, move the center food to the outside of the dish and the outer food toward the center. Such recipes as Tomato Swiss Steak (page 63), and Quick Brunswick Stew (page 74) call for rearranging.

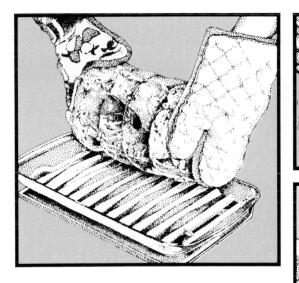

Turning Over

As in conventional cooking, some food, such as large roasts, whole poultry, a ham, or hamburgers, may require turning over to brown each side and to promote even heating. Any food seared on the browning dish should be turned over. During the defrosting process in the microwave oven, it is often necessary to turn the food.

Rearranging

Sometimes food that cannot be stirred needs repositioning in the cooking utensil to allow even heating

Stirring

Less stirring is required in microwave cooking than in conventional cooking. When necessary, stir from the outside to the center, since the outside heats faster than the center portion. Stirring blends the flavors and promotes even heating. Stir only as directed in the recipes. Constant stirring is never required in microwave cooking.

A one-quarter rotation is used for some muffins and cakes (above left). Covers are as important in microwave cooking as in conventional (left and above).

Rotating

A few foods, such as pies and cakes, that cannot be stirred, turned over, or rearranged call for repositioning the cooking dish one-quarter turn to allow· for even distribution of the microwave energy. Rotate only if the baked food is not cooking or rising evenly. Most food does not need to be rotated.

Covering

Covers are used to trap steam, prevent dehydration, speed cooking time, and help food retain its natural moisture. Suitable tight coverings are microproof casserole tops, glass covers, plastic wraps, oven bags, and microproof plates and saucers. Boilable freezer bags may be used as containers for the frozen food inside. Pierce top with a knife to ventilate before cooking. Remove coverings away from your face to prevent steam burns. Paper toweling is especially useful as a light covering to prevent splatter and to absorb moisture. Waxed paper helps retain heat and moisture.

Shielding

Certain thin or bony areas, such as the wing tips of poultry, the head and tail of fish, or the breastbone of a turkey, cook faster than thicker areas. Covering these parts with small pieces of aluminum foil shields these areas from overcooking, since aluminum foil reflects the waves. Besides preventing thin parts of food from cooking more rapidly than thicker ones, shielding may be used during defrosting to cover those portions that defrost more quickly than others. Use aluminum foil only when recommended in recipes. Be careful not to allow the foil to touch the oven walls.

Standing Time

This term refers to the time food needs to complete cooking or thawing after the microwave time has ended. During standing time, heat continues to be conducted from the outside to the center of the food. After the oven is turned off, food may remain in the oven for standing time or may be placed on a heatproof counter. This procedure is an essential part of food preparation with the microwave oven. Some food, such as roasts, requires standing time to attain the proper internal temperature for rare, medium, or well-done levels. Casseroles need standing time to allow the heat to spread evenly and to complete reheating or cooking. With cakes, pies, and quiches, standing time permits the center to finish cooking. During the standing time outside the oven, place food on a flat surface, such as a heat-resistant bread board or counter top, not on a cooling rack as you would conventionally.

Piercing

It is necessary to break the skin or membrane of certain food, such as egg yolks, potatoes, liver, chicken giblets, eggplant and squash. Because the skins or membranes retain moisture during cooking, they must be pierced before cooking to prevent bursting and to allow steam to escape. For example, pierce sausage casing in several places before cooking. A toothpick may be used for egg yolks; a fork is best for potatoes and squash; a knife is best to slit plastic cooking bags.

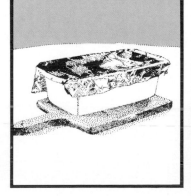

Piercing (above right). The effect of standing time on roast beef (right). Use a flat surface for standing time (above).

Browning

Many foods do not brown in the microwave oven as much as they do in the conventional oven. Depending upon the fat content, most food will brown in 8 to 10 minutes in the microwave oven. For example, bacon browns in minutes because of its high fat content, but poultry will not brown even after 10 minutes. For food that cooks too quickly to brown, such as hamburgers, fried eggs, steak or cutlets, a special browning dish is available (page 17). The longer the cooking time, or the higher the fat content, the more browning will be achieved. You can also create a browned look on roasts, poultry, steaks, and other foods by brushing on a browning agent, such as gravy mix, soy sauce, dehydrated onion soup mix, paprika, etc. Cakes, bread, and pie shells do not brown as they do in conventional cooking. Using chocolate, spices, or dark flour helps attain the dark color. Otherwise, you can create appealing color by adding frostings, toppings, or glazes.

Adjusting for High Altitudes

As in conventional cooking, microwave cooking at high altitudes requires adjustments in cooking time for leavened products like breads and cakes. Other food may require a slightly longer cooking time to become tender, since water boils at a lower temperature. Usually, for every 3 minutes of microwave cooking time you add 1 minute for the higher altitude. Therefore, a recipe calling for 3 minutes needs 4 minutes and a recipe requiring 6 minutes needs 8 minutes. The wisest procedure is to start with the time given in the recipe and then check for doneness before adding additional time. Adding time is easy, but overcooking can be a real problem. Here again your judgment is vital.

Programming

The microwave oven has a built-in computer. The computer accepts your instructions, called programming, and causes the oven to perform accordingly. Set the time or temperature, the power control setting, and start. The oven will automatically turn off when the desired time or temperature is reached. Check your Use and Care Instructions for details.

Your microwave oven gives you the ability to select from many power settings in graduated form from zero to 100 percent — HI (max. power). Just as in a conventional oven, these settings give you flexibility and the necessary control to produce perfectly cooked dishes. You can set your multi-power oven to suit the food being cooked. Many foods require slow cooking at less than full power to achieve the best results. In addition to HI (max. power) there are 99 multi-power settings. Each recipe in the book indicates which power setting is recommended for the food being cooked. The following chart outlines the specific uses for the main settings.

Touch Pad

The touch pad on the oven control panel needs only to be touched to activate the oven. The beep tone sounds to assure you that the setting is being entered.

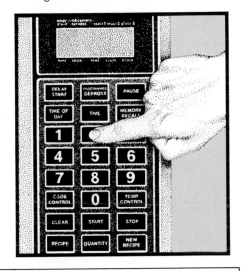

Guide for Power Control Settings

Main Setting	Suggested Cooking Uses
1	Raising bread dough
10 (warm)	Softening cream cheese; keeping casseroles and main dishes warm.
20 (low)	Softening chocolate; heating breads, rolls, pancakes, tacos, tortillas, and French toast; clarifying butter; taking chill out of fruit; heating small amounts of food.
30 (defrost)	Thawing meat, poultry, and seafood; finish cooking casseroles, stews, and some sauces; cooking small quantities of most food.
40 (braise)	Cooking less tender cuts of meat in liquid and slow cooking dishes; finish cooking less tender roasts.
50 (simmer)	Cooking stews and soups after bringing to a boil; cooking baked custards and pasta.
60 (bake)	Cooking scrambled eggs; cakes
70 (roast)	Cooking rump roast, ham, veal, and lamb; cooking cheese dishes; cooking eggs, and milk; cooking quick breads and cereal products.
80 (reheat)	Quickly reheating precooked or prepared food; heating sandwiches.
90 (sauté)	Quickly cooking onions, celery, and green peppers; reheating meat slices quickly.
HI (max. power)	Cooking tender cuts of meat; cooking poultry, fish, vegetables, and most casseroles; preheating the browning dish; boiling water; thickening some sauces; cooking muffins.

Temperature Probe

When inserted into the food, this special feature of your microwave oven allows you to cook the food to a preselected internal temperature. When the desired temperature is reached the oven automatically turns off or keeps food warm if your particular model has that feature. Instead of setting the oven to an approximate number of minutes, you set the probe at the exact temperature that it should reach to attain desired doneness. The oven must also be set at the power level at which the food is to be heated. If a power level is not selected, the oven automatically remains at HI (max. power). The probe provides accuracy in cooking almost any food, from instant coffee and sauces to beef casseroles and roast chicken. You can even watch the display window as the food reaches its programmed temperature. If there is to be a delay in serving, don't worry; the oven has an automatic "hold warm" feature.

Proper positioning of the temperature probe assures good results.

Favorite Meatloaf (page 64) is easiest when the temperature probe is used.

The probe must be carefully and properly inserted in the food to obtain the best results. As a rule, the probe tip should be in the center of the dish, cup, or casserole or in the thickest portion of the meat. Do not allow the probe to touch bone, fat, or any metal foil if it is being used as a shield. After using the probe, remove from oven, use warm soapy water to wash the part that contacted the food, rinse, and dry. Do not immerse the entire unit in water or wash it in the dishwasher.

The "Guide to the Temperature Probe" provides a range from 120° to 200°F. Follow the directions in the recipes for placement of the probe, temperature, and covering of the dish, if specified, and consult the tips below for step-by-step directions for using the probe.

Standing time is essential for most foods to reach their optimum serving temperature. Because of the nature of microwave energy, during standing time the temperature of most food rises about 5° to 15°F. For example, after 10 minutes of standing time, the temperature of rare beef will reach 135°F; well done lamb will reach its proper 170° to 180°F. The temperature of beverages, however, drops in 10 minutes from 150° to 136°F.

Guide to the Temperature Probe*

Suggested Temperature Probe Settings	
120°	Rare Beef, Fully Cooked Ham
130°	Medium Beef
140°	Fish Steaks and Fillets, Well Done Beef
150°	Vegetables, Hot Drinks, Soups, Casseroles
155°	Veal
165°	Well Done Lamb, Well Done Pork
170°	Poultry Parts
180°	Well Done Whole Poultry
200°	Cake Frosting

* Refer to individual Cooking Guides (see Index) for specific instructions.

Tips for Probe Use

1. Place food in container, as recipe directs.
2. Place temperature probe in the food with the first inch of probe secured in the center of the food. Probe should not touch bone or a fat pocket. Probe should be inserted from the side or the front, not from the top of the food, except when inserting into casseroles, a cup of soup, etc. In general, try to insert probe as close to a horizontal position as possible.

3. Plug temperature probe into the receptacle on side wall of oven cavity.
4. Make sure the longer end of the temperature probe, inserted in the food, does not touch the bone, cooking container, or the sides of the oven.
5. Touch "Clear."
6. Touch "Temperature Control." Select temperature.
7. If a power setting other than HI (max. power) is desired, touch "Power Control." Set power level.
8. Touch "Start."
9. Never operate the oven with the temperature probe in the cavity unless the probe is plugged in and inserted into the food or liquid.
10. Use potholders to remove temperature probe. It may be hot.
11. Do not use temperature probe with a browning dish or aluminum TV trays.

Reheating

One of the major assets of the microwave oven is its efficiency in reheating cooked food. Not only does most food reheat quickly, but it also retains moisture and its just-cooked flavor when properly arranged and covered. If someone is late for dinner, there's no need to fret. Just place a microproof plate containing the cooked food in your oven; in moments, dinner is ready once again. Reheat food in serving dishes or on paper plates and save extra clean-up time. Take-out food, which usually arrives at your home cooled off, can be easily reheated in seconds to its original state in your microwave oven. No more cold pizzas! Or lukewarm hamburgers. Leftovers are a treat too. You may even want to prepare food the day before, refrigerate, and serve the following day. You'll no longer call food leftovers, because it will taste as if "just made." Follow the tips below to help get excellent results when you are reheating food.

☐ Use 80 (reheat) except when otherwise specified. You can use the temperature probe for reheating casseroles, beverages, and other appropriate food. Insert probe into the largest or most dense piece of food and set temperature control at 150° to 160°F.
☐ To arrange a combination of different foods on a plate, place the dense food, like meat, at the outer edges and the more porous food, like breads, toward the center. Food that cooks most quickly should be placed at the center, with slower cooking food at the edges.
☐ Dense food, such as mashed potatoes and casseroles, cooks more quickly and evenly if a depression is made in the center, or if the food is shaped in a ring.
☐ To retain moisture during reheating, cover food with plastic wrap or a microproof lid. Wrap breads and sandwiches in paper toweling to absorb moisture and prevent sogginess. Use waxed paper to hold heat in and still allow steam to escape.

☐ Spread food out in a shallow container rather than piling it high, for quicker and more even heating.

☐ As a general guide to reheating a plate of food start with 1½ to 2 minutes, then check for doneness. If the plate on which the food is cooked feels warm the food is probably heated through, since its warmth has heated the

Defrosting

One of the great attractions of the microwave oven is its ability to defrost raw food or heat frozen cooked food. You need only to set the oven at 30 (defrost) for most food and observe the swiftness and ease of defrosting almost any food. The few exceptions are provided in the Defrosting Guides at the beginning of each chapter.

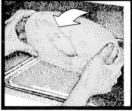

Defrost most food in its original wrapper (above left). Thawed portions of ground beef (above) are removed from the oven so cooking does not start. Fish fillets (far left) are separated as soon as possible. Many foods are turned over during defrosting (left).

plate. Because of the numerous variables in the food to be reheated, i.e., amount, shape, food characteristics, starting temperature, etc., recommended heating times can only be approximate.

Many of the same principles and techniques that apply to microwave cooking also apply to microwave defrosting and heating. Microwaves are attracted to water or moisture molecules. As soon as microwaves have defrosted a portion of the item they are more attracted to the thawed portion. The frozen portion continues to thaw, but this is due to the heat in the thawed portion. Special techniques, such as shielding and rotating, are helpful to be sure the thawed portion does not cook before the rest defrosts. It is often necessary to turn, stir, and separate to assist the defrosting process. Defrosting requires standing time to complete. Because food differs in size, weight, and density, recommended defrosting times can only be approximate. Additional standing time may be necessary to defrost completely. Read the Defrosting Guides throughout the book for times and special instructions about defrosting specific food. Here are some tips to aid you toward fast and easy defrosting:

- ☐ Poultry, seafood, fish, meat, and most vegetables may be defrosted in their original closed package. You may leave metal clips in poultry during defrosting, but you should remove them as soon as possible before cooking. Replace metal twists on bags with string or rubber bands before defrosting.
- ☐ Plastic-wrapped packages from the supermarket meat department may not be wrapped with a plastic wrap recommended for microwave use. If in doubt, unwrap package and place food on a microproof plate.
- ☐ Poultry wings, legs, and the small or bony ends of meat or fish may need to be covered with pieces of aluminum foil for part of the thawing time to prevent cooking while the remainder thaws.
- ☐ Large items should be turned and rotated halfway through defrosting time to provide more even thawing.
- ☐ Food textures influence thawing time. Because of air space, porous foods like cake and bread defrost more quickly than a solid mass, such as a sauce, or roast.
- ☐ Do not thaw food wrapped in aluminum or in foil dishes except as approved, page 17.
- ☐ The edges will begin cooking if meat, fish, and seafood are completely thawed in the microwave oven. Therefore, food should still be icy in the center when removed from oven. It will finish thawing while standing.
- ☐ Remove portions of ground meat as soon as thawed, returning frozen portions to the oven.
- ☐ To thaw half of a frozen vegetable package, wrap half the package with aluminum foil. When unwrapped side is thawed, separate and return balance to freezer.
- ☐ Thin or sliced items, such as fish fillets, meat patties, etc., should be separated as soon as possible. Remove thawed pieces and allow others to continue thawing.
- ☐ Casseroles, saucy foods, vegetables, and soups should be stirred once or twice during defrosting to redistribute heat.
- ☐ Frozen fried foods may be defrosted but will not be crisp when heated in the microwave oven.
- ☐ Freezing tips: It is helpful to freeze in small quantities rather than in one large piece. When freezing casseroles, it's a good idea to insert an empty paper cup in the center so no food is present there. This speeds thawing. Depressing the center of ground meat when freezing also hastens thawing later. Take care to wrap and package food well to retain its original quality. The wrapped food should be air-free, with air-tight seals. Store at 0°F. or less for no longer than the times recommended for freezing.

Now it's time for some practical experience using all the features of the microwave oven: first a quick hot drink, then a simple breakfast and, finally, an easy lunch. You have read through the preceding introductory material and have checked your Owner's Manual. Your oven is ready for use, so let's begin by making a cup of instant coffee, tea, or instant soup to enjoy right now!

Lesson One

A quick pick-me-up

Take your favorite mug or cup; be sure there is no gold or silver trim or metallic glaze. If you are not certain that your mug is microproof, test it as directed on page 15. Then follow these step-by-step directions:

1. Fill mug or cup with water and place in the center of the oven on the bottom glass tray. Close the oven door.

2. Touch the "clear" pad to clear any previous programming.

3. Touch the "time" pad and then touch pads 2-0-0. Your oven is now programmed to heat 2 minutes on HI (max. power). It is not necessary to touch "power control" because your oven is automatically on HI (max. power) unless programmed to another setting.

START

4. Now touch the "start" pad.
5. The timer will beep when 2 minutes are up. The oven turns off automatically. Open the door.
6. Remove the mug. The handle will be cool enough to hold and the cup itself will be warm from the heated water.
7. Stir in instant coffee, tea, or instant soup.
8. Relax and have a nice "cuppa".

Lesson Two
Practice Breakfast

Frozen Orange Juice (5-ounce can)
Sweet Roll
Instant Coffee

1. Spoon frozen juice into a 4-cup glass measure or microproof serving pitcher, and place in oven. Close door.

8. Touch "clear" pad; touch "time" pad; then touch pads 3 and 0. Touch "power control" pad, then pads 2 and 0. The oven is programmed for 30 seconds on 20 (low) setting.

2. Touch "clear" pad; touch "time" pad; then touch pads 2 and 0. The oven is programmed for 20 seconds at HI (max. power).

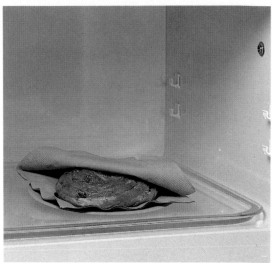

3. Touch "start."

4. When the timer beeps open door and remove container. Let stand 5 minutes before adding water.

5. Meanwhile, prepare coffee as directed on page 31.

6. Set sweet roll on paper plate or paper napkin.

7. Place in oven and close door.

9. Touch "start" pad. Bakery products should be only warm to the touch, since they will be hotter just below the surface. Because microwaves are attracted to sugar, the frosting or jelly may be very hot.

10. Enjoy your breakfast!

Lesson Three
Soup and Sandwich Lunch

1 cup soup (canned or homemade)
1 hot dog
1 hot dog bun, split

1. Pour soup into microproof serving cup.
2. Place tip of temperature probe in center of cup; plug other end into receptacle on side wall of oven cavity.
3. Close door.

4. Touch "clear," touch "temperature control," touch 1-5-0; touch "power control," touch 8-0, touch "start." Your oven is now programmed to heat the soup to a temperature of 150° at a power control setting of 80 (reheat).

START

5. Stir once during heating as follows: when display window shows 100°, open door; lift probe, stir soup, and replace probe. Close door and touch "start" again. The oven will continue to operate on the programming you set initially and will turn itself off when the soup reaches a temperature of 150°
6. Remove temperature probe from oven after use.
7. Set soup aside, covered, while heating sandwich.
8. Place hot dog in bun, wrap in paper toweling. Set in oven and close door.

9. Touch "clear," "time," 5-0, "power control," 8-0, and "start." Your oven is programmed to heat 50 seconds on 80 (reheat).
10. Bring the mustard; bon appetit!

By the Way . . .

To get the greatest pleasure out of your microwave oven, keep in mind that certain food is best done by conventional means of cooking. For the following reasons we don't recommend:

☐ Eggs cooked in the shell, because the light membrane surrounding the yolk collects energy, which then causes a steam build-up that will explode the egg. Don't experiment. It's a mess to clean up!

☐ Deep-fat frying, because the confined environment of the oven is not suited to the handling of the food or oil and is not safe.

☐ Pancakes, because no crust forms. (But the oven is great for reheating pancakes, waffles, and similar items.)

☐ Toasting, because it also requires crust development.

☐ Popovers, because of the slow steam development necessary to make them rise.

☐ Home canning, because it is impossible to judge exact boiling temperatures inside jar and you cannot be sure that the temperature and length of cooking are sufficient to prevent contamination of the food.

☐ Chiffon and angel food cakes, because they require steady, dry heat to rise and be tender.

☐ Heating bottles with small necks, like those for syrups and toppings, because they are apt to break from the pressure build-up.

☐ Large items, such as a 25-pound turkey or a dozen baking potatoes, because the space is not adequate and no time is saved.

Finally, about popcorn:

Do not attempt to pop corn in a paper bag, since the corn may dehydrate and overheat, causing the paper bag to catch on fire. Due to the many variables, such as the age of the corn and its moisture content, popping corn in the microwave oven is not recommended. Microwave popping devices are available. While safe to use, they usually do not give results equal to those of conventional popping methods. If the microwave device is used, *carefully follow the instructions provided with the product.*

You will undoubtedly want to cook some of your favorite conventional recipes in the microwave oven. With a little thought and experimenting you can convert many recipes. Before converting a recipe, study It to determine if it will adapt well to microwave cooking. Look for a recipe in the book that matches your conventional one most closely. For example, find a recipe with the same amount, type, and form of main ingredient, such as 1 pound ground meat or 2 pounds beef cut in 1-inch pieces, etc. Then compare other ingredients, such as pasta or vegetables. The microwave recipe will probably call for less liquid, because there is so little evaporation in microwave cooking. At the beginning of each recipe chapter hints on adapting recipes are provided. Also use the following guidelines:

☐ Candies, bar cookies, meatloaf, and certain baked goods may not need adjustments in ingredients. In puddings, cakes, sauces, gravies, and some casseroles, liquids should be reduced.

☐ Many casseroles will require adjustment in the order in which ingredients are added. Certain ingredients, such as uncooked rice, in a conventional recipe take longer to cook than others. When converting to the microwave, substitute a quicker-cooking ingredient, such as precooked rice.

For example, substitute instant onion flakes for chopped onion, and cut vegetable ingredients, such as carrots, in smaller pieces than the conventional recipe recommends.

☐ Most converted recipes will require adjustments in cooking time. Although a "rule of thumb" always has exceptions, you can generally assume that most microwave recipes are heated in about one-quarter to one-third of the conventional recipe time. Check for doneness after one-quarter of the time before continuing to cook.

Now let's try converting a conventional recipe to the microwave oven. Suppose you have a favorite recipe for Chicken Marengo that you would like to prepare in your microwave oven. The closest recipe in this book turns out to be Chicken Cacciatore (page 76). Let's see how to go about converting.

Chicken Marengo
Conventional Style
4 to 6 servings

½ cup flour
1 teaspoon salt
½ teaspoon pepper
1 teaspoon tarragon
1 chicken, 3 pounds, cut up
¼ cup olive oil
¼ cup butter
1 cup dry white wine
2 cups canned tomatoes
1 clove garlic, finely chopped
8 mushrooms (½ pound), sliced
   Chopped parsley

Preheat oven to 350° F. Mix flour, salt, pepper, and tarragon, and dredge chicken with seasoned flour. Reserve remaining flour.

In skillet heat oil and butter, and brown chicken. Place chicken in large casserole. Add reserved flour to the fat in skillet and, using a wire whisk, gradually stir in wine. When sauce is thickened and smooth, pour over the chicken and add the tomatoes, garlic, and mushrooms. Cover casserole and bake until chicken is tender, about 45 minutes. Before serving sprinkle with parsley.

Checking the Chicken Cacciatore recipe, you'll notice that the amount of liquid is quite a bit less than in the conventional Chicken Marengo recipe. That's because liquids do not reduce in microwave cooking and we don't want a thin sauce. Notice, too, that the onion is cooked first to be sure it is tender and that the flavor of the dish is fully developed. In converting, the Chicken Marengo recipe has the liquid reduced and the garlic is cooked first. Since the volume of food is about the same, the cooking times and power settings for Chicken Cacciatore are followed for Chicken Marengo Microwave Style. Here's the fully converted recipe:

Chicken Marengo
Microwave Style
4 to 6 servings

1 chicken, 3 pounds, cut up
1 teaspoon salt
½ teaspoon pepper
1 teaspoon tarragon
1 clove garlic, minced
1 tablespoon butter
1 tablespoon olive oil
¼ cup flour
½ cup dry white wine
2 cups canned tomatoes
8 mushrooms (½ pound), sliced
   Chopped parsley

Rub chicken with salt, pepper, and tarragon and set aside. Place garlic, butter, and olive oil in 3-quart microproof casserole. Cook, covered, on HI (max. power) 1 minute. Add flour, stir until smooth, gradually adding wine. Stir in tomatoes and mushrooms. Cook, covered, on HI (max. power) 5 minutes, stir. Add chicken, immersing pieces in sauce. Cook, covered, on HI (max. power) 25 to 30 minutes, or until chicken is fork tender. Taste for seasoning, sprinkle with chopped parsley, and allow to stand covered 5 minutes before serving.

Butter, olive oil, and flour have been reduced since browning is not part of the microwave recipe. If you wish, however, add more butter and olive oil, dredge chicken in flour, and brown chicken in preheated browning dish. The white wine has been reduced to avoid a too thin sauce.

Cooking Casseroles

The microwave oven is exceptionally good for cooking casseroles. Vegetables keep their bright fresh color and crisp texture. Meats are tender and flavorful. Here are some general hints to help you:

☐ Most casseroles can be made ahead of time, refrigerated or frozen, then reheated later in the microwave.

☐ Casseroles are usually covered with plastic wrap or glass lids during cooking.

☐ Allow casseroles to stand 5 to 10 minutes before serving, according to size. Standing time allows the center of the casserole to complete cooking.

☐ You will obtain best results if you make ingredients uniform in size, stirring occasionally to distribute heat. If the ingredients are of different sizes, stir more often.

☐ Casseroles containing less tender meat need longer simmering on a lower power setting, such as 40 (braise) or 50 (simmer). Casseroles with delicate ingredients such as cream or cheese sauces often need a lower setting like 70 (roast). Cheese toppings added for the last 1 or 2 minutes should cook at a setting no higher than 70 (roast).

☐ When used in quick-cooking casseroles, celery, onions, green peppers, and carrots should be sautéed before being added to dish. Rice or noodles should be partially cooked before combining with cooked meat, fish, or poultry. Use higher power settings, such as 80 (reheat) or HI (max. power), for these recipes.

About Low Calories

Scattered through the book are low-calorie suggestions and low-calorie recipes. They are listed in the index so you can find them when you need them. In general, you can lower calories in many recipes by making substitutions such as these:

Bouillon or water for butter when sautéing or softening vegetables
Vegetables for potatoes or pasta
Lean meats for fatty ones
Skim milk for whole milk
Skim milk cheeses like low-fat cottage, ricotta, and mozzarella for creamy fatty ones
Natural gravy with herbs for cream and butter sauces (you can stir yogurt in during final step)
Fruit cooked in its natural juices for those cooked with sugar added
Skinless chicken breast for regular cut-up chicken
Shellfish, and white fish such as sole, halibut, and flounder for mackerel, tuna, and other oily fish

Appetizers can be the most creative food of today's entertaining. They can be hot or cold, simple or fancy, light or hearty depending upon the occasion. There are no rules, so you can let your imagination soar. Until now *hot* appetizers were the most troublesome and time-consuming for the host or hostess. But that's no longer true with the microwave oven. Parties are much easier and more enjoyable because the microwave eliminates all that last-minute hassle and lengthy cooking over a hot stove. You can assemble most appetizers and nibbles in advance, and at the right moment, just coolly "heat 'n serve!" This chapter presents many recipes for entertaining your guests, but you'll also be tempted to prepare delicious snacks and munchies just for the family. There's no doubt about it — appetizers cooked in the microwave oven are fun to make, fun to serve, and fun to eat.

Stuffed Mushrooms (page 43), Rumaki (page 44), and Quick Appetizer Pizza (page 44) are ready-to-cook (above and above right). To freshen corn chips and other snacks, just pop the serving bowl or basket in the oven on HI (max. power) 15 seconds; let stand 3 minutes (right).

← *Shrimp and Artichokes (page 41), Tiny Meatballs (page 41), Toasted Seasoned Pecans (page 41), Nachos (page 42)*

Converting Your Own Recipes

Most of the hot appetizers you've always wanted to make will adapt well to microwave cooking, except for those wrapped in pastry, since the coating does not become crisp. The recipe for Rumaki is an ideal guide for countless skewered appetizers containing seafood, chicken, vegetable, and fruit combinations. And compare your favorite dip recipe with one of the choices here to determine your microwave time and power setting. The enormous variety of finger foods, dippings, and canapés will provide you with continual tasty surprises. Here are some helpful tips:

☐ Appetizers and dips that contain cheese, mayonnaise, and other such delicate ingredients are usually heated on 70 (roast). A higher setting might cause separation or drying.

☐ The temperature probe set at 130°F. on 70 (roast) provides an excellent alternative for heating hot dips containing seafood, cheese, or foods to be served in a chafing dish or fondue pot.

☐ Because of its very delicate nature, a sour cream dip should be covered and heated with the temperature probe to 90° on 50 (simmer).

☐ Toppings for canapés can be made ahead, but do not place on bread or crackers until just before heating to assure a crisp base.

☐ Cover appetizers or dips only when the recipe specifies doing so. Use fitted glass lids, waxed paper, plastic wrap, or paper toweling.

☐ You can heat two batches of the same or similar appetizers at one time by using both oven levels, the middle metal rack and bottom glass tray, for almost double the time of one batch. Watch closely; those on top may cook more quickly than those on bottom.

COOKING GUIDE — CONVENIENCE APPETIZERS

Food	Amount	Power Control Setting	Time	or	Temperature Probe Setting	Special Notes
Canned meat spread	4 oz.	80 (reheat)	30 - 45 seconds			Transfer to small microproof bowl.
Canned sausages, cocktail sausages	5 oz.	80 (reheat)	1½ - 2 minutes			Place in covered glass casserole.
Cocktail franks, pizza roll	4 servings	70 (roast)	45 - 60 seconds			Place on paper towels. Roll will not crisp.
Cooked pizza, 10 inches, cut in 8 portions	1 wedge	80 (reheat)	45 - 60 seconds			Place on paper towels or paper plate or leave in uncovered cardboard box, points toward center.
	4 wedges	80 (reheat)	1½ - 2 minutes			
	Whole	70 (roast)	3¼ - 4 minutes			
Dips, cream	½ cup	10 (warm)	1½ - 2½ minutes	or	130°	Cover with plastic wrap.
Eggrolls, pastry-covered	2 servings	70 (roast)	30 - 45 seconds			Place on paper towels, do not cover.
Swiss fondue, frozen	10 oz.	80 (reheat)	5 - 6 minutes	or	150°	Slit pouch. Place on microproof plate. Stir before serving.

Shrimp and Artichokes

Total Cooking Time: 5 to 7 minutes

Arrange shrimp in single layer on flat, round microproof plate with shrimp tails toward the center. Cook, covered with waxed paper, on 70 (roast) 3 to 4 minutes. Remove shrimp as they become pink. Let stand about 5 minutes, then shell and devein. In microproof bowl, combine all remaining ingredients; cook, covered, on HI (max. power) 2 to 3 minutes, or until hot. Carefully stir in shrimp. Serve warm in chafing dish, with toothpicks.

about 36 pieces

1   pound small-sized raw
       shrimp, in shell
2   tablespoons olive oil
2   cloves garlic, minced
½   teaspoon salt
⅛   teaspoon pepper
½   teaspoon crumbled oregano
4   tablespoons lemon juice
½   teaspoon dill weed
1   jar (6 ounces) marinated
       artichokes hearts,
       drained
½   pound small fresh
       mushrooms

Tiny Meatballs

Total Cooking Time: 10 to 12 minutes

In large mixing bowl, combine ingredients and blend well. Form into small balls, about 1 inch in diameter. Arrange half the meatballs in a single layer in a microproof baking dish. Cook, uncovered, on 90 (sauté) 5 to 6 minutes. Place in chafing dish to keep hot. Cook remaining meatballs and add to chafing dish. Serve hot. Use toothpicks to spear meatballs and dunk in Curry Dipper (page 44). These may be prepared in advance and reheated just before serving on HI (max. power) 2 to 3 minutes.

about 60 meatballs

1   pound lean ground beef
½   pound ground pork
1   small onion, finely minced
1   cup milk
1   egg, lightly beaten
1   cup dry bread crumbs
1   teaspoon salt
¼   teaspoon pepper
¼   teaspoon ground allspice
2   teaspoons soy sauce

Toasted Seasoned Pecans

Total Cooking Time: 5 to 6 minutes

Place pecans in 1½-quart microproof casserole. Sprinkle with seasoned salt. Cut butter in 8 pieces and space evenly on top of pecans. Cook, uncovered, on HI (max. power) 5 to 6 minutes, stirring once or twice during cooking to distribute butter.

1 pound

1   pound pecan halves
1   tablespoon seasoned salt
¼   cup butter or margarine

You can make your own seasoned salt with garlic powder, paprika, cayenne, or curry powder. And you can use walnuts, cashews, almonds, or mixed nuts. Try your own combinations! For half the amount cut ingredients and cooking time in half. (We don't recommend roasting nuts in a shell.)

Nachos
Total Cooking Time: 1½ minutes

1 can (3⅛ ounces)
   jalapeño bean dip
1 bag (8 ounces) tortilla
   chips
1½ cups grated Cheddar cheese
1 can (2¼ ounces)
   jalapeño peppers

Spread bean dip lightly on tortilla chips. Top with cheese and the jalapeño peppers. Place 10 chips at a time on paper plate. Cook on 70 (roast) 30 seconds, or until cheese begins to melt. Serve hot.

30 canapés

This is one of those "do it now" recipes. Be sure to spread the dip on the chips just before cooking or you might end up with soggy chips.

Crunchy Chicken Wings
Total Cooking Time: 15 to 16 minutes

3 pounds chicken wings
¼ cup butter or margarine
18 buttery crackers
½ cup grated Parmesan cheese
2 teaspoons parsley flakes
½ teaspoon garlic powder
½ teaspoon paprika
   Dash pepper

Cut chicken wings apart at both joints; discard tips. Pat dry with paper towels. In 9-inch glass pie plate, melt butter on HI (max. power) 1 minute. Break crackers into blender, add remaining ingredients, and blend until crackers are crumbed and seasonings are mixed. Dip chicken in butter, then in seasoned crumbs. In pie plate, arrange chicken in spoke fashion with thicker part toward outside. Cook covered with paper towels on HI (max. power) 14 to 15 minutes, or until done. Serve hot.

28 pieces

You will delight your guests when you serve these as finger food at your next cocktail party. Be sure to provide lots of napkins!

Crab Supremes
Total Cooking Time: 1 to 1½ minutes

1 can (6½ to 7 ounces)
   crabmeat, drained
½ cup finely minced celery
2 teaspoons prepared mustard
4 teaspoons sweet pickle
   relish
2 green onions, thinly sliced
½ cup mayonnaise
16 crisp crackers or toast
   rounds

Pick over crabmeat and remove any cartilage. Place in 1-quart bowl and flake with fork. Add celery, mustard, pickle relish, green onions, and mayonnaise. Mix well. Spread mixture on crackers or toast rounds. Place 8 at a time on microproof plate lined with paper towels. Cover with waxed paper. Cook on 70 (roast) 30 to 45 seconds, or until hot. Repeat with remaining canapés.

16 canapés

Stuffed Mushrooms

Total Cooking Time: 7 to 9 minutes

Wash and dry mushrooms, remove stems. Chop stems, set aside. In 4-cup glass measure, combine bacon, green pepper, and onion. Cover with paper towels and cook on HI (max. power) 4 minutes, stirring once. Drain off fat. Add salt, cream cheese, Worcestershire, and mushroom stems. Mix well. Fill mushrooms with bacon mixture. In 2-cup glass measure, mix butter, bread crumbs, and parsley. Cook on HI (max. power) 1 minute. Press bread crumbs into top of bacon mixture. Place half the mushrooms on 9-inch microproof baking dish, stuffing side up. Cook on HI (max. power) 1 to 2 minutes. Repeat with remaining mushrooms.

about 50 mushrooms

1 pound small fresh mushrooms
4 slices bacon, diced
2 tablespoons minced green pepper
¼ cup minced onion
½ teaspoon salt
1 package (3 ounces) cream cheese
¼ teaspoon Worcestershire sauce
1 tablespoon butter or margarine
½ cup soft bread crumbs
1 teaspoon chopped fresh parsley

Cheddar Cheese Canapés

Total Cooking Time: 30 seconds

Combine Cheddar cheese, cream, Parmesan cheese, Worcestershire, hot-pepper sauce, and sesame seeds. Stir well until smooth. Spread 1 teaspoon of mixture on each toast round or cracker. Arrange 12 canapés on microproof platter. Cook on 70 (roast) 30 seconds, or until mixture is warm and cheese has melted. Repeat with remaining canapés. Garnish with parsley; serve warm.

12 canapés

 cup grated Cheddar cheese
2 tablespoons light cream
1 tablespoon grated Parmesan cheese
⅛ teaspoon Worcestershire sauce
⅛ teaspoon hot-pepper sauce
1 tablespoon sesame seeds
12 crisp crackers or toast rounds
 Chopped parsley

Party Nibblers

Total Cooking Time: 6½ to 7½ minutes

Mix pretzels, nuts, and cereal in large (12 × 8-inch) baking dish. Melt butter on HI (max. power) 1½ minutes. Stir in seasonings and Worcestershire. Drizzle over cereal; mix thoroughly. Cook on HI (max. power) 5 to 6 minutes, stirring after 3 minutes, or until evenly toasted. Cool and store in airtight container.

2½ quarts

Change combinations or add seasonings according to your taste.

2 cups thin pretzels
1 can (6 ounces) salted nuts (1½ cups)
2 cups crisp rice squares
2 cups crisp wheat squares
2 cups crisp oat circles
7 tablespoons butter or margarine
½ teaspoon garlic powder
½ teaspoon onion powder
½ teaspoon celery salt
1 teaspoon Worcestershire sauce

Cold Eggplant Appetizer

Total Cooking Time: 7½ to 9 minutes

1 eggplant (1 pound)
1 small onion, minced
½ medium green pepper, minced
1 clove garlic, minced
1 teaspoon lemon juice
½ teaspoon salt
⅛ teaspoon pepper
1 cup plain yogurt

Place whole eggplant on microproof baking rack, pierce skin in several places. Cook on HI (max. power) 6 to 7 minutes, or until soft. Set aside to cool. Combine onion, green pepper, garlic, and lemon juice in small microproof bowl. Cook on HI (max. power) 1½ to 2 minutes, or until vegetables are limp. Cut eggplant in half and scoop pulp into small mixing bowl. Add all ingredients except yogurt. Beat until well blended. Stir in yogurt, cover, and chill thoroughly before serving.

2 cups

Serve with pumpernickel or black bread, party rye or crackers. Cold eggplant is a wonderful low-calorie appetizer. If you serve it with cut-up raw vegetables instead of bread it is even lower in calories.

Rumaki

Total Cooking Time: 21 minutes

12 slices bacon
8 ounces chicken livers
¼ teaspoon garlic powder
¼ cup soy sauce
1 can (8 ounces) sliced water chestnuts, drained

Cut bacon slices in thirds and chicken livers in 1-inch pieces. Mix garlic powder in soy sauce. Dip chicken livers in soy sauce. Place 1 slice water chestnut on 1 piece liver and wrap in 1 slice bacon. Roll, secure, and fasten with wooden toothpick. Place 12 at a time in a circle on paper towel-lined microproof plate; cover with paper towels. Cook on HI (max. power) 4 minutes. Turn over, cover, and cook on HI (max. power) 3 minutes, or until bacon is cooked. Allow to stand 1 minute before serving.

36 appetizers

Quick Appetizer Pizza

Total Cooking Time: 9 to 12 minutes

6 English muffins, split and toasted
1 can (8 ounces) pizza sauce
1 package (4 ounces) pepperoni, sliced
1 cup shredded mozzarella cheese

Spread each toasted muffin half with pizza sauce. Top with 3 slices pepperoni and then with cheese. Place 4 halves on microproof serving plate in circle. Cook on 70 (roast) 3 to 4 minutes, or until cheese is melted. Let stand 3 minutes before serving. Repeat with remaining muffins.

12 servings

Microwaves perform at their very best with sandwiches, hot drinks, soups, and chowders. For a quick pick-me-up all you need is a minute or two and a mug full of water for a cup of instant soup, or coffee. And, if you like to make soups from scratch without those endless hours of simmering and hovering that are required by conventional cooking, follow these microwave recipes.

Rise and shine with breakfast cocoa and wind down your day with after-dinner coffee swiftly and easily made in your microwave oven. What a convenience for coffee lovers! No more of that bitter mess when coffee is kept warm for more than 15 minutes in the conventional way. Brew your coffee as you normally do and pour what you want to drink now. Refrigerate the rest. Then, throughout the day, pour single cups as you wish from the refrigerated pot. Heat for $1\frac{1}{2}$ to 2 minutes on HI (max. power) and savor the taste of truly fresh coffee.

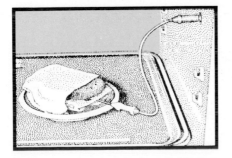

The temperature probe is especially helpful when preparing soup. Note the probe position when a bowl or casserole is covered with plastic wrap—the wrap is not pierced by the probe (above left). The temperature probe can be used when heating 1 to 4 cups of soup—arrange in a circle and insert the probe in one cup (above). Hot Ham and Swiss (page 51) is quickly heated using the probe (left).

Converting Your Own Soup and Hot Drink Recipes

Soups and hot drinks convert well and easily to the microwave method. Find a recipe here with the approximate density and volume of the family favorite or the new conventional recipe you want to try. You may have to alter an ingredient or two: for example, dried bean soups such as split pea and navy bean do not obtain the best results in microwave cooking. However, canned, precooked navy beans, kidney beans, and packaged dry soup mixes are perfect substitutes for dried beans and peas. The tips below will help you obtain excellent results with your own recipes:

☐ Be careful with milk-based liquids or 2- or 3-quart quantities, which can boil over quickly. Always select a large enough microproof container to prevent any boiling over, and fill individual cups no more than two-thirds full.

☐ Soup is cooked covered. Use microproof casserole lids, waxed paper, or plastic wrap.

☐ Soup with uncooked meat and chicken needs slower simmering. Start cooking on HI (max. power) and finish cooking on 50 (simmer). Generally, use 80 (reheat) for soups containing cooked meats and/or vegetables.

☐ Cooking time varies with the volume of liquid and density of food in soup.

☐ Remember that the microwave's brief cooking time results in less evaporation of liquid than stovetop simmering.

☐ Start with one-quarter the time recommended in a conventional recipe and adjust as needed to complete cooking.

Using the Hot Drinks Cooking Guide

1. Pour liquid into microproof cup.
2. The temperature of the liquid before heating will make a difference in final heating time. Water from the cold tap or milk from the refrigerator will take longer to heat.
3. Cook water-based drinks on HI (max. power). Heat milk-based drinks on 70 (roast), and watch carefully that they do not boil over.
4. Temperature probe may be used. Set at 150°F. Cook water-based drinks on HI (max. power) and milk-based drinks on 70 (roast).

COOKING GUIDE — HOT DRINKS

Liquid	Power Control Setting	6-ounce Cup	Time (in minutes)	8-ounce Cup	Time (in minutes)	Special Notes
Water	HI (max. power)	1	1 to 1¼	1	1½ to 2	For instant coffee, soup, tea, etc.
		2	1¾ to 2	2	3 to 3¼	
Milk	70 (roast)	1	2½	1	2¾ to 3	For cocoa, etc.
		2	2¾ to 3	2	3¼ to 3½	
Reheating coffee	HI (max. power)	1	1 to 1½	1	1¼ to 1½	
		2	2 to 2¼	2	2 to 2½	

Using the Canned Soups Cooking Guide

1. Pour soup into 1½- or 2-quart microproof casserole.
2. Add milk or water as directed on can. Stir.
3. Cover with casserole lid, waxed paper, or plastic wrap.
4. Cook according to directions in Guide. Stir cream-style soups halfway through cooking times.
5. Temperature probe may be used. Set and cook as directed in Guide.
6. Let stand, covered, 3 minutes before serving.

COOKING GUIDE — CANNED SOUPS

Soup	Amount	Power Control Setting	Time (in minutes)	or	Temperature Probe Setting	Special Notes
Broth	10¾ oz.	80 (reheat)	3½ - 4	or	150°	Use 1½-quart casserole
Cream Style:	10¾ oz.	80 (reheat)	5 - 6	or	140°	Use 1½-quart casserole
Tomato	26 oz.	80 (reheat)	8 - 10	or	140°	Use 2-quart casserole
Bean, Pea, or Mushroom	10¾ oz.	70 (roast)	7 - 8	or	150°	Use 1½-quart casserole
Undiluted chunk-style vegetable:	10¾ oz.	80 (reheat)	2½ - 4	or	150°	Use 1-quart casserole
	19 oz.	80 (reheat)	5 - 7	or	150°	Use 1½-quart casserole

Using the Quick Soup Cooking Guide

1. Pour water in microproof mug or casserole.
2. Cover with waxed paper or casserole lid.
3. Cook according to directions in Guide.
4. Let stand 5 minutes before serving.
5. Check noodles or rice, if any. If not cooked, return to oven at 80 (reheat) for 30 seconds.
6. Temperature probe may be used. Set as directed in Guide, cook on HI (max. power), and let stand 5 minutes before serving.

COOKING GUIDE — QUICK SOUPS

Soup	Number of Envelopes	Power Control Setting	Time (in minutes)	or	Temperature Probe Setting	Special Notes
Instant soup 1¼-ounce envelope	1	HI (max. power)	2 - 2½	or	150°	Use 2/3 cup water in 8-ounce mug.
	2	HI (max. power)	3 - 3½	or	150°	Use 2/3 cup water per 8-ounce mug.
	4	HI (max. power)	6 - 7	or	150°	Use 2/3 cup water per 8-ounce mug.
Soup mix 2¾-ounce envelope	1	HI (max. power)	8 - 10	or	160°	Use 4 cups water in 2-quart casserole.

Converting Your Own Sandwich Recipes

The enormous variety of sandwich combinations you can heat in your microwave oven will tickle your imagination, and they are so easy to do. Combine meat and cheeses, eggs, salads, and vegetables; make "Dagwoods" or elegant tea sandwiches; and, of course, you'll want to cook the old standbys, hot dogs and hamburgers. Sandwiches heat in seconds, so be careful not to overcook — the bread can become tough and chewy. Heat breads until warm, not hot, and cheese just until it begins to melt. You can warm meat sandwiches, filled only with several thin slices of meat per sandwich, on HI (max. power) as follows:

1 sandwich	45 to 50 seconds
2 sandwiches	1 to 1½ minutes
4 sandwiches	2 to 2½ minutes

Follow these tips when adapting or creating your own sandwiches:

☐ The best breads to use for warmed sandwiches are day-old, full-bodied breads such as rye and whole wheat, and breads rich in eggs and shortening, like French or Italian and other white breads.

☐ Heat sandwiches on paper napkins, paper towels, or paper plates to absorb the steam and prevent sogginess. Cover with a paper towel to prevent splattering. More simply, you can wrap each sandwich in a paper towel. Remove wrapping immediately after warming.

☐ Thin slices of meat heat more quickly and taste better than one thick slice. The slower-cooking thick slice often causes bread to overcook before meat is hot.

☐ Moist fillings, such as that in a Sloppy Joe or a barbecued beef sandwich, should generally be heated separately from the rolls, to prevent sogginess.

☐ The browning dish can be used to enhance your grilled cheese, Reuben, or bacon sandwich. Brown the buttered outer side of bread before inserting filling.

Chilled Minted Pea Soup
Total Cooking Time: 7 to 10 minutes

¼ cup lightly packed fresh parsley, stems removed
2 green onions
½ medium head lettuce, cored
2 cups fresh peas or 10-ounce package frozen peas
1 can (13¾ ounces) chicken broth
½ teaspoon salt
¼ cup coarsely chopped fresh mint leaves
¼ teaspoon white pepper
½ cup heavy cream
4 sprigs fresh mint for garnish

Chop parsley, green onions, and lettuce. Transfer to 2-quart casserole, add peas, chicken broth, salt, mint, and pepper. Cook on HI (max. power) 7 to 10 minutes, or until vegetables are tender. Pour the soup into a blender, cover, start at low speed and move to high until smooth. Stir in cream and cover. Chill until serving time. Garnish with mint.

4 servings

If fresh mint is not available, substitute 1 tablespoon dried mint leaves. Or, for an interesting variation, substitute ½ teaspoon dried thyme.

French Onion Soup

Total Cooking Time: 23 to 29 minutes

In 3-quart microproof casserole, cook onions and butter on HI (max. power) 10 to 12 minutes, or until onions are transparent, stirring once during cooking. Stir in flour and cook, uncovered, on HI (max. power) 1 minute. Stir in broth, wine, salt, and pepper. Cook, covered, on HI (max. power) for 8 minutes. To serve, lightly sprinkle garlic powder on hot buttered toast. Nearly fill microproof soup bowls with hot soup; float toast on top. Cover toast generously with Swiss cheese. Place 2 bowls (or 3, in a circle) in microwave oven. Cook, uncovered, on 70 (roast) 2 minutes, or until cheese is melted.

6 to 8 servings

3 large onions, thinly
   sliced and quartered
¼ cup butter or margarine
2 teaspoons all-purpose
   flour
6 cups regular-strength beef
   broth
¼ cup dry white wine
½ teaspoon salt
⅛ teaspoon white pepper
   Garlic powder
6 to 8 slices French bread,
   toasted and buttered
1 cup shredded Swiss cheese

You may prefer to prepare this soup early in the day. If so, refrigerate before adding toast. Later, cook, covered, on HI (max. power) 5 minutes, stirring twice during heating. Then continue as directed.

Tomato Soup Piquante

Total Cooking Time: 16 to 17 minutes

Place butter and celery in 2-quart glass casserole. Cook on HI (max. power) 5 minutes. Add all other ingredients except lemon slices. Cook, covered, on 80 (reheat) 11 to 12 minutes, or until hot. Let stand 2 to 5 minutes. Garnish with lemon slices.

4 to 6 servings

1 tablespoon butter or
   margarine
½ cup finely chopped celery
1 quart tomato juice
1 can (10½ ounces)
   condensed beef consommé
1 tablespoon dry sherry
½ teaspoon thyme
1 teaspoon sugar
½ teaspoon celery salt
⅛ teaspoon hot-pepper sauce
4 to 6 lemon slices

Cream of Mushroom Soup

Total Cooking Time: 7 minutes

In 2-quart microproof casserole, combine mushrooms, seasonings, and broth. Cook on HI (max. power) 5 minutes, stirring once. Stir in cream, cook on 60 (bake) 2 minutes, or until hot.

6 servings

2 cups chopped fresh
   mushrooms
½ teaspoon onion powder
⅛ teaspoon garlic powder
⅛ teaspoon white pepper
¼ teaspoon salt
2½ cups chicken broth
1 cup heavy cream

For a lower-calorie soup, substitute 1 cup evaporated low-fat milk for 1 cup heavy cream.

Minestrone Soup

Total Cooking Time: 43 minutes

Trim meat by removing fat and gristle. Cut into ½- to ¾-inch pieces. In 4-quart microproof casserole, place meat and pour in water. Add onion, pepper, basil, and garlic. Cook, covered, on HI (max. power) 25 minutes, or until meat is tender. Add carrots and tomatoes. Cook, covered, on HI (max. power) 8 minutes. Stir in vermicelli, zucchini, beans, cabbage, parsley, and salt. Cook, covered, on HI (max. power) 10 minutes, stirring once. Allow to stand 5 minutes before serving. Sprinkle generously with cheese.

6 to 8 servings

The temperature probe may be used after all ingredients have been added to casserole. Cook on 60 (bake) set at 150°.

1	pound beef for stew
5	cups hot water
1	medium onion, chopped
¼	teaspoon pepper
½	teaspoon basil
1	clove garlic, minced
½	cup thinly sliced carrots
1	can (16 ounces) tomatoes
½	cup uncooked vermicelli, broken in 1-inch pieces
1½	cups sliced zucchini
1	can (16 ounces) kidney beans, drained
1	cup shredded cabbage
2	tablespoons chopped fresh parsley
1	teaspoon salt
	Grated Parmesan or Romano cheese

Roast Beef 'n Swiss Rolls

Total Cooking Time: 4½ minutes

Mix butter, mustard, onion powder, and poppy seeds in small bowl. Spread butter mixture inside each roll. Top with 1 slice each of beef and cheese. Cover with other half of roll. Wrap each sandwich in paper towel or napkin. Place 2 at a time in oven. Cook on 80 (reheat) 1½ minutes, or until rolls warm.

6 servings

¼	cup butter or margarine
1	teaspoon prepared mustard
½	teaspoon onion powder
1	teaspoon poppy seeds
6	large hard rolls, split
6	thin slices roast beef
6	slices Swiss cheese

Bacon Cheesewiches

Total Cooking Time: 8 to 10½ minutes

Cook bacon according to directions on page 71 until crisp. Drain. Crumble bacon and combine with remaining ingredients except buns. Spread 3 tablespoons bacon-cheese mixture on bottom half of each bun and cover with top. Wrap each sandwich in paper towel. Cook 2 at a time on 80 (reheat) for 1 to 1½ minutes or until heated through.

6 servings

6	slices bacon
1½	cups grated process American cheese
1	tablespoon instant minced onion
¼	cup catsup
1	tablespoon prepared mustard
6	hamburger buns, split

Sausage and Pepper Heroes

Total Cooking Time: 14 to 16 minutes

Place sausages on microwave roasting rack. Cover with paper towels. Cook on HI (max. power) 4 minutes. Turn sausages. Cook on HI (max. power) 4 minutes longer. Set sausages aside. In a 2-cup glass measure cook barbecue sauce with pepper strips on HI (max. power) 2 minutes. Split hero rolls almost in half. Place 1 cooked sausage in each roll. Top each with one-quarter of the sauce and pepper strips. Place each roll on paper towel-lined microproof plate. Cook, one at a time, on HI (max. power) 1 to 1½ minutes or until rolls are warmed.

4 servings

4 Italian sausages
½ cup Spicy Barbecue Sauce
     (page 158)
1 green pepper, cut in
     strips
4 hero rolls

Bottled barbecue sauce may be substituted for your own.

For party fun, make several batches a day in advance. Combine sausages and barbecue sauce with pepper strips in microproof casserole. Refrigerate. Reheat, using temperature probe inserted in center of casserole. Cook on HI (max. power) set at 150°F.

Hot Dogs in Buns

Total Cooking Time: 2½ to 3 minutes

Place each hot dog in bun and wrap individually in paper towels. Arrange in spoke pattern on glass tray. Cook on 80 (reheat) 2½ to 3 minutes. Watch carefully to avoid overcooking. Serve hot dogs with an assortment of fillings such as chili sauce, prepared mustard, pickle relish, sauerkraut, catsup, chopped onion, chopped green pepper, and grated cheese.

6 servings

6 hot dog buns, split
6 hot dogs

For 1 hot dog only, cook 50 to 60 seconds; 2 hot dogs 1 to 1½ minutes; 3 hot dogs 1½ to 2 minutes; 4 hot dogs 2 to 2¼ minutes.

Hot Ham and Swiss

Total Cooking Time: approximately 1 minute

Spread butter and mayonnaise on bread. Place slices of ham and cheese between bread slices and wrap loosely in paper towel. Insert temperature probe at least 1 inch into the center of sandwich; attach probe to oven receptacle. Cook on HI (max. power) set at 110°F. Let stand 2 minutes before serving.

1 serving

2 slices rye bread
     Butter or margarine
     Mayonnaise
2 thin slices boiled ham
1 slice Swiss cheese

Reuben Sandwich

Total Cooking Time: 4 minutes

8 slices dark rye or
    pumpernickel bread, toasted
    Butter or margarine
½ pound thinly sliced
    corned beef
1 can (8 ounces) sauerkraut,
    drained
4 tablespoons Thousand Island
    dressing
4 slices Swiss cheese

Butter toasted bread lightly. Arrange sliced corned beef on 4 slices of toast. Divide sauerkraut among sandwiches. Dot each with 1 tablespoon Thousand Island dressing. Top each with slice of Swiss cheese. Cover with remaining 4 slices of toast, buttered side down. Place each sandwich on a paper plate or paper towel-lined microproof plate. Cook one at a time on 80 (reheat) about 1 minute, or just until cheese is melted.

4 servings

Cheeseburgers

Total Cooking Time: 6 to 10 minutes

1 pound lean ground beef
    Salt and pepper
4 hamburger buns, split and
    toasted
4 slices process American
    cheese

Season ground beef to taste with salt and pepper. Shape into 4 patties. Place in 8-inch round microproof baking dish. Cover with waxed paper, cook on 80 (reheat) 2 minutes. Turn patties over. Cook, covered, on 80 (reheat) 2 to 4 minutes to obtain desired degree of doneness. Place 1 patty on each hamburger bun. Top each patty with a slice of cheese. Place each cheeseburger on a small paper plate. Cook 1 or 2 at a time on 80 (reheat) 1 minute, or until cheese melts. Cover with remaining halves of buns.

4 servings

The microwave browning dish or grill is a popular accessory. It gives hamburgers and other meats their familiar seared, browned appearance. If using your microwave browning dish for cheeseburgers, preheat dish on HI (max. power) for 7 minutes. Put patties in dish and cook on 80 (reheat) for 2 minutes. Repeat for other side of patties. Then proceed with recipe above.

Reuben Sandwich →

Hot Cranberry Punch
Total Cooking Time: 9 to 11 minutes

In 2-quart microproof casserole combine juices, spices, and sugar. Cook, covered, on HI (max. power) 9 to 11 minutes, or until mixture comes to a boil. Strain into warmed punch bowl. Garnish with clove-studded orange slices.

8 servings

1 cup apple juice
3 cups cranberry juice
½ cup orange juice
3 tablespoons lemon juice
4 whole cloves
1 cinnamon stick
3 tablespoons sugar
1 orange, sliced
  Whole cloves

Hot Buttered Rum
Total Cooking Time: 1½ to 2 minutes

In tall microproof mug or cup, mix brown sugar and rum. Add water to two-thirds full. Cook on HI (max. power) 1½ to 2 minutes, until very hot but not boiling. Add butter; sprinkle with nutmeg. Add cinnamon stick.

1 serving

2 teaspoons brown sugar
¼ cup light or dark rum
1½ teaspoons sweet butter
  Dash nutmeg
  Cinnamon stick

Russian Tea Mix
Total Cooking Time: 1½ to 2 minutes

Mix all ingredients and store in covered jar or container until ready to use. For 1 serving, place 1 or 2 teaspoons mix in microproof cup. Add water or cider, cook on HI (max. power) 1½ to 2 minutes.

64 servings

For a lower-calorie drink, substitute artificial sweetener to equal ⅓ cup sugar. If you'd like to serve your guests the regular mix but fix a low-calorie one for yourself, place ½ teaspoon grated orange peel, 1 whole clove, 1½ teaspoons instant unsweetened tea, and 1 cup water in microproof mug. Heat on HI (max. power) 1½ minutes. Add artificial sweetener equal to 2 teaspoons sugar or to taste and stir with cinnamon stick.

---

1 jar (9 ounces) powdered orange breakfast drink
1 package (3 ounces) lemonade mix
⅓ cup sugar
1½ cups instant unsweetened tea
.1 teaspoon cinnamon
¾ teaspoon ground ginger
1 teaspoon ground cloves
¼ teaspoon nutmeg
  Water or apple cider

Cooking meat in the microwave oven offers tremendous advantages over the conventional range. For juiciness and flavor, the microwave method excels. It also stretches your meat dollar by reducing shrinkage. And you can defrost, cook, and reheat in minutes while your kitchen remains cool and comfortable.

If some of your guests or family prefer beef rare and others well done, the microwave oven solves the problem. After the roast is carved, a few seconds in the microwave oven will bring slices of rare roast to medium or well done. In addition, meat for the barbecue is enhanced by precooking in the microwave. You get that wonderful charcoal flavor without the long watchful cooking that often results in burned or blackened meat. Microwave roasting methods are similar to dry roasting in your conventional oven. This means that the better, tender cuts of meat are recommended for best results. Less tender cuts should be marinated or tenderized and cooked at low power settings. As in conventional cooking, they are braised or stewed to achieve tenderness.

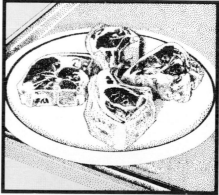

Meatloaf may be cooked in a loaf, but a ring mold is best. You can make your own ring mold by using a small straight-sided glass in baking dish (above). Food arrangement for microwave cooking is illustrated with lamb chops: the narrow bony end is placed toward the center of the dish (above right). Placement of the temperature probe in a rib roast (right).

Some people believe that meat does not brown in microwave ovens. Wrong! Any meat that cooks more than 10 minutes will brown in your microwave oven. True, individual steaks, chops, ground meat patties, and thin cuts of meat that cook quickly will brown best with a microproof browning dish.

Using the browning dish for Cheeseburgers (page 52). →

Converting Your Recipes

Charts on the following pages outline microwave thawing and cooking times for the standard cuts of meat. The temperature probe eliminates any guesswork or troublesome arithmetic. For converting casseroles, meatloaf, meat in sauces, and recipes that call for less tender cuts of meat, you're sure to find a similar recipe here to guide your own creations. Adapt your conventional recipes by matching ingredients and methods as closely as possible. Experiment as much as you like. Here are some helpful hints:

- ☐ For best results, cook evenly shaped, boned, rolled, and tied small roasts.
- ☐ Recipe times here presume meat is at refrigerator temperature. If your meal requires lengthy preparation, during which the meat may reach room temperature, reduce cooking times.
- ☐ Baste, marinate, or season meat just as you would for conventional cooking. However, avoid salting the surface before or during cooking, since salt tends to draw liquids from foods.
- ☐ You can use a microwave roasting rack to elevate meat from its drippings during cooking.
- ☐ Use a tight cover and a 40 (braise) or 50 (simmer) setting for the less tender cuts of meat such as chuck, bottom round, brisket, and stewing meat cooked in liquid.
- ☐ Check dishes that use relatively long cooking times to be sure liquid has not evaporated. Add liquid as necessary.
- ☐ Enhance the color and flavor of ground beef patties, steaks, meatloaf, and roasts by using one of the following: powdered brown gravy mix; a liquid browning agent; Worcestershire, soy sauce or steak sauce; paprika; cooked bacon; tomato sauce; or dehydrated onion soup mix.
- ☐ Most ground beef recipes call for lean meat. If you are using regular ground beef, drain fat before adding sauce ingredients.
- ☐ Large cuts not usually cooked on the charcoal grill, such as ham, leg of lamb, pork roast, turkey, and whole chicken, may be partially cooked in the microwave oven and finished on the grill for a lovely charcoal flavor and a browned crispness. It's also a great time saver for spareribs.

Using the Defrosting Guide

1. You may defrost meat within its original paper or plastic wrappings. Remove all metal rings, wire twist ties, and all foil wrapping.
2. Place meat in microproof dish.
3. Defrost in the microwave oven only as long as necessary, since standing time will complete the thawing process. Separate items like chops, bacon slices, and frankfurters into pieces as soon as

possible. If separated pieces are not thawed, distribute them evenly in oven and continue defrosting.
4. Slightly increase the time for weights larger than on the chart. Do not double.
5. If you do not plan immediate cooking, follow the guide for only one-half to three-fourths of recommended time. Place meat in refrigerator to continue defrosting until needed.

DEFROSTING GUIDE — MEAT

Meat	Amount	Power Control Setting	Time (in minutes per pound)	Standing Time (in minutes)	Special Notes
Ground beef	1-lb.	30 (defrost)	5-6	5	Turn over once. Remove thawed portions with fork. Return remainder. Freeze in doughnut shape. Depress center when freezing. Defrost on plate.
	2 lbs.	30 (defrost)	8-9	5	
	1/4-lb. patty	30 (defrost)	1 per patty	2	
Pot roast, chuck	under 4 lbs.	30 (defrost)	3-5	10	Turn over once.
	over 4 lbs.	70 (roast)	3-5	10	Turn over once.
Rib roast, rolled	3 to 4 lbs.	30 (defrost)	6-8	30-45	Turn over once.
	6 to 8 lbs.	70 (roast)	6-8	90	Turn over twice.
Rib roast, bone in		70 (roast)	5-6	45-90	Turn over twice.
Rump roast	3 to 4 lbs.	30 (defrost)	3-5	30	Turn over once.
	6 to 7 lbs.	70 (roast)	3-5	45	Turn over twice.
Round steak		30 (defrost)	4-5	5-10	Turn over once.
Flank steak		30 (defrost)	4-5	5-10	Turn over once.
Sirloin steak	1/2" thick	30 (defrost)	4-5	5-10	Turn over once.
Tenderloin		30 (defrost)	5-6	10	Turn over once.
Steaks	2 or 3 2 to 3 lbs.	30 (defrost)	4-5	8-10	Turn over once.
Stew beef	2 lbs.	30 (defrost)	3-5	8-10	Turn over once. Separate.
Lamb					
Cubed for stew		30 (defrost)	7-8	5	Turn over once. Separate.
Ground lamb	under 4 lbs.	30 (defrost)	3-5	30-45	Turn over once.
	over 4 lbs.	70 (roast)	3-5	30-45	Turn over twice.
Chops	1" thick	30 (defrost)	5-8	15	Turn over twice.
Leg	5-8 lbs.	30 (defrost)	4-5	15-20	Turn over twice.
Pork					
Chops	1/2"	30 (defrost)	4-6	5-10	Separate chops halfway through defrosting time.
	1"	30 (defrost)	5-7	10	
Spareribs, country-style ribs		30 (defrost)	5-7	10	Turn over once.
Roast	under 4 lbs.	30 (defrost)	4-5	30-45	Turn over once.
	over 4 lbs.	70 (roast)	4-5	30-45	Turn over twice.
Bacon	1-lb.	30 (defrost)	2-3	3-5	Defrost until strips separate.
Sausage, bulk	1 lb.	30 (defrost)	2-3	3-5	Turn over once. Remove thawed portions with fork. Return remainder.
Sausage links	1 lb.	30 (defrost)	3-5	4-6	Turn over once. Defrost until pieces can be separated.
Hot dogs		30 (defrost)	5-6	5	

DEFROSTING GUIDE — MEAT

Meat	Amount	Power Control Setting	Time (in minutes per pound)	Standing Time (in minutes)	Special Notes
Veal					
Roast	3 to 4 lbs.	30 (defrost)	5 - 7	30	Turn over once.
	6 to 7 lbs.	70 (roast)	5 - 7	90	Turn over twice.
Chops	1/2" thick	30 (defrost)	4 - 6	20	Turn over once. Separate chops and continue defrosting.
Variety Meat					
Liver		30 (defrost)	5 - 6	10	Turn over once.
Tongue		30 (defrost)	7 - 8	10	Turn over once.

Using the Cooking Guide

1. Meat should be completely thawed before cooking.
2. Place meat fat side down, on microwave roasting rack set in glass baking dish.
3. Meat may be covered lightly with waxed paper to stop splatters.
4. Use the temperature probe for the most accurate cooking of larger meats. Place probe sensor as horizontally as possible in the densest area, avoiding fat pockets or bone.
5. Unless otherwise noted, times given for steaks and patties will give medium doneness.
6. Ground meat to be used for casseroles should be cooked briefly first; crumble it into a microproof dish and cook covered with a paper towel. Then drain off any fat and add meat to casserole.
7. During standing time, the internal temperature of roasts will rise approximately 15°. Hence, standing time is considered an essential part of the time required to complete cooking.
8. Cutlets and chops that are breaded are cooked at the same time and cook control setting as shown on chart.

COOKING GUIDE — MEAT

Meat	Amount	First Power Control Setting And Time	Second Power Control Setting And Time	or	Temperature Probe And Power Control Setting	Standing Time (in minutes)	Special Notes
Beef							
Ground beef	Bulk	HI (max. power) 2½ minutes per pound	Stir. HI (max. power) 2½ minutes per pound			5	Crumble in dish, cook covered.
Ground beef patties, 4 oz., 1/2" thick	1	HI (max. power) 1 minute	Turn over. HI (max. power) 1 - 1½ minutes				Shallow baking dish.
	2	HI (max. power) 1 - 1½ minutes	Turn over. HI (max. power) 1 - 1½ minutes				Shallow baking dish.
	4	HI (max. power) 3 minutes	Turn over. HI (max. power) 3 - 3½ minutes				Shallow baking dish.
Meatloaf	2 lbs.	HI (max. power) 12 - 14 minutes		or	HI (max. power) 160°	5 - 10	Glass loaf dish or glass ring mold.

COOKING GUIDE — MEAT

Meat	Amount	First Power Control Setting And Time	Second Power Control Setting And Time	or	Temperature Probe And Power Control Setting	Standing Time (in minutes)	Special Notes
Beef rib roast, boneless		HI (max. power) Rare: 4-5 minutes per pound Medium: 5-6 minutes per pound Well: 6-7 minutes per pound	Turn over. 70 (roast) 3-4 minutes per pound 5-6 minutes per pound 6-7 minutes per pound	or	Turn over once. 70 (roast) 120° 130° 140°	10 10 10	Glass baking dish with microproof roasting rack.
Rib roast, bone in		HI (max. power) Rare: 3-4 minutes per pound Medium: 4-5 minutes per pound Well: 5-6 minutes per pound	Turn over. 70 (roast) 3-4 minutes per pound 3-5 minutes per pound 5-6 minutes per pound	or	Turn over once. 70 (roast) 120° 130° 140°	10	Glass baking dish with microproof roasting rack.
Beef round, rump, or chuck, boneless		HI (max. power) 5 minutes per pound	Turn over. 50 (simmer) 10 minutes per pound			10-15	Casserole with tight cover. Requires liquid.
Beef brisket, boneless, fresh or corned	2½-3½ lbs.	HI (max. power) 5 minutes per pound	Turn over. 50 (simmer) 20 minutes per pound			10-15	4-quart casserole Dutch oven with tight cover. Water to cover.
Top round steak		HI (max. power) 5 minutes per pound	Turn over. 50 (simmer) 5 minutes per pound			10-15	Casserole with tight cover. Requires liquid.
Sirloin steak	3/4 to 1" thick	HI (max. power) 4½ minutes per pound	Drain dish and turn over. HI (max. power) 2 minutes per pound			10-15	Shallow cooking dish or browning dish preheated 8 minutes on HI (max. power).
Minute steak or cube steak,	4, 6-oz. steaks	HI (max. power) 1-2 minutes	Drain dish and turn over. HI (max. power) 1-2 minutes				Browning dish preheated on HI (max. power) 8 minutes.
Tenderloin	4, 8-oz. steaks	HI (max. power) Rare: 5 minutes Med: 6 minutes Well: 9 minutes	Drain, turn steak. HI (max. power) 1-2 minutes 2-3 minutes 2-3 minutes			10-15	Browning dish preheated on HI (max. power) 8 minutes.
Rib eye or strip steak	1½ to 2 lbs.	HI (max. power) Rare: 4 minutes Med: 5 minutes Well: 7 minutes	Drain, turn steak. HI (max. power) ½-1 minute 1-2 minutes 2-3 minutes			10-15	Browning dish preheated on HI (max. power) 8 minutes.
Lamb							
Ground lamb patties	1-2 lbs.	HI (max. power) 4 minutes	Turn over. HI (max. power) 4-5 minutes				Browning dish preheated on HI (max. power) 7 minutes.
Lamb chops	1-1½ lbs. 1" thick	HI (max. power) 8 minutes	Turn over. HI (max. power) 7-8 minutes				Browning dish preheated on HI (max. power) 7 minutes.
Lamb leg or shoulder roast, bone in		70 (roast) Medium: 4-5 minutes per pound Well: 5-6 minutes per pound	Cover end of leg bone with foil. Turn over. 70 (roast) Medium: 4-5 minutes per pound Well: 5-6 minutes per pound	or	Turn over once. Cover end of leg bone with foil. 145° 165°	5 10	12×7-inch dish with microproof roasting rack.

COOKING GUIDE — MEAT

Meat	Amount	First Power Control Setting And Time	Second Power Control Setting And Time	or	Temperature Probe And Power Control Setting	Standing Time (in minutes)	Special Notes
Lamb roast, boneless		70 (roast) 5-6 minutes per pound	Turn over. 70 (roast) 5-6 minutes per pound	or	Turn over once. 70 (roast) 150°	10	12×7-inch dish with microproof roasting rack.
Veal: Shoulder or rump roast, boneless	2-5 lbs.	70 (roast) 9 minutes per pound	Turn over. 70 (roast) 9-10 minutes per pound	or	Turn over once. 70 (roast) 155°	10	12×7-inch dish with microproof roasting rack.
Veal cutlets or loin chops	1/2" thick	HI (max. power) 2 minutes per pound	Turn over. HI (max. power) 2-3½ minutes per pound				Browning dish preheated on HI (max. power) 7-10 minutes.
Pork: Pork chops	1/2" thick	HI (max. power) 6 minutes per pound	Turn over. HI (max. power) 5-6 minutes per pound			5	Browning dish preheated on HI (max. power) 7 minutes
Spareribs		70 (roast) 6-7 minutes per pound	Turn over. 70 (roast) 6-7 minutes per pound			10	12×7-inch dish with microproof roasting rack.
Pork loin roast, boneless	3-5 lbs.	HI (max. power) 6 minutes per pound	Turn over. 70 (roast) 5-6 minutes per pound	or	Turn over once. 70 (roast) 165°	10	12×7-inch dish with microproof roasting rack.
Pork loin center cut	4-5 lbs.	HI (max. power) 5-6 minutes per pound	Turn over. 4-5 minutes per pound 70 (roast)	or	Turn over once. 70 (roast) 165°	10	13×9-inch dish with microproof roasting rack.
Ham, boneless, precooked		70 (roast) 5-7 minutes per pound	Turn over. 70 (roast) 5-7 minutes per pound	or	Turn over once. 120° 70 (roast)	10	12×7-inch dish with microproof roasting rack.
Center cut ham slice	1-1½ lbs.	70 (roast) 5 minutes per pound	Turn over. 70 (roast) 5-6 minutes per pound	or	Turn over once. 120° 70 (roast)	10	12×7-inch baking dish.
Smoked ham shank		70 (roast) 4-5 minutes per pound	Turn over. 70 (roast) 4-5 minutes per pound	or	Turn over once. 120° 70 (roast)	10	12×7-inch dish with microproof roasting rack.
Canned ham	3 lbs.	70 (roast) 5-6 minutes per pound	70 (roast) 5-6 minutes per pound	or or	120° 70 (roast)	10	12×7-inch dish with microproof roasting rack.
	5 lbs.	70 (roast) 4-5 minutes per pound	Turn over. 70 (roast) 4-5 minutes per pound	or	Turn over once. 120° 70 (roast)	10	12×7-inch dish with microproof roasting rack.
Sausage patties	12-oz.	HI (max. power) 2 minutes	Turn over. HI (max. power) 1½-2 minutes per pound				Browning dish preheated on HI (max. power) 7 minutes.
Sausage	16 oz.	HI (max. power) 3 minutes	Stir. HI (max. power) 1-2 minutes				Crumble into 1½-quart dish, covered.
Pork sausage links	1/2 lb.	Pierce casing HI (max. power) 1 minute	Turn over. HI (max. power) 1-1½ minutes				Browning dish preheated on HI (max. power) 7 minutes.
	1 lb.	HI (max. power) 2 minutes	HI (max. power) 1½-2 minutes				

COOKING GUIDE — MEAT

Meat	Amount	First Power Control Setting And Time	Second Power Control Setting And Time	Temperature Probe And or Power Control Setting	Standing Time (in minutes)	Special Notes
Bratwurst, precooked		Pierce casing 70 (roast) 5 minutes per pound	Rearrange. 70 (roast) 4-5 minutes per pound			Casserole.
Polish sausage, knockwurst, ring bologna		Pierce casing 80 (reheat) 2-2½ minutes per pound	Rearrange 80 (reheat) 2-2½ minutes per pound			Casserole.
Hot dogs	1	80 (reheat) 25-30 seconds				Shallow dish.
	2	80 (reheat) 25-40 seconds				Shallow dish.
	4	80 (reheat) 50-55 seconds				Shallow dish.
Bacon 2 slices		HI (max. power) 2-2½ minutes				Dish; slices between paper towels
4 slices		HI (max. power) 4-4½ minutes				Dish; slices between paper towels
6 slices		HI (max. power) 5-6 minutes				Roasting rack, slices covered with paper towels
8 slices		HI (max. power) 6-7 minutes				Roasting rack, slices covered with paper towels

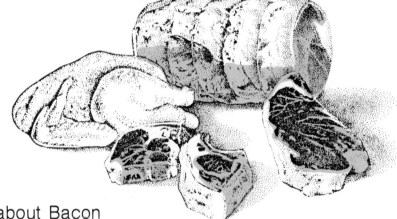

Special Tips about Bacon

☐ Cook bacon on a paper-lined plate, and cover with paper towels or waxed paper to prevent splatters and absorb drippings.

☐ To reserve drippings, cook bacon on a meat rack in a baking dish or on a microwave bacon rack. Bacon can also be cooked, in slices or cut up, in a casserole and removed if necessary with a slotted spoon.

☐ For bacon that is soft rather than crisp, cook at the minimum timing.

☐ Bacon varies in quality. The thickness and amount of sugar and salt used in curing will affect browning and timing. Cook thicker slices a bit longer than the chart indicates. You will also find that sweeter bacon cooks more quickly.

☐ Sugar in bacon causes brown spots to appear on the paper towels. If the bacon tends to stick a bit to the towel, it is due to an extra high amount of sugar.

COOKING/DEFROSTING GUIDE — CONVENIENCE BEEF

Food	Amount	Power Control Setting	Time (in minutes)	or	Temperature Probe Setting	Special Notes
Barbecued beef, chili, stew, hash, meatballs, etc.	16 oz. or less (cans)	80 (reheat)	3 - 5	or	150°	Remove from cans to microproof plate or casserole, cover. Stir halfway through cooking time.
Stuffed peppers, cabbage rolls, chow mein, etc.	16 - 32 oz. (cans)	80 (reheat)	5 - 9	or	150°	
Barbecued beef, chili, stew, corned beef hash, meatballs, patties in sauce, gravy	8 - 16 oz. package (frozen)	HI (max. power)	5 - 11	or	150°	Remove from foil container to microproof casserole, cover. Slit plastic pouches
Dry casserole mixes, cooked hamburger added	6½ - 8 oz. package	HI (max. power)	18 - 22	or	150°	Remove mix from package to 3-quart microproof casserole. Cover. Stir once.

Meatballs à la Russe
Total Cooking Time: 16 minutes

1½ pounds lean ground beef
½ cup milk
1 package (1¼ ounces) onion soup mix, divided
3 tablespoons all-purpose flour
1½ cups water
2 tablespoons chopped fresh parsley
½ cup dairy sour cream

In large bowl, combine beef with milk and 2 tablespoons of soup mix. Mix thoroughly. Shape into 24 small meatballs. Place in 3-quart oval microproof baking dish. Cover with waxed paper and cook on HI (max. power) 3 minutes. Turn meatballs over. Cook, covered, on HI (max. power) 2 minutes. Remove meatballs. Stir flour into drippings. Stir in water, parsley and remaining soup mix. Cook, uncovered, on 60 (bake) 5 minutes, or until mixture comes to a boil. Add meatballs. Cook, covered, on 60 (bake) 6 minutes, stirring occasionally. Gradually blend in sour cream. Let stand, covered, 5 minutes before serving. Serve over hot cooked rice or noodles.

6 servings

Boiled Beef Carbonnade
Total Cooking Time: 1 hour 40 minutes to 1 hour 45 minutes

2½ to 3 pounds lean beef heel of round roast
1 onion, sliced
1 carrot, sliced
5 peppercorns
1 bay leaf
1 can beer (12 ounces)
⅛ teaspoon white pepper
Salt to taste

Place all ingredients except salt in 4-quart microproof bowl, add water to cover. Cook, covered, on HI (max. power) 30 minutes. Turn meat, add more water if necessary. Cook, covered, on 50 (simmer) 60 minutes. Let stand 10 minutes. If not fork tender, return to oven and cook, covered, on 50 (simmer) 10 to 15 minutes. Remove meat and set aside. Strain broth and skim off fat. Slice meat thinly, and serve with broth. Season to taste.

6 servings

Tenderloin of Beef Supreme
Total Cooking Time: 15 minutes

2 to 2½ pounds beef
    tenderloin roast
3 tablespoons dehydrated
    onion soup mix
½ pound mushrooms, sliced

In shallow dish, place roast and pat meat evenly with soup mix. Arrange mushrooms on top of roast. Cook, covered with waxed paper, on HI (max. power) 5 minutes. Turn roast over and spoon mushrooms and drippings over top. Cook, covered, on HI (max. power) 5 minutes. Continue cooking on 70 (roast) 5 minutes for medium rare. Let stand 5 to 10 minutes before serving.

4 servings

If using temperature probe, insert horizontally set at 125° for medium rare.

Hungarian Goulash
Total Cooking Time: 55 to 60 minutes

4 large tomatoes
2 pounds beef for stew, cut
    in 1-inch cubes
1 onion, coarsely chopped
1 teaspoon salt
½ teaspoon freshly ground
    pepper
1½ tablespoons paprika
1 cup dairy sour cream

Peel and seed tomatoes, cut in chunks. Place beef, onion, salt, pepper, and paprika in 3-quart microproof casserole. Add tomatoes, stir. Cook, covered, on 70 (roast) 55 to 60 minutes, or until beef is tender, stirring twice during cooking. Stir sour cream gradually into mixture and let stand, covered, 5 minutes.

4 to 6 servings

Tomato Swiss Steak
Total Cooking Time: 55 minutes

¼ cup all-purpose flour
1 teaspoon salt
¼ teaspoon pepper
1½ to 2 pounds round steak,
    ½ inch thick
2 large onions, sliced
1 green pepper, cut in
    strips
2 cans (6 ounces) tomato
    paste
1 can (10¾ ounces) beef
    broth

Combine flour, salt, and pepper. Place steak on cutting board; pound half of the flour mixture into each side of steak with meat mallet or edge of saucer. Cut meat into 4 pieces and place in 8-inch round or 11 × 7-inch microproof baking dish. Sprinkle remaining flour mixture over meat. Spread onions, green pepper, and tomato paste over meat. Pour in broth, to cover meat. Cover with waxed paper, cook on HI (max. power) 5 minutes. Cook on 60 (bake) 40 minutes. Rearrange meat. Cook on 60 (bake) 10 minutes, or until meat is tender.

4 servings

The ingredients in this recipe may be cut in half for 2 servings. Cut the cooking time to 3 minutes on HI (max. power) and 30 minutes on 60 (bake).

Zucchini Lasagna
Total Cooking Time: 26 to 31 minutes

Place zucchini in 1½-quart microproof baking dish. Add water. Cook, covered, on HI (max. power) 6 to 7 minutes. Drain and set aside. Crumble beef into 2-quart glass mixing bowl. Cook on HI (max. power) 4 minutes, stirring halfway through cooking time. Pour off drippings. Combine tomato sauce, mushrooms, onion, garlic, basil, oregano, thyme, salt, and pepper. Cook on HI (max. power) 6 to 8 minutes. Stir halfway through cooking time. Layer one-third of zucchini in 11 × 7 × 1½-inch microproof baking dish. Sprinkle with 1 tablespoon of bread crumbs and top with one-third of meat mixture and one-half of cottage cheese and mozzarella. Repeat for second layer, ending with layer of zucchini topped with remaining meat mixture and bread crumbs. Sprinkle with Parmesan cheese. Cover with waxed paper and cook on HI (max. power) 10 to 12 minutes, rotating dish one-quarter turn halfway through cooking time. Let stand, covered, 5 to 10 minutes before serving.

8 to 10 servings

This recipe is a low-calorie noodleless variation of Neapolitan Lasagna on page 97.

- 6 cups sliced zucchini
- ¼ cup water
- 1 pound lean ground beef
- 2 cans (8 ounces each) tomato sauce
- ¼ pound mushrooms, chopped
- 1 small onion, minced
- 1 clove garlic, minced
- 1 teaspoon basil
- ½ teaspoon oregano
- ½ teaspoon thyme
- ½ teaspoon salt
- ¼ teaspoon pepper
- ¼ cup bread crumbs, divided
- 12 ounces dry or low-fat, drained cottage cheese
- 4 ounces shredded mozzarella cheese
- ⅓ cup Parmesan cheese, grated

Favorite Meatloaf
Total Cooking Time: 12 to 14 minutes

In small bowl, combine tomato sauce, brown sugar, and mustard. Set aside. In large mixing bowl, combine eggs, onion, cracker crumbs, ground beef, salt, and pepper. Add ½ cup of tomato sauce mixture and stir thoroughly. Place meat mixture in glass ring mold, or 2-quart microproof round casserole. Pour remaining tomato sauce over top of meat. Cook, uncovered, on HI (max. power) 12 to 14 minutes. Let stand, covered, 5 to 10 minutes before serving.

6 servings

Temperature probe may be used. Insert in center portion of meatloaf. Set at 160°. Let stand before serving, as above. (Garnish with mushrooms for a special treat.)

- 1 can (8 ounces) tomato sauce, divided
- ¼ cup brown sugar
- 1 teaspoon prepared mustard
- 2 eggs, lightly beaten
- 1 medium onion, minced
- ¼ cup cracker crumbs
- 2 pounds lean ground beef
- 1½ teaspoons salt
- ¼ teaspoon pepper

Veal Cordon Bleu

Total Cooking Time: 4½ minutes

½ pound veal cutlets,
   ½ inch thick
1 slice Swiss cheese
2 thin slices boiled ham
1½ tablespoons all-purpose
   flour
1 egg
1 tablespoon water
¼ cup dry bread crumbs
1½ tablespoons butter or
   margarine
1 tablespoon chopped fresh
   parsley
2 tablespoons dry vermouth

Cut veal into 4 pieces. Place each piece of veal between 2 sheets of waxed paper and pound with smooth-surfaced meat mallet until veal is ⅛ inch thick. Cut cheese in 2 pieces, then fold each piece in half. Place on slice of ham. Roll ham around cheese three times so that finished roll of ham is smaller than the pieces of veal. Place rolled ham on 1 slice of veal and top with second slice. Press edges of veal together to seal. Repeat for second portion. Place flour on piece of waxed paper. Beat egg lightly with water. Place bread crumbs on piece of waxed paper. Dip veal sandwiches in flour, then in beaten egg; finally, coat well with bread crumbs. Place butter and parsley in an 8-inch microproof baking dish. Cook on HI (max. power) 30 seconds, or just long enough to heat butter well. Add veal sandwiches to very hot butter. Cook, uncovered, on HI (max. power) 4 minutes, turning veal over after 2 minutes. Remove veal, add wine to butter remaining in pan. Blend, pour over veal, and serve immediately.

2 servings

Sweet and Sour Pork

Total Cooking Time: 19 minutes

1 can (16 ounces) pineapple
   chunks
4 medium carrots, thinly
   sliced
¼ cup vegetable oil
1 medium onion, sliced
2 green peppers, sliced
2 pounds lean boneless pork,
   cut in ¾-inch cubes
¼ cup cornstarch
½ cup soy sauce
½ cup brown sugar
¼ cup wine vinegar
1 tablespoon Worcestershire
   sauce
¼ teaspoon hot-pepper sauce
½ teaspoon pepper

Drain pineapple chunks, reserving ½ cup syrup. Set aside. Place carrots and oil in 3-quart microproof casserole. Stir. Cook, covered, on HI (max. power) 4 minutes. Add onion, green peppers, and pork; stir. Cook, covered, on HI (max. power) 5 minutes. Meanwhile, in a bowl, mix reserved pineapple syrup and cornstarch. Stir in remaining ingredients. Add to pork, along with pineapple chunks. Stir. Cook, covered, on HI (max. power) 10 minutes, or until sauce has thickened and pork is done. Serve with rice or chow mein noodles.

8 servings

Barbecued Spareribs

Total Cooking Time: 36 to 38 minutes

Cut spareribs into individual ribs. Arrange in large microproof baking dish. Cook, covered with waxed paper, on 70 (roast) 28 minutes. Turn over and rearrange halfway through cooking. Drain off fat. In small bowl mix together remaining ingredients. Generously spoon sauce on ribs. Cook, covered, on 70 (roast) 8 to 10 minutes. Let stand 10 minutes before serving.

4 servings

2 to 2½ pounds fresh pork spareribs
2 tablespoons instant onion flakes
1 can (8 ounces) tomato sauce
1 tablespoon lemon juice
1 tablespoon brown sugar
1 teaspoon Worcestershire sauce
1 teaspoon prepared mustard
½ teaspoon salt
¼ teaspoon pepper
¼ teaspoon hot-pepper sauce

Baked Ham with Pineapple

Total Cooking Time: 28 to 29 minutes

Place ham, fat side down, on shallow microproof baking dish. Cook on 70 (roast) 21 minutes. Turn ham over. Drain pineapple, reserving juice. Combine 2 teaspoons of juice with brown sugar to make paste. Spread over top of ham. Put pineapple slices on top and stud with cloves. Attach pineapple with toothpicks if necessary. Cook on 70 (roast) 7 to 8 minutes. Let stand, covered with aluminum foil, about 10 minutes before serving.

8 to 10 servings

1 3-pound precooked ham
1 can (4 ounces) pineapple slices
¼ cup brown sugar
Whole cloves

Orange Ginger Pork Chops

Total Cooking Time: 22 minutes

Trim fat from pork chops. Place in oblong microproof baking dish. Pour orange juice over chops. Cover with waxed paper; cook on 70 (roast) 12 minutes. Turn chops over, sprinkle with salt, garlic powder, and ginger. Place slice of orange peel on top of each chop. Cook, covered, on HI (max. power) 10 minutes. Top each chop with spoonful of sour cream and let stand, covered, 5 minutes before serving.

6 servings

6 lean pork loin chops
¼ cup orange juice
½ teaspoon salt
½ teaspoon garlic powder
2 teaspoons ground ginger
6 slices orange peel
½ cup dairy sour cream

Barbecued Spareribs →

Stuffed Pork Chops

Total Cooking Time: 14¾ to 18¾ minutes

2 tablespoons melted butter
   or margarine
1 cup coarse dry bread crumbs
½ cup chopped apple
2 tablespoons chopped raisins
½ teaspoon salt
2 tablespoons sugar
2 tablespoons minced onion
¼ teaspoon pepper
   Pinch sage
2 tablespoons hot water
8 thin pork loin chops
½ package (⅜ ounce) brown
   gravy mix

In 4-cup glass measure melt butter on HI (max. power) 45 seconds. Add bread crumbs, apple, raisins, salt, sugar, onion, pepper, and sage, mixing lightly. Moisten slightly with hot water. Trim all fat from pork chops. Place 4 chops in bottom of 8-inch microproof baking dish. Divide stuffing into 4 portions; place 1 portion on top of each chop. Cover chops with 4 remaining chops, pressing together lightly. Sprinkle brown gravy mix over top of chops — to make an even layer, sift mixture through small strainer. Cover with waxed paper and cook on 70 (roast) 14 to 18 minutes, or just until done. Let stand 5 minutes before serving.

4 servings

Herbed Leg of Lamb

Total Cooking Time: 24 to 48 minutes

3 to 4-pound butterflied lamb
   leg roast boneless
2 cloves garlic
1 tablespoon dry mustard
1 teaspoon salt
⅛ teaspoon pepper
½ teaspoon thyme
¼ teaspoon rosemary
1 teaspoon lemon juice
1½ tablespoons soy sauce

Rub all surfaces of lamb with one of the garlic cloves, peeled and halved. Then cut both cloves into slivers. Slit outside of lamb at intervals and insert sliced garlic into slits. Mix the mustard, salt, pepper, thyme, rosemary, lemon juice, and soy sauce. Spread over both sides of lamb. Place on microproof meat rack in shallow baking dish. Cook, covered loosely with waxed paper, on 70 (roast) 8 to 10 minutes per pound for medium and 10 to 12 minutes per pound for well done. Let stand 10 minutes before slicing.

6 to 8 servings

Zesty Lamb Chops

Total Cooking Time: 20 minutes

4 shoulder lamb chops
½ cup coarsely chopped onion
1 clove garlic, minced
½ cup catsup
2 tablespoons Worcestershire
   sauce
1 tablespoon prepared mustard

In microproof baking dish arrange lamb chops in one layer. Sprinkle with onion and garlic. Cook, covered, on HI (max. power) 5 minutes. Combine remaining ingredients and spread over lamb chops. Cover with waxed paper and cook on 60 (bake) 15 minutes, or until lamb chops are tender.

4 servings

Chicken, turkey, duck, and Cornish hen are especially juicy, tender, and flavorful when cooked in a microwave oven. Because they require less attention than other meats, they are great favorites for microwave cooks on those days when too many things seem to be happening at once. Poultry turns out golden brown but not crisp. If you have crisp-skin lovers at your table, you can satisfy them by crisping the skin in a conventional oven at 450°, after the microwave cooking. You can also avoid the frustrations of long barbecue cooking by partially cooking poultry in the microwave oven, then finishing it off on the charcoal grill. Try the tasty recipes suggested here and then adapt your own. You'll even want to experiment with new recipes when you discover how much easier it is to cook poultry in your microwave oven than in the conventional oven.

A browning sauce may be brushed on poultry before cooking if you prefer a more-browned appearance than the microwave normally provides (above left). The best arrangement for chicken parts (above). Turning Microwave Fried Chicken (page 74) in a browning dish (left).

Converting Your Recipes

Conventional one-dish poultry recipes that call for cut-up pieces are easy to adapt for the microwave. The temperature probe can help achieve accurate doneness in whole-chicken recipes as well as in casseroles. Refer to the comparative chicken recipes on page 36 to guide you in converting your favorite dishes. Here are some good tips to follow:

☐ To obtain uniform doneness and flavor, cook poultry weighing no more than 14 pounds in the microwave oven. Poultry over 14 pounds should be cooked conventionally.

☐ Butter- or oil-injected turkeys often have uneven concentrations of fat and thus cook unevenly. For best results, use uninjected turkeys.

☐ Conventional pop-up indicators for doneness do not work correctly in the microwave.

☐ The temperature probe may be used in cooking whole poultry. Insert the probe in the fleshy part of the inside thigh muscle without touching the bone.

☐ Poultry pieces prepared in a cream sauce should be cooked on 70 (roast) to prevent the cream from separating or curdling.

☐ Chicken coated with a crumb mixture cooks to crispness more easily if left uncovered.

☐ Less tender game birds should be cooked on 70 (roast) on a microwave roasting rack. Pour off fat as necessary. For best results, marinate game birds before cooking.

☐ Standing time is essential to complete cooking. Allow up to 15 minutes standing time for whole poultry depending upon size. The internal temperature will rise approximately 15° during 15 minutes standing time. Chicken pieces and casseroles need only 5 minutes standing time.

Using the Defrosting Guide

1. Poultry can be defrosted within the original paper or plastic wrapping. Remove all metal rings, wire twist ties, and any aluminum foil. Since it is difficult to remove metal clamps from legs of frozen turkey, the clamps need not be removed until after defrosting. Be careful, of course, that the metal is at least 1 inch from the oven walls.
2. Place poultry in microproof dish while defrosting.
3. Defrost only as long as necessary. Poultry should be cool in the center when removed from the oven.
4. To speed defrosting during standing time, poultry may be placed in a cold-water bath.
5. Separate cut-up chicken pieces as soon as partially thawed.
6. Wing and leg tips and area near breast bone may begin cooking before center is thoroughly defrosted. As soon as these areas appear thawed, cover them with small strips of aluminum foil; this foil should be at least 1 inch from oven walls.

DEFROSTING GUIDE — POULTRY

Food	Amount	Minutes (per pound)	Power Control Setting	Standing Time (in minutes)	Special Notes
Capon	6-8 lbs.	2	70 (roast)	60	Turn over once. Immerse in cold water for standing time.
Chicken, cut up	2-3 lbs.	5-6	30 (defrost)	10-15	Turn every 5 minutes. Separate pieces when partially thawed.
Chicken, whole	2-3 lbs.	6-8	30 (defrost)	25-30	Turn over once. Immerse in cold water for standing time.
Cornish hens	1, 1-1½ lbs. 2, 1-1½ lbs. ea.	6-8 8-10	30 (defrost) 30 (defrost)	20 20	Turn over once.
Duckling	4-5 lbs.	4	70 (roast)	30-40	Turn over once. Immerse in cold water for standing time.
Turkey	Under 8 lbs. Over 8 lbs.	3-5 3-5	30 (defrost) 70 (roast)	60 60	Turn over once. Immerse in cold water for standing time.
Turkey breast	Under 4 lbs. Over 4 lbs.	3-5 1 2	30 (defrost) 70 (roast) 50 (simmer)	20 20	Turn over once. Start at 70 (roast), turn over, continue on 50 (simmer).
Turkey drumsticks	1-1½ lbs.	5-6	30 (defrost)	15-20	Turn every 5 minutes. Separate pieces when partially thawed.
Turkey roast, boneless	2-4 lbs.	3-4	30 (defrost)	10	Remove from foil pan. Cover with waxed paper.

Using the Cooking Guide

1. Defrost frozen poultry completely before cooking.
2. Remove the giblets, rinse poultry in cool water, and pat dry.
3. Brush poultry with browning sauce before cooking.
4. When cooking whole birds, place on a microproof roasting rack in a glass baking dish large enough to catch drippings.
5. Turn over, as directed in Guide, halfway through cooking time.
6. Cook whole poultry covered loosely with a waxed paper tent to prevent splattering. Toward end of cooking time, small pieces of aluminum foil may be used for shielding to cover legs, wing tips, or breast bone area to prevent over cooking. Foil should be at least 1 inch from oven walls.
7. Cover poultry pieces with either glass lid or plastic wrap during cooking and standing time.
8. Use temperature probe inserted in thickest part of thigh, set at 180° for whole poultry, and at 170° for parts, including turkey breasts.
9. Standing time completes the cooking of poultry. Cooked whole birds may be covered with aluminum foil during standing time.

COOKING GUIDE — POULTRY

Food	First Power Control Setting and Time (in minutes)	Second Power Control Setting and Time (in minutes)	or	Temperature Probe Setting	Standing Time (in minutes)	Special Notes
Chicken, whole, 2 - 3 pounds	HI (max. power) 3 - 4 per pound	Turn over. HI (max. power) 4 per pound	or	Turn over. 180°	5 (covered with foil)	Shallow baking dish, roasting rack, breast up.
3 - 5 pounds	HI (max. power) 4 per pound	Turn over. HI (max. power) 4 - 5 per pound	or	Turn over. 180°	5	12 × 7-inch baking dish, roasting rack, breast up.
Chicken, cut up 2½ - 3½ pounds	HI (max. power) 10	Turn over. HI (max. power) 8 - 12	or	Turn over. 170°	5	12 × 7-inch baking dish. Cover.
Chicken, quartered	HI (max. power) 3 - 4 per pound	Turn over. HI (max. power) 3 - 4 per pound	or	Turn over. 170°	5	Shallow baking dish, skin side down.
Cornish hens 1 - 1½ pounds	HI (max. power) 4 per pound	Turn over. HI (max. power) 3 per pound	or	Turn over. 180°	5	Shallow baking dish, breast down. Cover.
Duckling 4 - 5 pounds	70 (roast) 4 per pound	Turn over. Drain excess fat. 70 (roast) 4 per pound	or	Turn over. 170°	8 - 10	Shallow baking dish, roasting rack. Cover.
Turkey, whole, 8 - 14 pounds	HI (max. power) 5 per pound	Turn over. 70 (roast) 4 per pound	or	Turn over. 70 (roast) 180°	10 - 15 (covered with foil)	Shallow baking dish, 13 × 9-inch, roasting rack, breast up.
Turkey breast, 3 - 4 pounds	HI (max. power) 7 per pound	Turn over. 70 (roast) 5 per pound	or	Turn over. 70 (roast) 170°		Shallow baking dish, roasting rack.
Turkey roast, boneless 2 - 4 pounds	70 (roast) 10 per pound	Turn over. 70 (roast) 9 per pound	or	Turn over. 70 (roast) 170°	10 - 15	Loaf pan. Cover with plastic wrap.
Turkey parts, 2 - 3 pounds	70 (roast) 7 - 8 per pound	Turn over. 70 (roast) 7 - 8 per pound			5	Shallow baking dish with roasting rack.

Easy Baked Chicken

Total Cooking Time: 15 to 17 minutes

1 broiler-fryer chicken, 2½ to 3 pounds
Salt and pepper
1 small onion, quartered
2 stalks celery, cut in 1-inch slices
2 tablespoons soft butter or margarine
⅛ teaspoon thyme

Remove giblets, wash chicken, and pat dry. Sprinkle inside of body cavity with salt and pepper. Place onion and celery inside body cavity. Tie legs together with string and tie wings to body. Place chicken, breast side up, on a microwave roasting rack in a 12 × 7 × 2-inch microproof baking dish. Spread with soft butter and sprinkle with thyme. Cook on HI (max. power) 15 to 17 minutes, or until done. Let stand, covered with aluminum foil, about 5 minutes before serving.

4 servings

COOKING GUIDE — CONVENIENCE POULTRY

Food	Amount	Power Control Setting	Time (in Minutes)	Special Notes
Precooked breaded chicken, frozen	1 piece 2 pieces 4 pieces 2 - 3 lbs.	80 (reheat)	1 - 1½ 2 - 2½ 2½ - 3 10 - 12	Remove wrapping and place in microproof baking dish.
Chicken Kiev, frozen	1 piece 2 pieces	30 (defrost) HI (max. power) 30 (defrost) HI (max. power)	4 - 5 2½ - 3 6 - 7 4 - 5	Remove plastic wrap, place on microproof plate. First, thaw on 30 (defrost) and then, cook on HI (max. power).
Chicken à la King, frozen	5 oz.	HI (max. power)	3 - 4	Place on microproof plate. Stir before serving.
Creamed Chicken, Chicken and Dumplings, canned	7½ - 10½ oz.	80 (reheat)	2 - 4	Stir once. You may use temperature probe at 150° on 80 (reheat) for canned poultry.
Escalloped chicken, chow mein, canned	14 - 24 oz.	80 (reheat)	4 - 6	Stir halfway through cooking time.
Turkey tetrazzini, frozen	12 oz.	HI (max. power)	3 - 4	Place on microproof plate. Stir before serving.
Turkey, sliced in gravy, frozen	5 oz.	HI (max. power)	3 - 5	Place in microproof dish. Make slit in pouch before heating.

Chicken Supreme
Total Cooking Time: 46 to 52 minutes

Cook bacon according to directions on page 71. Crumble and set aside. Mix soup, wine, onion, garlic, bouillon, and seasonings in small bowl. Place carrots and potatoes in bottom of 3-quart microproof casserole. Arrange chicken pieces on top, placing thicker portions around outside of dish and chicken wings in center. Pour soup mixture over top. Cook, covered, on HI (max. power) 30 minutes. Sprinkle mushrooms and crumbled bacon on top. Cook, covered on 70 (roast) 10 to 15 minutes. Let stand 5 minutes before serving.

4 to 6 servings

For 2 or 3 servings, use 14 to 16 ounces (3 pieces) cut-up chicken, and halve the rest of the ingredients. Cut chicken and vegetable cooking time to 20 to 25 minutes on HI (max. power).

5 slices bacon
1 can (10¾ ounces) cream of onion soup, undiluted
½ cup dry red wine or dry sherry
½ cup chopped onion
1 clove garlic, minced
1½ teaspoons instant chicken bouillon
1 tablespoon minced fresh parsley
½ teaspoon salt
¼ teaspoon thyme
¼ teaspoon pepper
2 medium carrots, sliced thin
6 small potatoes, peeled and halved
1 frying chicken, 2½ to 3 pounds, cut up
8 ounces mushrooms, sliced

Microwave Fried Chicken

Total Cooking Time: 10½ minutes

½ cup flour
½ teaspoon salt
¼ teaspoon pepper
⅛ teaspoon dry mustard
1 frying chicken (2½ to 3
    pounds), cut up, back
    and wing tips removed
2 tablespoons lemon juice
2 tablespoons cooking oil
2 tablespoons butter
    Paprika

In paper bag, combine flour, salt, pepper, and mustard; shake well. Brush chicken pieces with lemon juice. Place a few pieces of chicken at a time in paper bag, shake until coated. Remove chicken from bag, lightly shake pieces free of excess flour. Preheat 9-inch browning dish on HI (max. power) 4½ minutes. Add oil and butter, arrange chicken (skin side down) without crowding. Cover loosely with waxed paper. Cook on HI (max. power) 3 minutes. Turn chicken, sprinkle with paprika. Cook on HI (max. power) 3 minutes. Let stand, covered with aluminum foil, about 5 minutes before serving.

8 to 10 servings

If more browning is preferred, preheat conventional oven to broil, watch carefully. Fine bread crumbs may be substituted for flour in coating.

Quick Brunswick Stew

Total Cooking Time: 24 to 26 minutes

1 package (10 ounces) frozen
    whole-kernel corn
2 tablespoons vegetable oil
2 small chicken breasts,
    (1½ pounds) split
4 chicken thighs
1 can (10¾ ounces)
    condensed chicken
    gumbo soup
1½ teaspoons Worcestershire
    sauce
¼ teaspoon salt
⅛ teaspoon pepper
1 clove garlic, minced

Defrost corn in package on HI (max. power) 3 minutes, set aside. Preheat 9-inch browning dish on HI (max. power) 6 minutes. Add oil; cook chicken on HI (max. power) 1 to 2 minutes per side, or until brown. Place in one layer in 12×7×2-inch microproof baking dish, skin side down, with thicker portions at the outer edge of dish. Mix all other ingredients, including corn, in small bowl. Pour mixture over chicken. Cover with waxed paper. Cook on HI (max. power) 8 minutes. Turn chicken and spoon sauce on top. Cook, covered, on HI (max. power) 8 minutes. Allow to stand, covered, 5 minutes before serving.

4 servings

Serve with Dandy Dumplings (page 114). You can parboil them for 6 minutes as the recipe directs and then finish the dumplings off by adding them to the stew during the last 8 minutes of cooking time.

Microwave Fried Chicken →

Chicken Cacciatore

Total Cooking Time: 34 to 40 minutes

In a 3-quart microproof casserole, combine onion, green pepper, and butter. Cook, covered, on HI (max. power) 4 to 5 minutes, or until onion is transparent. Add tomatoes and flour, stir until smooth. Stir in all remaining ingredients except chicken. Cook, covered, on HI (max. power) 5 minutes. Add chicken pieces, immersing them in sauce. Cook, covered, on HI (max. power) 20 to 25 minutes, or until chicken is tender. Stir once during cooking. Allow to stand 5 minutes, covered. Remove bay leaf before serving with cooked spaghetti or rice.

4 to 6 servings

1 medium onion, chopped
1 medium green pepper, thinly sliced
1 tablespoon butter or margarine
1 can (28 ounces) whole tomatoes
1/4 cup all-purpose flour
1 bay leaf
1 tablespoon dried parsley flakes
1 teaspoon salt
1 clove garlic, minced
1/2 teaspoon oregano
1 teaspoon paprika
1/4 teaspoon pepper
1/4 teaspoon basil
1/2 cup dry red wine or water
1 frying chicken, 2 1/2 to 3 pounds, cut up

Tarragon Grilled Chicken

Total Cooking Time: 18 to 22 minutes

Combine all ingredients except chicken. Arrange chicken pieces skin side down with thick edges toward outside of 12-inch oval microproof baking dish. Brush chicken with half the oil mixture. Cook, covered with waxed paper, on HI (max. power) 10 minutes. Turn chicken and brush generously with remaining oil mixture. Cook, covered, on HI (max. power) 8 to 12 minutes. Let stand 5 minutes before serving.

4 servings

1/4 cup olive oil
1/4 cup dry sherry or chicken broth
1 tablespoon onion flakes
1 clove garlic, minced
1 teaspoon salt
1/2 teaspoon tarragon
1/8 teaspoon white pepper
1 broiler-fryer chicken, 2 1/2 to 3 pounds, quartered

This chicken dish is delicious when finished on the charcoal grill. First cook chicken in microwave oven 8 minutes on one side, and 7 to 9 minutes on the other, or until nearly done. Reserve juices and oil mixture remaining in microproof dish. Barbecue about 4 inches above hot coals for 10 to 12 minutes, or until golden brown. Turn occasionally and brush with reserved juices and oil mixture.

Heavenly Cornish Hens
Total Cooking Time: 16 to 24 minutes

2 Cornish hens, 1 to 1½
    pounds each
2 tablespoons sherry or water
1 envelope (2⅜ ounces)
    seasoned cooking mix
    for chicken

Wash and split hens lengthwise. Remove backbones and discard. Pat dry. Brush both sides of halves with sherry. Coat with seasoned mix. Place halves breast-side down in 12×7×2-inch microproof baking dish with thickest sides toward outside edge of dish. Cover with waxed paper and cook on HI (max. power) 8 to 12 minutes. Turn hens over, recover, cook on HI (max. power) 8 to 12 minutes, or until fork tender. Let stand 5 minutes before serving.

4 servings

Alternate method: The temperature probe may be used after the hens are turned breast side up. Insert the temperature probe in fleshy part of thigh. Cook on HI (max. power) set at 180°.

What to do with the giblets? Many poultry recipes, of course, don't call for gravy. But make a gravy anyway, using the diced, cooked giblets. Freeze it for those times a gravy would be nice but you've bought chicken pieces without giblets!

Roast Orange Duckling
Total Cooking Time: 36 to 41 minutes

1 fresh or thawed frozen
    duckling, 4 to 5
    pounds
1 orange, peeled and cut in
    chunks
1 medium onion, quartered
½ cup orange marmalade

Remove giblets, wash duckling, and pat dry. Place orange and onion pieces in body cavity. Secure neck skin flap with toothpicks or wooden skewers. Tie legs together and tie wings to body. Place duckling, breast down, on microwave roasting rack in a 12×7×2-inch microproof baking dish. Place marmalade in 1-cup glass measure. Cook on HI (max. power) 1 minute. Spread half the warm marmalade over duckling. Cook on 70 (roast) 20 minutes. Remove from oven and drain off excess fat. Turn breast side up. Brush with remaining marmalade. Cover with waxed paper, cook on 70 (roast) 15 to 20 minutes, or until meat near bone is no longer pink. Let stand, covered with aluminum foil, about 10 minutes before serving.

4 servings

Turkey and Nut Stuffing

Total Cooking Time: 1 hour 35 minutes to
1 hour 54 minutes

½ cup butter or margarine
1 cup chicken broth
1 large onion, chopped
2 stalks celery, thinly
    sliced
10 cups day-old bread crumbs
    or ½-inch cubes
1 teaspoon poultry seasoning
¼ cup chopped fresh
    parsley
1 teaspoon salt
1 cup coarsely chopped
    walnuts or pecans
1 fresh or thawed frozen
    turkey, 10 to 12 pounds

Place butter and broth in a 3-quart microproof casserole or baking dish. Add onion and celery. Cook, covered, on 50 (simmer) 5 to 6 minutes. Combine with bread crumbs, poultry seasoning, parsley, salt, and nuts, stir lightly. Wash completely thawed turkey, and pat dry. Stuff neck opening with part of the stuffing. Secure skin flap with strong toothpicks or wooden skewers. Stuff body cavity with remaining stuffing. Tie legs together with strong string. Tie wings tightly to body. Place turkey, breast side down on microwave roasting rack in large microproof baking dish. Cook on HI (max. power) 5 minutes per pound. Drain fat from pan and turn turkey breast side up on rack. Cook, covered with waxed paper tent, on 70 (roast) 4 minutes per pound. Protect thin areas with aluminum foil. Let stand 10 to 15 minutes before carving.

If you like an extra-crisp skin, place turkey in a conventional oven, preheated to 450°, for 10 to 15 minutes, or until desired crispness is reached.

Turkey Tetrazzini

Total Cooking Time: 26 to 34 minutes

4 ounces uncooked spaghetti,
    broken in 2-inch
    lengths
3 tablespoons butter or
    margarine
¼ pound mushrooms, sliced
⅓ cup minced onion
3 tablespoons all-purpose
    flour
2 cups chicken broth
½ cup light cream
¼ cup dry vermouth
½ teaspoon salt
    Dash white pepper
¾ cup grated Parmesan cheese,
    divided
2 cups diced cooked turkey
2 tablespoons minced parsley

Cook spaghetti according to directions on page 129. Drain immediately, rinse in cold water to stop cooking, and set aside. In 3-quart microproof casserole, place butter, mushrooms, and onion. Cook, covered, on 90 (sauté) 3 to 4 minutes, or until onion is transparent. Add flour and stir to form a smooth paste. In 4-cup measure stir together chicken broth, cream, and vermouth. Heat on HI (max. power) 2 minutes. Add to flour mixture, stirring well. Stir in salt, pepper, and ¼ cup of cheese. Mix well. Cook on HI (max. power) 5 to 8 minutes or until mixture comes to a boil and thickens. Stir once during cooking. Add cooked spaghetti, turkey, and remaining cheese, stirring carefully. Cook, covered, on HI (max. power) 2 minutes. Let stand, covered, 5 minutes before serving. Sprinkle with parsley.

6 servings

Poaching and steaming have always been the most classic methods of cooking fish. Now, discover the newest "classic" — fish and shellfish microwave-style! So moist, tender, and delicious that you'll never want to cook seafood any other way. And all this with no elaborate procedures: no need to tie the fish in cheesecloth or use a special fish poacher. Shellfish steam to a succulent tenderness with very little water. If you think your microwave oven cooks chicken and meat fast, you'll be amazed at its speed with fish! For best results, fish should be prepared at the last minute. Even standing time is short. So, when planning a fish dinner have everything ready. *Then* start to cook.

Poached Salmon with Sour Cream Sauce (page 84) is best prepared in an oval baking dish (top left). Oysters Rockefeller (page 85) is a fine entrée or appetizer (top right). Lobster tails are arranged in a circle with the thinnest part at the center of the dish (above left). Stuffed Bass (page 83) with temperature probe inserted (above right).

Converting Your Recipes

If your family likes seafood only when it is fried crackly-crisp, surprise them with a new taste delight when you try traditional fish recipes cooked in the microwave oven. They'll swear fish has been pampered and poached by the most famous French chef. Use the cooking charts and the recipes as guides for adapting your own dishes. If you don't find a recipe that matches or comes close to the conventional recipe you want to adapt, follow this general rule of thumb: Begin cooking at 70 (roast) or at HI (max. power) for one fifth of the time the conventional recipe recommends. Observe, and if it appears to be done earlier, touch "stop" and check. If the dish is not done, continue cooking 30 seconds at a time. As in conventional cooking, the secret to seafood is to watch it carefully, since fish can overcook in seconds. It's best to remove it when barely done and allow standing time to finish the cooking. If you read these simple tips, you'll have excellent results:

☐ Most recipes that specify a particular variety of fish will work when any white fish is substituted. When a recipe calls for fresh or thawed frozen fish fillets, use sole, flounder, bluefish, cod, scrod, or any similar fish.

☐ Cook fish covered unless it is coated with crumbs, which seal in the juices.

☐ When cooking whole fish, the dish should be rotated one-quarter turn twice during the cooking process to help provide even cooking. The odd shape of the fish requires this procedure.

☐ Fish is done when the flesh becomes opaque and barely flakes with a fork.

☐ Shellfish is done when flesh is opaque and just firm.

☐ Shellfish come in their own cooking containers which respond well to microwaves. Clam and mussel shells open before your eyes. Shrimp, crab, and lobster shells turn pink.

☐ All seafood recipes freeze well except where otherwise noted.

☐ You can use the browning dish for fillets or fish patties. Preheat, add butter or oil and brown on one side for best results.

☐ To remove seafood odors from the oven, combine 1 cup water with lemon juice and cloves in a small bowl. Boil in the microwave oven several minutes.

Using the Defrosting Guide

1. Frozen fish may be thawed in original wrapper. First discard any aluminum foil, metal rings, or wire twist ties.
2. Place fish on microproof dish. Remove wrapping when fish begins to thaw.
3. One pound of fish takes 5 to 6 minutes to nearly thaw on 30 (defrost).
4. To prevent the outer edges from drying out or beginning to cook, it is best to remove fish from oven before it has completely thawed.
5. Finish defrosting under cold running water, separating fillets.

DEFROSTING GUIDE — SEAFOOD

Food	Amount	Power Control Setting	Time (in minutes)	Standing Time (in minutes)	Special Notes
Fish Fillets	1 lb. 2 lbs.	30 (defrost) 30 (defrost)	4 - 6 5 - 7	5 5	Defrost in package on dish. Carefully separate fillets under cold water. Turn once.
Fish steaks	1 lb.	30 (defrost)	4 - 6	5	Defrost in package on dish. Carefully separate steaks under cold running water.
Whole fish	8 - 10 oz. 1½ - 2 lbs.	30 (defrost) 30 (defrost)	4 - 6 5 - 7	5 5	Shallow dish; shape of fish determines size. Should be icy when removed. Finish at room temperature. Cover head with aluminum foil. Turn once.
Lobster tails	8 oz. package	30 (defrost)	5 - 7	5	Remove from package to baking dish.
Crab legs	8 - 10 oz.	30 (defrost)	5 - 7	5	Glass baking dish. Break apart and turn once.
Crabmeat	6 oz.	30 (defrost)	4 - 5	5	Defrost in package on dish. Break apart. Turn once.
Shrimp	1 lb.	30 (defrost)	3 - 4	5	Remove from package to dish. Spread loosely in baking dish and rearrange during thawing as necessary.
Scallops	1 lb.	30 (defrost)	8 - 10	5	Defrost in package if in block; spread out on baking dish if in pieces. Turn over and rearrange during thawing as necessary.
Oysters	12 oz.	30 (defrost)	3 - 4	5	Remove from package to dish. Turn over and rearrange during thawing as necessary.

Using the Cooking Guide

1. Defrost seafood fully; then cook.
2. Remove original wrapping. Rinse under cold running water.
3. Place seafood in microproof baking dish with thick edges of fillets and steaks and thick ends of shellfish toward the outer edge of the dish.
4. Cover dish with plastic wrap or waxed paper.
5. Test often during the cooking period to avoid overcooking.
6. Method and time are the same for seafood with or without the shell.

COOKING/DEFROSTING GUIDE — CONVENIENCE SEAFOOD

Food	Amount	Power Control Setting	Time (in minutes)	Special Notes
Shrimp croquettes	12 oz. package	80 (reheat)	6 - 8	Pierce sauce pouch, place on serving plate with croquettes. Cover, turn halfway through cooking time.
Fish sticks, frozen	4 oz. 8 oz.	80 (reheat) 80 (reheat)	2 - 3 3½ - 4½	Will not crisp. Cook on serving plate.
Tuna casserole, frozen	11 oz. package	HI (max. power)	4 - 6	Remove from package to 1-quart casserole. Stir once during cooking and before serving.
Shrimp or crab newburg, frozen pouch	6½ oz.	HI (max. power)	4 - 6	Place pouch on plate. Pierce pouch. Flex pouch to mix halfway through cooking time. Stir before serving.

COOKING GUIDE — SEAFOOD AND FISH

Food	Power Control Setting	Time (in Minutes)	or	Temperature Probe Setting	Standing Time (in minutes)	Special Notes
Fish fillets, 1 lb. ½ inch thick,	HI (max. power)	4 - 5	or	140°	4 - 5	12 × 7-inch dish, covered.
2 lbs.	HI (max. power)	7 - 8	or	140°	4 - 5	
Fish steaks, 1 inch thick, 1 lb.	HI (max. power)	5 - 6	or	140°	5 - 6	12 × 7-inch dish, covered.
Whole fish 8 - 10 oz.	HI (max. power)	3½ - 4	or	170°	3 - 4	Appropriate shallow dish.
1½ - 2 lbs.	HI (max. power)	5 - 7	or	170°	5	
Crab legs 8 - 10 oz.	HI (max. power)	3 - 4			5	Appropriate shallow dish, covered. Turn once.
16 - 20 oz.	HI (max. power)	5 - 6			5	
Shrimp, scallops 8 oz.	70 (roast)	3 - 4				Appropriate shallow dish, covered. Rearrange halfway.
1 lb.	70 (roast)	5 - 7				
Snails, clams, oysters, 12 oz.	70 (roast)	3 - 4				Shallow dish, covered. Rearrange halfway.
Lobster tails 1: 8 oz.	HI (max. power)	3 - 4			5	Shallow dish.
2: 8 oz. each	HI (max. power)	5 - 6			5	Split shell to reduce curling.
4: 8 oz. each	HI (max. power)	9 - 11			5	

Shrimp Chow Mein

Total Cooking Time: 20 to 24 minutes

1 medium onion, chopped
1 cup sliced celery
1 green pepper, cut in thin strips
2 tablespoons butter or margarine
1 can (16 ounces) bean sprouts, drained or 1 pound fresh bean sprouts
½ cup sliced mushrooms
2 tablespoons chopped pimiento
8 to 10 ounces cooked cleaned shrimp
1 can (8 ounces) sliced water chestnuts, drained
3 tablespoons cornstarch
3 tablespoons soy sauce
1 cup water
2 teaspoons instant chicken bouillon

In 2-quart microproof casserole, place onion, celery, green pepper, and butter. Cook, covered, on HI (max. power) 9 to 10 minutes, or until tender. Add bean sprouts, mushrooms, pimiento, shrimp, and water chestnuts; set aside. In 4-cup glass measure, dissolve cornstarch into soy sauce. Add water and bouillon; mix well. Cook on HI (max. power) 6 to 7 minutes, or until mixture boils and thickens, stirring twice during cooking. Stir into shrimp mixture. Cook, covered, on HI (max. power) 5 to 7 minutes, or until hot. Stir once during cooking. Serve with hot cooked rice or Chinese noodles.

5 to 6 servings

Stuffed Bass

Total Cooking Time: 12 to 19½ minutes

Wash fish in cold water, pat dry, set aside. Place butter and onion in 1½-quart glass bowl. Cook on HI (max. power) 2 minutes, or until onion is transparent. Add all other ingredients except brown sauce and water. Mix well. Stuff fish with mixture. Place on oval microproof platter or 12×7×2-inch glass baking dish. Mix brown sauce and water, brush on fish. Shield head and tail with aluminum foil. Insert probe in meatiest part of fish, parallel with spine and in area close to probe receptacle. Do not let foil touch probe or wall of oven. Cover dish tightly with plastic wrap, but wrap loosely around probe to vent. Cook on HI (max. power) at 170°. Let stand 5 minutes before serving.

4 to 6 servings

1 whole bass (2 to 2½ pounds), cleaned
2 tablespoons butter or margarine
¼ cup chopped onion
½ cup chopped mushrooms
¾ cup fine dry bread crumbs
2 tablespoons minced fresh parsley
1 egg, beaten
1 tablespoon lemon juice
1 teaspoon salt
⅛ teaspoon pepper
1 tablespoon bottled brown sauce
1 tablespoon water

Other whole fish of the same size may be substituted for bass, such as red snapper, lake trout, salmon, or whitefish. Whole stuffed fish may also be cooked by time (5 to 7 minutes per pound) on HI (max. power).

Stuffed Flounder with Mushroom-Sherry Sauce

Total Cooking Time: 11¾ to 12¾ minutes

Place green onion, ¼ cup butter and chopped parsley in 2-quart microproof casserole. Cook on HI (max. power) 3 minutes, or until onion is transparent. Remove from oven. Drain mushrooms, reserving liquid. Drain crabmeat and shred with fork, picking out any cartilage. Add mushrooms, crabmeat, cracker crumbs, salt, and pepper to cooked onion and parsley, mixing well. Spread crabmeat stuffing over each flounder fillet. Roll fish and place, seam side down, in a 12×8-inch microproof baking dish. Set aside.

Place 2 tablespoons butter in 4-cup glass measure. Cook on HI (max. power) 45 seconds, or until melted. Stir in flour and salt. Add enough milk to mushroom liquid to make 1 cup. Combine liquid with sherry. Gradually stir milk-mushroom-sherry liquid into flour mixture, stirring briskly. Pour sauce over flounder. Cook on HI (max. power) 7 to 8 minutes. Sprinkle paprika and parsley over fish. Cook on HI (max. power) 1 minute. Serve immediately.

6 servings

¼ cup chopped green onion
¼ cup butter or margarine
2 tablespoons fresh chopped parsley
1 can (4 ounces) mushroom pieces
1 can (6½ ounces) crabmeat
½ cup cracker crumbs
½ teaspoon salt
¼ teaspoon pepper
6 small, thin fresh flounder fillets, or any white fish fillets (2 pounds)
2 tablespoons butter or margarine
2 tablespoons all-purpose flour
¼ teaspoon salt
Milk
⅓ cup dry sherry
½ teaspoon paprika
1 teaspoon fresh chopped parsley

Tuna-Spinach Casserole

Total Cooking Time: 12¾ to 13¾ minutes

1 pound fresh spinach
1 can (7 ounces) tuna
1 can (4 ounces) sliced
   mushrooms
2 tablespoons lemon juice
2 tablespoons butter or
   margarine
1 tablespoon minced onion
2 tablespoons all-purpose
   flour
¼ teaspoon salt
⅛ teaspoon pepper
1 egg, lightly beaten
½ cup crumbled potato chips

Rinse spinach in cold water; drain well. Break in pieces, removing tough center stems. Place in 2-quart microproof casserole. Cook, covered, on HI (max. power) 3 to 4 minutes, or until spinach is limp. Drain well, set aside. Drain tuna, set aside. Drain mushrooms, pouring liquid into 1-cup measure. Set mushrooms aside. Add lemon juice and enough water to make 1 cup liquid. Place 2 tablespoons butter in 4-cup glass measure. Cook on HI (max. power) 45 seconds, or until melted. Add onion, flour, salt, and pepper, stirring well. Briskly stir in mushroom-lemon liquid. Cook, uncovered, on 60 (bake) 5 minutes, or until thick, stirring twice during cooking time. Add a small amount of sauce to egg, beat well, and return all to hot sauce. Stir mushrooms into sauce. Place well-drained spinach in 2½-quart microproof casserole. Flake tuna in small chunks over spinach. Pour sauce over top. Sprinkle with crumbled potato chips. Cook, uncovered, on HI (max. power) 4 minutes. Let stand 2 to 3 minutes before serving.

4 servings

Poached Salmon with Sour Cream Sauce

Total Cooking Time: 10 to 12 minutes

1½ cups hot water
⅓ cup dry white wine
2 peppercorns
1 lemon, thinly sliced
1 bay leaf
1 teaspoon instant minced
   onion
1 teaspoon salt
4 small salmon steaks or 2
   large steaks

Sauce:

½ cup dairy sour cream
1 tablespoon minced parsley
1 teaspoon lemon juice
½ teaspoon dill weed
   Pinch white pepper

In oval microproof baking dish pour water and wine, add peppercorns, lemon, bay leaf, onion, and salt. Cook on HI (max. power) 5 minutes, or until it reaches a full boil..Carefully place salmon steaks in hot liquid. Cook, covered with plastic wrap, on HI (max. power) 2 to 3 minutes, or until fish becomes opaque. Let stand 5 minutes to finish cooking. To prepare sauce, mix all ingredients in 2-cup glass measure. Cook on 50 (simmer) for 3 to 4 minutes, or until hot. Drain salmon and serve with heated sauce.

4 servings

Lemon Butter Sauce (page 111) is an excellent substitute for the Sour Cream Sauce.

To reduce calories omit the sauce and serve with lemon wedges and minced parsley.

This recipe is equally delicious with halibut, cod, swordfish, or red snapper.

Simple Salmon Loaf
Total Cooking Time: 25 to 30 minutes

Beat egg slightly and mix with remaining ingredients, until well blended. Pack salmon mixture firmly in greased 8×4×3-inch microproof loaf pan. Cover with waxed paper, cook on 70 (roast) 25 to 30 minutes, or until loaf is firm. Let stand, covered, 10 minutes before slicing.

6 to 8 servings

1 egg
½ cup milk
¼ cup melted butter
3 slices soft bread, cubed
½ teaspoon salt
2 cans (16 ounces each) red salmon, drained, with bone and skin removed

Alternate method— Before covering with waxed paper insert temperature probe into center of loaf. Cook on 70 (roast) at 150°F.

You can serve Simple Salmon Loaf with Lemon Butter Sauce (page 111).

This recipe may be cut in half by halving all ingredients except the egg. Form the loaf in an oval or round microproof dish. Cook, covered, on 70 (roast) 15 to 20 minutes.

Oysters Rockefeller
Total Cooking Time: 14 to 17 minutes

Carefully remove oysters from shells. Set aside. Select 36 shell halves; those that will sit level are best. Rinse well. Place, open side up, in two 12×7×2-inch microproof baking dishes. Set aside. Place spinach in 1½-quart microproof casserole. Cook, covered, on HI (max. power) 8 to 9 minutes. Drain well. Place between paper towels and squeeze dry. Mix spinach, butter, onion, parsley, salt, Worcestershire, pepper, and cream. Spoon half the spinach mixture into shells. Add one oyster to each shell. Top with remaining spinach mixture and generous sprinkling of Parmesan. Cover each baking dish with waxed paper. Place one dish on middle metal rack and one on bottom glass tray of oven. Cook on 70 (roast) 6 to 8 minutes, or until oysters are plump and edges curled. Reverse dishes after 3 minutes. Let stand 5 minutes before serving. Garnish with lemon wedges.

6 servings

36 large oysters in the shell
1 package (10 ounces) frozen chopped spinach
2 tablespoons butter or margarine
1 tablespoon minced onion
3 tablespoons minced fresh parsley
½ teaspoon salt
1 tablespoon Worcestershire sauce
¼ teaspoon cayenne pepper
1 cup light cream
Parmesan cheese

This recipe can be halved. Place one dish on the bottom glass tray and cook at 70 (roast) for 5 minutes.

Crab and Spinach Quiche

Total Cooking Time: 39 to 46 minutes

1 9-inch Homemade Pie Shell (page 123)
1 package (6 ounces) frozen crabmeat
4 eggs
1 cup evaporated milk
1 teaspoon prepared mustard
⅛ teaspoon nutmeg
¾ teaspoon salt
2 tablespoons dry sherry
½ package (10 ounces) frozen chopped spinach, thawed
¾ cup shredded Swiss cheese

Cook pastry in glass pie plate according to directions on page 175. Set aside. In original package, thaw crabmeat on microproof plate on 30 (defrost) 3 to 4 minutes. Set aside. In large bowl, beat eggs. Add milk, mustard, nutmeg, salt, and sherry. Mix well. Drain spinach. Pick over crabmeat and remove any cartilage. Add spinach, cheese, and crabmeat to egg mixture. Stir well. Pour into prepared pastry shell. Cook on 60 (bake) for 30 to 35 minutes, or until nearly set in center. Rotate dish one-quarter turn at 10-minute intervals during cooking time. Let stand 5 minutes before serving.

6 servings

To thaw only the amount of spinach required, wrap one-half of the package with aluminum foil. Set on paper towel and thaw on 30 (defrost) for 3 to 4 minutes. Remove thawed portion from package. Return frozen portion to freezer.

Scallops Vermouth

Total Cooking Time: 13 minutes

¼ cup butter or margarine
1 tablespoon minced onion
2 tablespoons all-purpose flour
1 can (4 ounces) sliced mushrooms, drained
¼ cup dry vermouth
½ teaspoon salt
⅛ teaspoon pepper
1 pound bay scallops
1 bay leaf
2 teaspoons lemon juice
½ cup light cream
1 egg yolk
½ teaspoon hot pepper sauce (optional)
1 tablespoon chopped fresh parsley

Combine butter and onion in 2-quart microproof casserole. Cook, uncovered, on HI (max. power) 2 minutes. Stir in flour and blend well. Add mushrooms, wine, salt, pepper, scallops, bay leaf, and lemon juice. Stir carefully. Cook, covered, on HI (max. power) 6 minutes, or until scallops are tender. Remove bay leaf. Beat cream with egg yolk. Add some of the hot liquid carefully to egg and blend well. Stir egg mixture carefully into hot casserole. Add pepper sauce and stir well. Cook, covered, on 60 (bake) 5 minutes, stirring once during cooking. Sprinkle with parsley and serve.

4 servings

Eggs and cheese are great microwave partners; but they can stand by themselves, too. There's nothing quite like plain scrambled eggs or cheese fondue made in the microwave oven. From the simplest omelets to fancy quiches, the microwave oven can enliven an ordinary breakfast, Sunday brunch, or any meal. The recipes in this chapter are perfect for unexpected guests any time of day. Just remember to have on hand a carton of fresh eggs and some Cheddar or Swiss cheeses that keep well. Then, a little onion and seasonings are all you need to make a quick, easy, and delicious meal. As a special treat, we have included in this chapter a special recipe for making yogurt from scratch! One reminder: Do not hardboil eggs in the microwave oven. Pressure builds up inside the shell, which causes the egg to burst. Egg yolks should always be carefully pierced before cooking to prevent them from popping. Keep in mind that eggs and cheese are delicate ingredients; handle them with care and you will have delectable results.

Omelet Classique (page 90) is cooked and served in the same dish (above left). Just a flip makes your Sunny Side Up Eggs (page 90) become "Over Easy" if that's your preference (above). Refrigerated cheese can be quickly brought to room temperature at 60 (bake) for 1 minute (left).

Converting Your Recipes

The best advice for adapting recipes that use eggs and cheese as primary ingredients is "better to undercook than overcook." Cheese and eggs cook so quickly that a few seconds can make the difference between airy excellence and a rubbery disaster. You will be able to make countless variations on the recipes here, substituting vegetables and cooked meat, and adding your own spices and sauces. Conventional soufflé recipes do not adapt to microwave cooking. Microwave soufflé recipes require a special form of stabilization because they cook so quickly; therefore, evaporated milk is used for the cream sauce base. The tips below will guide you to microwave success with all your egg and cheese recipes:

- ☐ Undercook eggs slightly and allow standing time to complete cooking. Eggs become tough when overcooked. Always check doneness to avoid overcooking.
- ☐ Cover poaching or baking eggs to trap steam and ensure even cooking.
- ☐ Eggs are usually cooked at 60 (bake) or 70 (roast).
- ☐ If you want a soft yolk, remove the egg from oven before whites are completely cooked. A brief standing time allows whites to set without overcooking yolks.
- ☐ Add $\frac{1}{8}$ to $\frac{1}{4}$ teaspoon vinegar to the water when poaching eggs to help the white coagulate.
- ☐ Cook bacon and egg combinations on HI (max. power), since most of the microwaves are attracted to the bacon because of its high fat content.
- ☐ Omelets and scrambled eggs should be stirred at least once during cooking. Fondues and sauces profit from occasional stirring during the cooking time.
- ☐ Cheese melts quickly and makes an attractive topping for casseroles and sandwiches.
- ☐ Cook cheese on 70 (roast) or lower for short periods of time to avoid separation and toughening.

Using the Cooking Guides

1. Eggs should be at refrigerator temperature.
2. Eggs will continue to cook for 1 or 2 minutes after removal from oven, so remove just before done.
3. *To scramble:* Break eggs into a microproof bowl or 4-cup glass measure. Add milk or cream. Beat with a fork. Add butter. Cover with waxed paper. Cook at 60 (bake) for time indicated in chart. Stir at least once during cooking from the outside to the center. Let stand 1 minute before serving.
4. *To poach:* Bring water to a boil with a pinch of salt and up to $\frac{1}{4}$ teaspoon vinegar at HI (max. power). Break egg carefully into hot water. Pierce egg lightly with toothpick. Cover with waxed paper. Cook at 50 (simmer) for time required in chart. Let stand, covered, 1 minute before serving.

COOKING GUIDE — SCRAMBLED EGGS

Number of Eggs	Liquid (Milk or Cream)	Butter	Minutes to Cook
1	1 tablespoon	1 teaspoon	1 to 1½
2	2 tablespoons	2 teaspoons	2 to 2½
4	3 tablespoons	3 teaspoons	4½ to 5½
6	4 tablespoons	4 teaspoons	7 to 8

COOKING GUIDE — POACHED EGGS

Number of Eggs	Water	Container	Minutes to Boil Water	Minutes to Cook
1	¼ cup	6-ounce microproof custard cup	1½ to 2	1
2	¼ cup	6-ounce microproof custard cups	2	1½ to 2
3	¼ cup	6-ounce microproof custard cups	2 to 2½	2 to 2½
4	1 cup	1-quart microproof dish	2½ to 3	2½ to 3

COOKING GUIDE — CONVENIENCE EGGS AND CHEESE

Food	Amount	Power Control Setting	Time (in minutes)	Special Notes
Omelet, frozen	10 oz.	80 (reheat)	4 - 5	Use microproof plate.
Egg substitute	8 oz.	50 (simmer)	4 - 4½	Turn carton over after 1 minute. Open carton after 1½ minutes. Stir every 30 seconds until smooth.
Soufflés: Corn, frozen	12 oz.	HI (max. power)	10 - 12	Use 1½-quart casserole, covered. Rotate casserole twice.
Cheese, frozen	12 oz.	HI (max. power)	11 - 13	Use 1½-quart casserole, covered. Rotate casserole twice.
Spinach, frozen	12 oz.	HI (max. power)	12 - 15	Use 1½-quart casserole, covered. Rotate casserole twice.
Welsh rabbit, frozen	10 oz.	70 (roast)	6 - 7	Use 1½-quart casserole, covered. Stir during cooking time.

Quiche Lorraine

Total Cooking Time: 26 to 30 minutes

1   baked 9-inch Homemade Pie
      Shell (page 123) or Low
      Calorie Rice Crust (page 100)
6   slices bacon
3   green onions, thinly
      sliced
2   cups grated Swiss cheese
1   can (13 ounces) evaporated
      milk
¼   teaspoon salt
¼   teaspoon nutmeg
      Dash cayenne pepper
1   teaspoon prepared mustard
4   eggs, beaten

Prepare baked pie shell. If pie shell is purchased, transfer it to a glass pie plate for baking. Cook crisp bacon according to chart on page 61. Crumble into small pieces. Reserve about 1 tablespoon each of bacon and onions for topping. Spread remaining bacon and onions with cheese evenly in pie shell. In 2-cup measure heat milk on HI (max. power) 3 minutes, or until it reaches boiling point. Mix salt, nutmeg, pepper, and mustard into beaten eggs. Gradually pour hot milk into egg mixture while continuing to mix. Pour carefully into pie shell. Sprinkle reserved bacon and onions over top. Cook on 70 (roast) 12 to 14 minutes, or until center appears barely set. Let stand uncovered on bread board or heat-proof counter top covered with foil 10 minutes before cutting.

6 servings

Omelet Classique

Total Cooking Time: 5 to 5½ minutes

1   tablespoon butter or
      margarine
4   eggs
4   tablespoons water
½   teaspoon salt
⅛   teaspoon pepper

In 9-inch microproof pie plate. cook butter on HI (max. power) 30 seconds. or until melted. Beat remaining ingredients lightly with a fork. Pour into pie plate. Cover with waxed paper. cook on 70 (roast) 3 minutes. Stir lightly. Cook. covered. on 60 (bake) 1½ to 2 minutes. or until almost set in center. Let stand. covered. 1 to 2 minutes before serving. Fold in half and serve.

2 servings

Before folding omelet, top with crumbled cooked bacon, grated Cheddar cheese, chopped cooked ham, or chopped tomato.

Sunny-Side-Up Eggs

Total Cooking Time: 2½ to 3 minutes

1   tablespoon butter or
      margarine
2   eggs
      Salt
      Pepper

Preheat 9-inch browning dish on HI (max. power) 2 minutes. Add butter and allow to melt.Tip dish to coat surface. Break eggs into dish and pierce yolks. Sprinkle lightly with dash of salt and pepper. Cover with glass lid: cook on HI (max. power) 30 to 60 seconds. according to your preference in yolk firmness. Let stand for 1 minute before serving.

1 to 2 servings

Welsh Rabbit on Toast

Total Cooking Time: 13 minutes

4 teaspoons butter or
    margarine
4 cups shredded sharp
    Cheddar cheese
¾ teaspoon Worcestershire
    sauce
½ teaspoon salt
½ teaspoon paprika
¼ teaspoon dry mustard
¼ teaspoon cayenne pepper
2 eggs, lightly beaten
1 cup flat beer or ale, at
    room temperature
8 to 12 toasted French
    bread slices

In 2-quart microproof casserole, melt butter on HI (max. power) 1 minute. Add cheese, Worcestershire, salt, paprika, dry mustard, and cayenne; mix thoroughly. Cook, covered, on 50 (simmer) 6 minutes, stirring once during cooking time. Stir small amount of hot cheese mixture into the beaten eggs, then slowly add to hot mixture; stir briskly. Gradually stir in beer, blend well. Cook, covered, on 50 (simmer) 3 minutes. Stir well. Cook, covered, on 50 (simmer) 3 minutes longer. Remove from oven. Beat briskly with whisk to blend thoroughly. Serve over toasted and buttered French bread.

4 to 6 servings

For a hearty meal serve Welsh Rabbit with crisp bacon slices and garnished with tomatoes.

Puffy Cheddar Omelet

Total Cooking Time: 7½ to 9½ minutes

4 eggs, separated
⅓ cup mayonnaise
2 tablespoons water
1 tablespoon butter or
    margarine
½ cup grated Cheddar
    cheese
1 tablespoon minced
    fresh parsley

In large mixing bowl, beat egg whites with electric mixer until soft peaks form. In small mixing bowl beat egg yolks with mayonnaise and water. Gently fold yolks into whites. In 9-inch microproof pie plate melt butter on HI (max. power) 30 seconds. Tilt dish to coat evenly. Pour egg mixture into pie plate. Cook on 60 (bake) 6 or 8 minutes. Rotate dish if eggs appear to be rising unevenly. When eggs are set but still moist, sprinkle with cheese. Cook on 60 (bake) for 1 minute, or until cheese is melted. Fold omelet in half and slide onto serving plate. Sprinkle with parsley.

2 servings

Shirred Eggs

Total Cooking Time: 2½ to 3 minutes

1 teaspoon butter or
    margarine
2 eggs
1 tablespoon cream
    Salt and pepper

Place butter in microproof ramekin or small cereal bowl. Cook on 70 (roast) 30 seconds to melt. Break eggs carefully into ramekin. Pierce yolks carefully with toothpick. Add cream. Cover tightly with plastic wrap and cook on 60 (bake) 2 to 2½ minutes. Remove and let stand 1 minute before serving. Season to taste.

1 serving

Cheddar Cheese Soufflé
Total Cooking Time: 24 to 30 minutes

¼ cup all-purpose flour
¾ teaspoon salt
½ teaspoon dry mustard
⅛ teaspoon paprika
⅛ teaspoon white pepper
1 can (13-ounces)
   evaporated milk,
   undiluted
2 cups grated sharp Cheddar
   cheese
6 eggs, separated
1 teaspoon cream of tartar

In 4-cup glass measure blend flour. salt, mustard, paprika, and pepper. Add evaporated milk and stir. Cook on HI (max. power) 4 to 5 minutes, or until thickened, stirring after 2 minutes and then every 30 seconds. Stir in cheese and continue stirring until cheese is melted. Remove from oven. In large mixing bowl beat egg whites with cream of tartar until stiff but not dry. Set aside. In small mixing bowl beat yolks until thick. Slowly pour warm cheese mixture over egg yolks, stirring until well combined. Spoon mixture over egg whites and fold gently to blend. Turn into ungreased 2-quart microproof soufflé dish. Cook on 30 (defrost) for 20 to 25 minutes, or until top is dry. Rotate dish if soufflé is rising unevenly. Serve immediately.

8 servings

Because microwave soufflés do not form a crust, they rise higher than conventional soufflé recipes and require a larger dish. When done, the soufflé will be dry on top but will have a creamy meringue center, which is nice as the sauce for the soufflé. Do not try to adapt conventional soufflés to microwave cooking.

Swiss Cheese Fondue
Total Cooking Time: 10 to 11 minutes

3 tablespoons all-purpose
   flour
¼ teaspoon salt
⅛ teaspoon white pepper
½ teaspoon garlic powder
1 cup milk
1 pound Swiss cheese,
   shredded
1 tablespoon butter or
   margarine
½ cup dry white wine
   Dash nutmeg

In a 1½-quart glass casserole, combine flour, seasonings, and milk. Beat with wire whisk until smooth. Stir in cheese, add butter. Cook, covered, on 70 (roast) 5 minutes. Stir well, cook, covered, on 70 (roast) 5 to 6 minutes, or until thickened and smooth. The probe may be used on 70 (roast) set at 180°. Stir in wine and nutmeg. Serve warm from fondue pot or chafing dish.

3 cups

This is a nifty hors d'oeuvre for a cold winter's night as well as a great main dish any time. Serve with crusty French, Italian, rye, whole wheat, or herb bread cut into 1 to 1½-inch cubes. Or try bread sticks and pretzels. Fondue may be made ahead, refrigerated, and reheated. To reheat, cook, covered, on 70 (roast) about 8 minutes, or until warm. Stir well before serving.

The microwave oven provides no significant saving of time when cooking pasta and rice. It takes just as long to rehydrate these products in the microwave oven as it does conventionally. But the convenience of being able to cook and serve in the same dish, and to eliminate scorching and food stuck to pans makes it well worthwhile. Once the pasta is prepared and added to the rest of the ingredients according to the recipe, the casserole cooks in speedy microwave time. Another great advantage the microwave oven offers is that you can reheat pasta, rice, and cereal without adding water or having to stir. No worry about soggy noodles or starchy rice. And they taste as good reheated as when freshly cooked!

The microwave works wonders with pasta: simply top precooked macaroni or rotini with sauce, tomato slices, and cheese for a dandy lunch (top left). Cook rice in boilable bags on a plate with the bag slit so steam can escape (top right). Spaghetti is cooked in a glass baking dish (above left). Hot cereal is now easy to prepare and serve right in the same dish (above right).

Converting Your Recipes

You will find that your conventional rice or noodle-based casseroles can be easily adjusted to microwave cooking. When you find a similar recipe here, adapt your ingredients to the microwave method, but follow only about three-quarters of the recommended microwave cooking times. Then check, observe, and extend the cooking time at 1-minute intervals until done. Make a note of the final cooking time for a repeat of the dish. By "trial" and trying to avoid "error," you'll soon be able to add to your collection of pasta and rice dishes. These tips will help:

☐ Casseroles cooked in the microwave oven usually need less liquid. Because of their shorter cooking time, there is less evaporation.

☐ Casseroles with cream and cheese sauces or less tender meats that require slow cooking do best on low settings.

☐ It is important to use a large microproof container when cooking pasta or rice to prevent water from boiling over.

☐ Thin noodles cook faster and more evenly than large noodles.

☐ Casseroles may require occasional stirring to distribute heat.

☐ Cook the ingredients of a casserole and stir before adding topping, such as cheese or bread crumbs.

☐ Cooked pasta or rice to be used in a casserole should be slightly firmer than if it is to be eaten at once. Simply cook a bit less.

☐ Quick-cooking rice may be substituted in converting from conventional recipes that call for uncooked rice, in order to make sure the rice will cook in the same short time as the rest of the ingredients. Otherwise precook regular rice to a firm stage and add to the casserole.

☐ To reheat pasta, rice, and cereals in the microwave without drying out, cover tightly with plastic wrap. Set at 80 (reheat) for just a few minutes, depending upon amount.

Using The Cooking Guides

1. For pasta, combine water with 1 tablespoon salad oil and 1 to 2 teaspoons salt in microproof container. Bring water to a boil on HI (max. power). Stir. Cover. Cook at 50 (simmer) until done. Drain in colander, rinse in warm water. Serve.

2. For rice, add salt and margarine to water according to package directions. Bring water to full boil on HI (max. power). Stir in rice. Cover tightly. Cook on 50 (simmer) for time provided in chart. Let stand, covered, 5 minutes before serving.

3. For quick-cooking cereal, follow chart and package recommendations. Stir after removing from oven. Let stand about 1 minute before serving

COOKING GUIDE — PASTA

Food	Amount Uncooked (2 oz.=1 cup)	Hot Tap Water	Time to Boil (in minutes) HI (max. power)	Power Control Setting	Time (in minutes)	Special Notes
Spaghetti or linguine	2 oz.	2½ cups	5 - 6	50 (simmer)	5 - 6	Use 13×9×2-inch baking dish. Stir once.
	4 oz.	4 cups	8 - 10	50 (simmer)	6 - 8	
	7 oz.	6 cups	12 - 14	50 (simmer)	8 - 10	
Macaroni	4 oz.	3 cups	6 - 8	50 (simmer)	10 - 12	Use 3-quart casserole.
Egg noodles, fine	2 oz.	2 cups	4 - 6	50 (simmer)	5 - 6	Use 3-quart casserole.
Egg noodles, narrow	4 oz.	3 cups	6 - 8	50 (simmer)	8 - 10	
Egg noodles, wide	8 oz.	6 cups	12 - 14	50 (simmer)	12 - 14	
Lasagna noodles	4 oz.	4 cups	8 - 10	50 (simmer)	12 - 14	Use 13×9×2-inch baking dish.
	8 oz.	6 cups	12 - 14	50 (simmer)	14 - 15	
Spinach noodles	4 oz.	4 cups	8 - 10	50 (simmer)	9 - 11	Use 13×9×2-inch baking dish.

COOKING GUIDE — RICE

Food	Amount Uncooked	Water	Minutes to Full Boil HI (max. power)	Power Control Setting	Time (in minutes)	Standing Time (in minutes)	Special Notes
Short-grain	1 cup	2 cups	4 - 5	50 (simmer)	13 - 15	5	2-quart casserole
Long-grain	1 cup	2 cups	4 - 5	50 (simmer)	15 - 17	5	2-quart casserole
Wild rice	1 cup	3 cups	6 - 7	50 (simmer)	35 - 40	5	3-quart casserole
Brown rice	1 cup	3 cups	6 - 7	50 (simmer)	40	5	3-quart casserole
Quick-cooking	1 cup	1 cup	3 - 4	HI (max. power)	0	5	1-quart casserole

COOKING/DEFROSTING GUIDE — CONVENIENCE RICE AND PASTA

Food	Amount	Power Control Setting	Time (in minutes)	Special Notes
Rice, cooked refrigerated	1 cup	80 (reheat)	1½ - 2	Use covered bowl. Let stand 2 minutes, stir.
Cooked, frozen	1 cup	80 (reheat)	2 - 3	
	2 cups	80 (reheat)	3 - 4	
Pouch, frozen	11 oz.	80 (reheat)	6 - 7	Slit pouch.
Fried rice, frozen	10 oz.	HI (max. power)	5 - 6	Use covered casserole. Stir twice. Let stand 5 minutes.
Spanish rice, canned	12 oz.	HI (max. power)	4 - 5	Use covered casserole. Stir twice. Let stand 3 minutes.
Lasagna, frozen	21 oz.	70 (roast)	19 - 20	Use covered casserole. Let stand, covered, 5 minutes.
Macaroni and beef, frozen	11 oz. package	HI (max. power)	7 - 9	Use covered casserole. Stir twice.
Macaroni and cheese, frozen	10 oz.	HI (max. power)	7 - 9	Use covered casserole. Stir twice.
Spaghetti and meatballs, frozen	14 oz.	HI (max. power)	8 - 10	Use covered casserole. Stir twice.

COOKING GUIDE — CEREAL

Food	Servings	Amount Uncooked	Salt	Hot Tap Water	Setting	Minutes To Cook	Special Notes
Quick grits	1	3 Tb.	dash	¾ cup	HI (max. power)	3 - 4	10-oz. bowl
	2	⅓ cup	¼ tsp.	1⅓ cups	HI (max. power)	6 - 7	1½-qt. bowl
	4	⅔ cup	¾ tsp.	2⅔ cups	HI (max. power)	8 - 9	2-qt. bowl
Oatmeal, quick	1	⅓ cup	⅛ tsp.	¾ cup	HI (max. power)	1 - 2	16-oz. bowl
	2	⅔ cup	¼ tsp.	1½ cups	HI (max. power)	2 - 3	1½-qt. bowl
	4	1⅓ cups	½ tsp.	3 cups	HI (max. power)	5 - 6	2-qt. bowl
Cream of wheat	1	2½ Tb.	dash	1 cup	HI (max. power)	3 - 4	1-qt. bowl
	2	⅓ cup	⅛ tsp.	1¾ cups	HI (max. power)	5 - 6	2-qt. bowl
	4	⅔ cup	¼ tsp.	3½ cups	HI (max. power)	7 - 8	3-qt. bowl

Chicken Noodle au Gratin
Total Cooking Time: 13 to 15 minutes

1½ cups uncooked broken thin egg noodles
2 to 3 cups cubed cooked chicken or turkey
1 cup chicken stock
½ cup milk
½ teaspoon salt
⅛ teaspoon pepper
1 cup shredded Cheddar cheese
¼ cup sliced stuffed green olives

In 2-quart microproof casserole, combine noodles, chicken, chicken stock, milk, salt, and pepper. Stir lightly. Cook, covered, on 70 (roast) 8 to 10 minutes, or until noodles are tender, stirring once. Stir in cheese and olives. Cook, covered, on 20 (low) 5 minutes, or until cheese is melted.

4 to 6 servings

For 2 to 3 servings, cut ingredients in half and cook, covered, on 70 (roast) 6 to 8 minutes, or until noodles are tender, stirring once. Continue as directed for full recipe.

Spring Noodle Casserole
Total Cooking Time: 37½ to 43½ minutes

1½ cups uncooked spinach noodles
¼ cup butter or margarine
¼ cup all-purpose flour
1 teaspoon salt
¼ teaspoon hot-pepper sauce
2¼ cups milk
1 cup grated sharp Cheddar cheese
¼ cup grated Parmesan cheese
3 hard-cooked eggs, peeled and halved

Cook spinach noodles according to chart on page 95. Drain and set aside. Place butter in 1½-quart microproof mixing bowl. Cook on HI (max. power) 60 seconds, or until melted. Stir in flour, salt, and hot-pepper sauce to make smooth paste. Cook on HI (max. power) 30 seconds. Set aside. Pour milk in 4-cup glass measure. Cook on HI (max. power) 2 minutes to warm. Gradually, and briskly, stir milk into flour mixture. Cook on HI (max. power) 4 to 5 minutes. Stir once during cooking time. Stir briskly to make smooth sauce. Add cheese and stir until melted. Put cooked noodles in 2-quart microproof casserole. Add cheese sauce mix carefully. Cook, covered, on 60 (bake) 7 to 8 minutes, or until hot. Stir. Top with egg halves. Cook, covered, on 60 (bake) 3 minutes. Let stand, covered, 3 minutes before serving.

6 servings

Macaroni and Cheese

Total Cooking Time: 22½ to 25 minutes

Cook macaroni according to chart on page 95. Drain and set aside. In 4-cup glass measure melt butter on HI (max. power) for 45 seconds. Stir in flour, salt, Worcestershire, mustard, and pepper. Set aside. Pour milk in 2-cup glass measure and cook on HI (max. power) 1 minute, or until warm. Gradually stir milk into flour mixture. Cook on HI (max. power) 3 minutes, stirring once during cooking. Stir, cook on HI (max. power) 1 minute, or until smooth and thickening. Blend in 1½ cups of cheese. Stir until melted. In 1½-quart microproof casserole, combine sauce and cooked macaroni. Combine remaining cheese and cracker crumbs. Sprinkle over top of casserole. Cook on 60 (bake) 5 to 6 minutes, or until mixture is bubbling. Let stand, covered, 5 minutes before serving.

4 servings

1¼ cups uncooked macaroni
2 tablespoons butter or margarine
2 tablespoons all-purpose flour
¼ teaspoon salt
½ teaspoon Worcestershire sauce
½ teaspoon prepared mustard
⅛ teaspoon pepper
1 cup milk
2 cups shredded Cheddar cheese, divided
¼ cup cracker crumbs

Neapolitan Lasagna

Total Cooking Time: 46 to 53 minutes

Cook noodles according to chart on page 95. Drain and set aside, covered. Crumble beef into 2-quart glass mixing bowl. Cook on HI (max. power) 4 minutes. Stir halfway through cooking time. Pour off drippings. Combine meat with the tomato purée, mushrooms, onion, garlic, basil, oregano, thyme, salt, and pepper. Cook on HI (max. power) 6 to 8 minutes. Stir halfway through cooking time. Layer one-third of cooked noodles in 12 × 7 × 2-inch baking dish. Top with one-third of meat mixture and half of cottage cheese and mozzarella. Repeat layers, ending with noodles and meat sauce. Sprinkle generously with Parmesan cheese. Cover with waxed paper and cook on HI (max. power) 10 to 12 minutes, rotating dish one-quarter turn halfway through cooking time. Let stand, covered, 5 to 10 minutes before serving.

6 to 8 servings

5 ounces lasagna noodles, cooked
1 pound lean ground beef
1 can (16 ounces) tomato purée
¼ pound mushrooms, chopped
1 small onion, minced
1 clove garlic, minced
1 teaspoon basil
1 teaspoon oregano
½ teaspoon thyme
½ teaspoon salt
¼ teaspoon pepper
1½ cups cottage cheese, divided
10 ounces mozzarella cheese, sliced, divided
½ cup freshly grated Parmesan cheese

Macaroni Supreme

Total Cooking Time: 1 hour 1 minute to
1 hour 7 minutes

2 cups uncooked elbow
   macaroni
1 pound lean ground beef
1 large onion, finely chopped
1 can (1 pound 12 ounces)
   Italian-style tomatoes
1 package (10 ounces) frozen
   peas
1 cup sliced fresh mushrooms
¾ cup dry red wine
¼ cup chopped fresh
   parsley
1 teaspoon sugar
1 teaspoon salt
⅛ teaspoon pepper
2 cups grated Parmesan
   cheese, divided

Cook macaroni according to chart on page 95. Drain and set aside. In 2-quart microproof casserole or bowl, combine meat and onions. Cook, covered, on HI (max. power) 3 minutes. Stir. Cook on HI (max. power) another 2 minutes, or until onion is transparent. Drain off fat. Add undrained tomatoes. With spoon, break up whole tomatoes into pieces. Add peas, mushrooms, wine, parsley, sugar, salt, and pepper. Cook, covered, on 50 (simmer) 30 minutes. In 13 × 9-inch microproof baking dish, layer half the sauce, half of the cooked macaroni, and 1 cup of cheese. Add remaining macaroni and sauce. Top with remaining cheese. Cover with waxed paper and cook on 60 (bake) 10 to 12 minutes, or until cheese is melted and casserole is bubbling. Let stand 5 minutes before serving.

6 to 8 servings

Vegetarian Macaroni

Total Cooking Time: 56 to 65 minutes

3 cups hot water
1 package (7 ounces) shell
   macaroni
3 tablespoons olive oil
1 large onion, sliced
2 cups sliced carrots
1 cup chopped celery
1 clove garlic, crushed
2 cups peeled, cubed
   tomatoes
½ teaspoon sage
½ teaspoon oregano
¼ teaspoon pepper
¼ teaspoon basil
⅛ teaspoon thyme
⅛ teaspoon rosemary
2 cans (16 ounces each)
   kidney beans, drained
   Salt and pepper
   Grated Parmesan cheese

In large microproof bowl, cook 3 cups hot water on HI (max. power) 6 to 8 minutes, or until boiling. Add macaroni, cover with waxed paper. Cook on HI (max. power) 1 minute. Let stand 5 minutes. Drain and set aside. In 4-quart microproof casserole, cook oil on HI (max. power) 2 minutes. Stir in onion, carrots, celery, and garlic. Continue cooking on HI (max. power) 10 to 12 minutes, or until vegetables are tender. Stir in tomatoes and seasonings. Cook, covered on 70 (roast) 7 minutes. Blend in macaroni and beans. Cook, covered, on HI (max. power) 12 to 15 minutes. Stir. Cook on 70 (roast) 18 to 20 minutes, stirring occasionally. Season with salt and pepper. Sprinkle with Parmesan cheese.

8 servings

Here is a spicy variation: Substitute ½ teaspoon cumin and ½ teaspoon chili powder for sage and oregano. Also substitute cayenne pepper for black pepper and use chili (pinto) beans for kidney beans. Olé — Mexican Macaroni!

Garlic Parmesan Bread (page 116), Macaroni Supreme →

Chinese Fried Rice

Total Cooking Time: 13 to 14 minutes

2 tablespoons butter or
margarine
¼ cup thinly sliced green
onion
3 cups cooked rice
½ teaspoon salt
1 tablespoon soy sauce
3 eggs
1 tablespoon water
¼ teaspoon sugar

Place butter and onion in 3-quart microproof casserole. Cook on HI (max. power) 4 minutes, or until onion is limp. Stir in rice, salt, and soy sauce. In small bowl beat eggs, water, and sugar just until mixed. Pour into center of rice. Cook, covered, on 70 (roast) 9 to 10 minutes, or until eggs are set and rice is dry in appearance. Stir eggs into rice after 3 minutes, then stir every 3 minutes until done.

4 to 6 servings

All Seasons Rice

Total Cooking Time: 12 to 14 minutes

2 cups chicken or beef
broth
1 cup long-grained converted
rice
¼ cup minced onion
2 tablespoons minced fresh
parsley

Combine all ingredients in 2-quart glass casserole. Cover and cook on HI (max. power) 12 to 14 minutes. Let stand, covered, 10 minutes, or until all broth is absorbed.

4 servings

Low Calorie Rice Crust

Total Cooking Time: 1 minute

1½ cups cooked rice
1 egg
⅓ cup shredded Cheddar
cheese

Combine ingredients and press evenly over bottom and sides of 9-inch glass pie plate or quiche dish. It is not necessary to cook before adding filling. However, if you prefer, cook on 70 (roast) 1 minute, or until cheese is melted.

Artichoke Pilaf

Total Cooking Time: 5½ minutes

2 jars (6 ounces each)
marinated artichoke
hearts
1 cup chopped onion
1 clove garlic, minced
½ cup thinly sliced celery
1 cup chicken broth
1 cup cooked rice
⅓ cup minced fresh
parsley
½ teaspoon salt
⅛ teaspoon pepper

Drain artichokes, reserving 3 tablespoons marinade. In 2-quart microproof dish, place the reserved marinade, onion, garlic, and celery. Cook on HI (max. power) 2½ minutes, or until onion is transparent. Stir in remaining ingredients, including artichokes. Cook, covered, on HI (max. power) 3 minutes, stirring once during cooking. Let stand, uncovered, 5 minutes before serving.

4 to 6 servings.

Your microwave oven enables you to enter one of the most exciting areas of the culinary arts: the world of succulent crisp-cooked vegetables. Because very little water is used, sometimes none at all, vegetables emerge from the microwave oven with bright, fresh color, full of flavor, tender and nutritious. Even reheated, fresh vegetables retain their original flavor and color. They do not dry out, because the steam that heats them is primarily generated within the vegetables themselves. Canned vegetables heat well too, because they can be drained before cooking so that they retain their full fresh taste after cooking.

Arrange asparagus with the tender tips overlapped in the center of the dish. Carrots cook a bit more quickly and are more interesting when cut diagonally (above). The husk on corn makes a natural wrapper. Just soak the corn in water for 5 minutes and then cook as directed on page 103 (above right). For best results, when cutting vegetables for cooking make sizes as uniform as possible (right).

Converting Your Recipes

Vegetables are best when eaten at the crisp stage, tender but resilient to the bite. However, if you prefer a softer texture, increase water and cooking time. To adapt a conventional recipe to the microwave oven, find a similar recipe in the chapter and check the vegetable cooking guides. The following tips will give you additional help in adapting or creating your own recipes:

☐ Check doneness after the shortest recommended cooking times. Add more cooking time to suit individual preferences.

☐ When using the temperature probe, a small amount of liquid should be added. Insert probe into the center of the vegetable dish and set at 150°F.

☐ If necessary, frozen vegetables may be used in recipes calling for fresh vegetables. It is not necessary to thaw frozen vegetables before cooking.

☐ Freeze small portions of your favorite vegetable dishes in boilable plastic pouches. If you use metal twist ties, be sure to replace with string or rubber band before cooking. Cut a steam vent in pouch and reheat on microproof plate.

☐ To prevent boiling over when preparing vegetable dishes with cream sauces, use a baking dish large enough to allow for bubbling. Use a lower power setting such as 60 or 70.

☐ Celery, onions, green peppers, and carrots need to be partially cooked before adding to a casserole. In general, you should partially cook all vegetables before combining with already cooked meats, fish, or poultry.

☐ To cook mashed potatoes, cube potatoes. Add a small amount of water. Cook, tightly covered, until soft. Season and mash.

☐ To reheat mashed potatoes, set at 80, stirring once during cooking time.

☐ Because carrots and beets are dense, they require more water and a longer cooking period to prevent dehydration and toughening during cooking.

Using the Cooking Guide

1. All fresh or frozen vegetables are cooked and reheated on HI (max. power).

2. Choose a wide, shallow dish so vegetables can be spread out.

3. Add ¼ cup water for each ½ to 1 pound fresh vegetables. Do not add water for washed spinach, corn on the cob, squash, baking potatoes, or eggplant.

4. Do not salt vegetables until after cooking.

5. Cover all vegetables tightly.

6. Stir vegetables once during cooking time.

7. Pouches of frozen vegetables require steam vents. Slit pouch and cook on microproof dish.

8. Frozen vegetables without sauces can be cooked in their cartons without water. Remove waxed paper wrapping before placing carton in oven. (Remove frozen-in-sauce vegetables if packaged in cartons rather than pouches. Place in 1½-quart microproof casserole. Add liquid before cooking as package directs.)

9. After cooking, allow all vegetables to stand, covered, for 2 to 3 minutes.

COOKING GUIDE — VEGETABLES

Food	Amount	Fresh Vegetable Preparation	Time (in minutes)	Water	Standing Time (in minutes)	Special Notes
Artichokes 3½" in diameter	Fresh: 1 2 4	Wash thoroughly. Cut tops off each leaf.	7 - 8 11 - 12	¼ cup ½ cup	2 - 3 2 - 3	When done, a leaf peeled from whole comes off easily.
	Frozen: 10 oz.	Slit pouch	5 - 6			
Asparagus: spears and cut pieces	Fresh: 1 lb.	Wash thoroughly. Snap off tough base and discard.	2 - 3	¼ cup	None	Stir or rearrange once during cooking time.
	Frozen: 10 oz.		7 - 8	None	2 - 3	
Beans: green, wax, French-cut	Fresh: 1 lb.	Remove ends. Wash well. Leave whole or break in pieces.	12 - 14	¼ cup	2 - 3	Stir once or rearrange as necessary.
	Frozen: 10 oz.		7 - 8	None	None	
Beets	4 medium	Scrub beets. Leave 1" of top on beet.	16 - 18	¼ cup	None	After cooking, peel. Cut or leave whole.
Broccoli	Fresh, whole 1 - 1½ lbs.	Remove outer leaves. Slit stalks.	9 - 10	¼ cup	3	Stir or rearrange during cooking time.
	Frozen, whole		8 - 10	¼ cup	3	
	Fresh, chopped, 1 - 1½ lbs.		12 - 14	¼ cup	2	
	Frozen, chopped 10 oz.		8 - 9	None	2	
Brussels sprouts	Fresh: 1 lb.	Remove outside leaves if wilted. Cut off stems. Wash.	8 - 9	¼ cup	2 - 3	Stir or rearrange once during cooking time.
	Frozen: 10 oz.		6 - 7	None	None	
Cabbage	½ medium head, shredded	Remove outside wilted leaves.	5 - 6	¼ cup	2 - 3	
	1 medium head, wedges		13 - 15	¼ cup	2 - 3	Rearrange wedges after 7 minutes.
Carrots	4: sliced or diced	Peel and cut off tops.	7 - 9	1 Tb.	2 - 3	Stir once during cooking time.
	6: sliced or diced	Fresh young carrots cook best.	9 - 10	2 Tbs.	2 - 3	
	8: tiny, whole		8 - 10	2 Tbs.	2 - 3	
	Frozen 10 oz.		8 - 9	None	None	
Cauliflower	1 medium, in flowerets	Cut tough stem. Wash, remove outside leaves.	7 - 8	¼ cup	2 - 3	Stir after 5 minutes.
	1 medium, whole	Remove core.	8 - 9	½ cup	3	Turn over once.
	Frozen: 10 oz.		8 - 9	¼ cup	3	Stir after 5 minutes.
Celery	2½ cups, 1" slices	Clean stalks thoroughly.	8 - 9	¼ cup	2	
Corn: kernel	Frozen: 10 oz.		5 - 6	¼ cup	2	Stir halfway through cooking time.
On the cob	1 ear 2 ears 3 ears 4 ears	Husk, wrap each in waxed paper. Place on glass tray in oven. Cook no more than 4 at a time.	3 - 4 6 - 7 9 - 10 11 - 12	None None None None	2 2 2 2	Rearrange halfway through cooking time unless cooked on microproof rack.
	Frozen, 2 ears 4 ears	Flat dish, covered.	5½ - 6 10 - 11	None None	2	Rearrange halfway through cooking time.
Eggplant	1 medium, sliced	Wash and peel. Cut into slices or cubes.	5 - 6	2 Tb.	3	
	1 medium, whole	Pierce skin.	6 - 7			Place on microproof rack.
Greens: collard, kale, etc.	Fresh: 1 lb.	Wash. Remove wilted leaves or tough stem.	6 - 7	None	2	
	Frozen: 10 oz.		7 - 8	None	2	

COOKING GUIDE — VEGETABLES

Food	Amount	Fresh Vegetable Preparation	Time (in minutes)	Water	Standing Time (in minutes)	Special Notes
Mushrooms	Fresh: ½ lb., sliced	Add butter or water.	2 - 4	2 Tbs.		Stir halfway through cooking time.
Okra	Fresh: ½ lb.	Wash thoroughly. Leave whole or cut	3 - 5	¼ cup	2	
	Frozen: 10 oz.	in thick slices.	7 - 8	None	2	
Onions	1 lb., tiny whole	Peel. Add 1 Tb. butter.	6 - 7	¼ cup	3	Stir once during cooking time.
	1 lb., medium to large	Peel and quarter. Add 1 Tb. butter.	7 - 9	¼ cup	3	
Parsnips	4 medium, quartered	Peel and cut.	8 - 9	¼ cup	2	Stir once during cooking time.
Peas: green	Fresh: 1 lb.	Shell peas. Rinse well.	7 - 8	¼ cup	2	Stir once during cooking time.
	Fresh: 2 lbs.		8 - 9	½ cup	2 - 3	
	Frozen: 10 oz.		5 - 6	None	None	
Peas and onions	Frozen: 10 oz.		6 - 8	2 Tbs.	2	
Pea pods	Frozen: 6 oz.		3 - 4	2 Tbs.	3	
Potatoes, sweet 5 - 6 oz. ea.	1	Scrub well. Pierce with fork. Place on rack or paper towel in circle, 1" apart.	4 - 4½	None	3	
	2		6 - 7	None	3	
	4		8 - 10	None	3	
	6		10 - 11	None	3	
Potatoes, white baking 6 - 8 oz. ea.	1	Wash and scrub well. Pierce with fork. Place on rack or paper towel in circle, 1" apart.	4 - 6	None	3	
	2		6 - 8	None	3	
	3		8 - 12	None	3	
	4		12 - 16	None	3	
	5		16 - 20	None	3	
russet, boiling	3	Peel potatoes, cut in quarters.	12 - 16	½ cup	None	Stir once during cooking time.
Rutabaga	Fresh: 1 lb.	Wash well. Remove tough stems or any	6 - 7	None	2	Stir once during cooking time.
	Frozen: 10 oz.	wilted leaves.	7 - 8	None	2	
Spinach	Fresh: 1 lb.	Wash well. Remove tough stems. Drain.	6 - 7	None	2	Stir once during cooking time.
	Frozen: 10 oz.		7 - 8	None	2	
Squash, acorn or butternut	1 - 1½ lbs. whole	Scrub. Pierce with fork.	10 - 12	None		Cut and remove seeds to serve.
Spaghetti squash	2 - 3 lbs.	Scrub, pierce. Place on rack.	6 per lb.	None	5	Serve with butter, Parmesan cheese, or spaghetti sauce.
Turnips	4 cups cubed	Peel, wash.	9 - 11	¼ cup	3	Stir after 5 minutes.
Zucchini	3 cups sliced	Wash; do not peel.	7 - 8	¼ cup	2	Stir after 4 minutes.

COOKING GUIDE — CANNED VEGETABLES

Size	Power Control Setting	Minutes Drained	Minutes Undrained	Special Notes
8 ounces	80 (reheat)	1½ - 2	2 - 2½	Regardless of quantity: use a 4-cup microproof casserole, covered. Stir once. Let stand, covered, 2 - 3 minutes before serving.
15 ounces	80 (reheat)	2½ - 3	3 - 4	
17 ounces	80 (reheat)	3½ - 4	4 - 5	

Note: Temperature probe may be used. Set on 80 (reheat). Temperature control at 150°. Place probe in center of dish. Stir halfway through cooking time.

COOKING GUIDE — CONVENIENCE VEGETABLES

Food	Amount	Power Control Setting	Time (in minutes)	or	Temperature Probe Setting	Special Notes
Au gratin vegetables, frozen	11½ oz.	70 (roast)	10 - 12		150°	Use glass loaf dish, covered.
Baked beans, frozen	6 oz.	70 (roast)	8 - 10		150°	Use 1½-quart casserole, covered. Stir once.
Corn, scalloped frozen	12 oz.	70 (roast)	7 - 8		150°	Use 1-quart casserole, covered.
Potatoes stuffed, frozen	2	70 (roast)	10 - 12			Use shallow dish. Cover with waxed paper.
Tots, frozen	16 oz. 32 oz.	80 (reheat) 80 (reheat)	9 - 10 12 - 14			Use 2-quart round or oval baking dish. Rearrange once.
Creamed potato mix	4 - 5 oz.	70 (roast)	20 - 24		150°	
Au gratin, frozen	11½ oz.	70 (roast)	12			Use 1½-quart casserole, covered with waxed paper.
Instant mashed	3½ oz. packet	HI (max. power)	5 - 6			Use covered casserole. Follow package directions. Reduce liquid by 1 tablespoon.
Peas, pea pods, chestnuts, frozen	10 oz.	HI (max. power)	6 - 7			Place pouch on plate. Slit pouch. Flex once during cooking time to mix.
Stuffing mix	6 oz.	HI (max. power)	8			Use 1½-quart casserole, covered. Follow package directions.

Note: When cooking vegetables, use temperature probe only after vegetables are thawed. For frozen soufflés, see chart on page 89.

Using the Blanching Guide

The microwave oven can be a valuable and appreciated aid in preparing fresh vegetables for the freezer. (The oven is *not* recommended for canning.) Some vegetables don't require any water at all and, of course, the less water used the better. You'll have that "fresh picked" color and flavor for your produce. Here are some tips in preparing vegetables for blanching:

☐ Choose young, tender vegetables.
☐ Clean and prepare for cooking according to Cooking Guide.
☐ Measure amounts to be blanched; place by batches, in microproof casserole.
☐ Add water according to chart.
☐ Cover and cook on HI (max. power) for time indicated on chart.
☐ Stir vegetables halfway through cooking.
☐ Let vegetables stand, covered, 1 minute after cooking.
☐ Place vegetables in ice water at once to stop cooking. When vegetables feel cool, spread on towel to absorb excess moisture.
☐ Package in freezer containers or pouches. Seal, label, date, and freeze quickly.

BLANCHING GUIDE — VEGETABLES

Food	Amount	Water	Approximate Time (in minutes)	Casserole Size
Asparagus (cut in 1-inch pieces)	4 cups	¼ cup	4½	1½ quart
Beans, green or wax (cut in 1-inch pieces)	1 pound	½ cup	5	1½ quart
Broccoli (cut in 1-inch pieces)	1 pound	⅓ cup	6	1½ quart
Carrots (sliced)	1 pound	⅓ cup	6	1½ quart
Cauliflower (cut in flowerets)	1 head	⅓ cup	6	2 quart
Corn (cut from cob)	4 cups	none	4	1½ quart
Corn-on-the-cob (husked)	6 ears	none	5½	1½ quart
Onion (quartered)	4 medium	½ cup	3 - 4½	1 quart
Parsnips (cubed)	1 pound	¼ cup	2½ - 4	1½ quart
Peas (shelled)	4 cups	¼ cup	4½	1½ quart
Snow peas	4 cups	¼ cup	3½	1½ quart
Spinach (washed)	1 pound	none	4	2 quart
Turnips (cubed)	1 pound	¼ cup	3 - 4½	1½ quart
Zucchini (sliced or cubed)	1 pound	¼ cup	4	1½ quart

Spinach Oriental
Total Cooking Time: 4 to 5 minutes

10 ounces spinach, washed, torn into bite-size pieces
1 can (8 ounces) sliced water chestnuts, drained
4 green onions, sliced
2 tablespoons vegetable oil
2 tablespoons wine vinegar
2 tablespoons soy sauce
1 teaspoon sugar

In 2-quart microproof casserole place spinach, water chestnuts, and onions. Cook, covered, on HI (max. power) 3 to 4 minutes, or until spinach is limp. Stir, set aside covered. In 1-cup glass measure place oil, vinegar, soy sauce, and sugar. Cook on HI (max. power) 1 minute. Pour over spinach, toss, and serve hot.

4 servings

Sweet-Sour Red Cabbage
Total Cooking Time: 23 to 27 minutes

1½ pounds red cabbage
1 tart apple, peeled, cored, and diced
1 tablespoon butter or margarine
5 tablespoons red wine vinegar
1 teaspoon salt
3 tablespoons sugar

Shred cabbage into 3-quart microproof casserole. Add apple, butter, and vinegar. Stir. Cook, covered, on HI (max. power) 18 to 22 minutes, or until apples and cabbage are tender. Stir twice during cooking time. Stir in salt and sugar. Cook, covered, on HI (max. power) 5 minutes, or until liquid comes to a boil.

6 servings

Harvard Beets

Total Cooking Time: 7½ to 8 minutes

Drain beets, reserving liquid. In 1-cup glass measure, pour beet liquid and add enough water to make 1 cup of liquid. In 1-quart microproof casserole or bowl, combine sugar, cornstarch, salt, pepper, and vinegar. Stir in beet liquid. Cook, uncovered, on HI (max. power) 2½ to 3 minutes, stirring occasionally, until mixture thickens and is clear. Add beets and stir lightly. Cook, covered, on HI (max. power) about 5 minutes, or until beets are hot.

4 servings

1 can (16 ounces) diced or sliced beets
¼ cup sugar
1 tablespoon cornstarch
½ teaspoon salt
⅛ teaspoon pepper
¼ cup wine vinegar

Crumb Topped Tomatoes

Total Cooking Time: 3½ to 4½ minutes

Cut slice off stem end of each tomato and discard. Place tomatoes, cut side up, in circle on microproof plate. Combine onion soup mix, melted butter, crumbs, parsley, and basil. Divide among 4 tomatoes, spreading mixture on cut surface. Cook, uncovered, on HI (max. power) 3½ to 4½ minutes, or until tomatoes are hot.

4 servings

4 medium tomatoes
1 tablespoon dry onion soup mix
1½ tablespoons butter or margarine, melted
1½ tablespoons dry bread crumbs
1 tablespoon chopped fresh parsley
1 tablespoon chopped fresh basil, or 1 teaspoon dried basil

Country Style Potatoes

Total Cooking Time: 18 to 21 minutes

Place potatoes in 2-quart microproof casserole with water. Cook, covered, on HI (max. power) 10 to 12 minutes, or until steaming hot. Drain. Add milk, salt, chives, and butter. Stir carefully, then stir in Parmesan cheese and sprinkle with paprika. Cook, uncovered, on 50 (simmer) 8 to 9 minutes, or until tender.

6 servings

1 package (24 ounces) frozen shredded hash browns may be substituted for raw potatoes. Heat in package on HI (max. power) 10 to 12 minutes, turning once during cooking time. Empty potatoes into 2-quart casserole and continue as directed.

5 medium potatoes, peeled and shredded (about 6 cups)
¼ cup water
1½ cups whole milk
1 teaspoon salt
¼ cup chopped chives
¼ cup butter or margarine, cut up
¼ cup grated Parmesan cheese
Paprika

Twice-Baked Potatoes
Total Cooking Time: 16 to 20 minutes

4 baking potatoes (4 to 5
   ounces each)
½ cup butter or margarine,
   cut up
½ cup dairy sour cream
½ teaspoon salt
   Dash pepper
   Paprika

Pierce potatoes and place on a paper towel, in oven, in a circle about 1 inch apart. Cook on HI (max. power) 12 to 16 minutes. Potatoes may feel firm when done; let stand to soften. Do not overcook, as potatoes will dehydrate. Remove ¼-inch horizontal slice from top of each potato. Using teaspoon, remove centers to a mixing bowl. (Leave shells intact.) Add sour cream, salt, and pepper to potato pulp and beat vigorously until smooth. Divide mixture evenly in shells, mounding if necessary. Place potatoes in circle on microproof plate. Cook on HI (max. power) 4 minutes. Sprinkle with paprika.

4 servings

Green Beans Italian
Total Cooking Time: 15 to 17 minutes

3 slices bacon
2 packages (10 ounces each)
   frozen green beans
¼ cup water
1 small onion, thickly
   sliced
¾ cup bottled Italian
   dressing

Cook bacon according to directions on page 61. Place green beans with water in 1½-quart microproof casserole. Cook, covered, on HI (max. power) 9 to 10 minutes, or until almost tender, stirring once during cooking time. Add onion and Italian dressing. Cook, covered, on HI (max. power) 3 to 4 minutes, or until beans are tender and onion is transparent. Sprinkle with crumbled cooked bacon.

6 servings

Cranberry Carrots
Total Cooking Time: 13 to 14 minutes

6 carrots, sliced, or 1
   package (10 ounces)
   frozen sliced carrots
¼ cup butter or margarine
¼ cup jellied cranberry sauce
   Salt

Cook carrots according to chart on page 103. Set aside. Place butter in 1½ to 2-quart microproof casserole. Cook, covered, on HI (max. power) 1 minute, or until butter is melted. Add cranberry sauce. Cook, covered, on HI (max. power) 1 minute, or until cranberry sauce is melted. Stir and mix in cooked carrots. Cook on HI (max. power) 2 minutes. Season to taste.

4 servings

Sauces are a cinch in your microwave oven. No scorching, less stirring, and quick results. Sauces don't stick or burn as they do on the conventional range. They heat evenly and require less time and attention. You don't have to stir constantly or use a double boiler. Just an occasional stir is all that is required to prevent lumping, and, if you like, a little beating after cooking will make a sauce velvet smooth. You can measure, mix, and cook all in the same cup, or in the serving pitcher itself. Try making a sauce the microwave way, and turn an ordinary food into an elegant treat.

Sauces are so easy! Steps in making Basic White Sauce (below) are illustrated.

Basic White Sauce

Total Cooking Time: 6¾ to 7¾ minutes

In 2-cup glass measure, heat milk on 70 (roast) 2 minutes. Set aside. In 2-cup glass measure, melt butter on HI (max. power) 45 seconds. Stir in flour, cook on HI (max. power) 1 minute. Briskly stir in warm milk, pepper, and nutmeg. Cook on HI (max. power) 3 to 4 minutes, or until boiling, stirring once during cooking. Let stand 5 minutes before serving. Serve with cooked broccoli and cauliflower, or use as base for other sauces.

1 cup

- 1 cup milk
- 2 tablespoons butter or margarine
- 2 tablespoons all-purpose flour
  Dash white pepper
  Dash grated or ground nutmeg

Converting Your Recipes

All those sauces generally considered too difficult for the average cook are easy in the microwave oven. When looking for a sauce recipe similar to the conventional one you want to convert, find a recipe with a similar quantity of liquid and similar main thickening ingredient such as cornstarch, flour, egg, cheese, or jelly. Read the directions carefully to determine procedure, timing, and cook control setting. Then, when you stir, notice the progress of the sauce, and remove when the right consistency or doneness is reached. Keep notes to help you the next time. The following tips will help:

☐ Use a microproof container about twice the volume of ingredients to safeguard against the sauce boiling over — so easy with milk- and cream-based sauces.

☐ Sauces and salad dressings with ingredients not sensitive to high heat should be cooked on HI (max. power). Basic White Sauce and Lemon Butter Sauce are examples.

☐ Bring flour and other starch-thickened mixtures to a boil and remove as soon as thickened. Remember, overcooking will destroy thickening agent and sauce will thin.

☐ You will notice that more flour or cornstarch is required in microwave cooking than in conventional cooking to thicken sauces and gravies, since they will not be reduced by evaporation.

☐ Stirring quickly two or three times during cooking is sufficient to ensure even cooking. Too many stirrings may slow cooking.

☐ To reheat sauces: Dessert sauces to 125° with temperature probe. Main dish sauces, such as gravy or canned spaghetti sauce, to 150° with temperature probe.

☐ When sauces require time to develop flavor or if they contain eggs, which might curdle, they should be cooked slowly, on 50 (simmer) or even 30 (defrost). Don't allow delicate egg yolk sauces to boil.

☐ You can make your own special sauce by flavoring Basic White Sauce (page 109) as desired. For example, add cheese, cooked mushrooms, cooked onions, your favorite spices, tomato paste, horseradish, etc.

Hot Lemony Dill Sauce

Total Cooking Time: 3½ to 4½ minutes

½ cup butter or margarine
2 tablespoons all-purpose flour
1 teaspoon instant chicken bouillon
½ teaspoon dill weed
½ teaspoon salt
1 cup chicken broth
2 tablespoons lemon juice

In 2-cup glass measure, melt butter on HI (max. power) about 1½ minutes. Blend in flour, bouillon, dill weed, and salt. Briskly stir in broth and mix until blended. Cook on HI (max. power) 2 to 3 minutes, or until mixture boils and is thickened, stirring twice during cooking. Stir in lemon juice. Serve with broiled or poached salmon steaks.

1½ cups

Clarified Butter
Total Cooking Time: 1½ to 2½ minutes

In 2-cup glass measure, melt butter slowly on 20 (low) 1½ to 2½ minutes, or until completely melted and oil starts to separate but has not started to bubble. Let butter stand a few minutes, skim off foam. Slowly pour off yellow oil and reserve. This is the clarified butter. Discard the leftover impurities. Serve as dipping for steamed clams, crab legs, or shrimp.

⅓ cup

1 cup butter (½ pound)

Béarnaise Sauce
Total Cooking Time: 1 to 2 minutes

In blender container, place egg yolks, vinegar, onion, chervil, and pepper. In 1-cup glass measure, heat butter on HI (max. power) 1 to 2 minutes, or until bubbly. Turn blender to high speed and gradually add butter through cover opening. Blend until sauce is thick and creamy. Stir in parsley and serve warm. Serve on broiled steak, cooked green vegetables, poached eggs, or fish.

½ cup

4 egg yolks
2 teaspoons tarragon vinegar
1 teaspoon instant minced onion
½ teaspoon chervil
Dash white pepper
½ cup butter
1 teaspoon minced fresh parsley

Lemon Butter Sauce
Total Cooking Time: 1½ to 2 minutes

Combine all ingredients in 2-cup glass measure. Cook, uncovered, on HI (max. power) 1½ to 2 minutes, or until hot and butter is melted. Stir. Serve immediately with seafood, hot green vegetables, Simple Salmon Loaf (page 85).

⅔ cup

2 tablespoons lemon juice
½ cup butter or margarine
⅛ teaspoon salt
⅛ teaspoon white pepper

Easy Gravy
Total Cooking Time: 3 to 4 minutes

Pour drippings into 4-cup glass measure. Stir in flour until smooth. Pour in liquid and stir briskly until well blended. Cook on HI (max. power) 3 to 4 minutes, or until boiling, stirring several times during cooking. Season with salt and pepper. Beat until smooth. Serve hot with meat, potatoes, or dressing.

2½ cups

¼ cup meat or poultry drippings (juice from meat with most of the fat removed)
¼ cup all-purpose flour
2 cups warm liquid (broth, water, or juice)
Salt and pepper

Choco-Peanut Butter Sauce
Total Cooking Time: 2½ to 4 minutes

1 square (1 ounce)
    unsweetened baking
    chocolate
¼ cup milk
1 cup sugar
⅓ cup peanut butter
¼ teaspoon vanilla

In 4-cup glass measure, heat chocolate with milk on HI (max. power) 1½ to 2 minutes, or until chocolate is melted. Stir, then stir in sugar. Cook on HI (max. power) 1 to 2 minutes, or until mixture boils. Add peanut butter and vanilla. Stir until blended. Serve hot or cold over ice cream, cake, or sliced bananas.

1 cup

Rum Custard Sauce
Total Cooking Time: 9 to 11 minutes

1½ cups milk
½ cup light cream
⅓ cup sugar
⅛ teaspoon salt
3 eggs, lightly beaten
3 tablespoons rum

In 4-cup glass measure, heat milk, cream, sugar, and salt on 70 (roast) 3 to 4 minutes, or until the boiling point is reached. Mix ½ cup milk mixture and eggs. Stir into remaining milk mixture. Cook on 50 (simmer) 2 minutes; stir. Cook on 30 (defrost) 4 to 5 minutes, stirring every minute, until thickened. Cool to room temperature and stir in rum. Serve with bread pudding, banana pudding, poached peaches and pears.

2½ cups

Strawberry Sauce
Total Cooking Time: 3 to 4 minutes

1 pint fresh strawberries
½ cup sugar
2 tablespoons cornstarch
1 cup water
2 tablespoons butter or
    margarine
½ cup lemon juice

Clean and hull berries. Reserve a few of the best berries for garnish. Force the remainder through a food mill or blend in electric blender. Strain to remove seeds, set purée aside. In 4-cup glass measure, mix sugar and cornstarch, stir in water. Cook on HI (max. power) 3 to 4 minutes, or until mixture comes to a boil and is thick and clear. Stir twice during cooking. Add butter and stir until melted. Stir in lemon juice, butter, and strawberry purée. Chill. Serve on pound cake, over vanilla pudding, custard, or as a parfait sauce.

2½ cups

Treat your family and friends to the rich aromas of hot-from-the-oven bread, sweet rolls, muffins, and coffee cakes. For a quick and easy surprise breakfast or coffee break, count on the short cooking time of the microwave oven. Bread cooked in the microwave has an excellent texture and flavor, but does not brown or develop crust — there is no hot air to dry the surface as in conventional baking. For best results, if you like the browned look for your bread and muffins, use dark flours, molasses, and spices. Because a crust doesn't form, bread cooked in the microwave oven has the remarkable characteristic of rising higher than in conventional cooking. With tender, loving care you'll soon succeed in making homemade bread, muffins, and sweet rolls a constant addition to your menus.

Breads, such as Zucchini-Nut Bread (page 164), and cakes are tested for doneness just as in conventional cooking (above left). Custard cups arranged in a circle may be used to make muffins (above). Proofing bread is a snap. A cup of water helps provide a moist environment (left).

Converting Your Recipes

When adapting "quick bread" recipes you will find it necessary to reduce the amount of leavening (baking powder or soda) by about one-quarter the normal amount. A bitter aftertaste is apparent if too much leavening is used in biscuits or muffins. Since foods rise higher in the microwave oven, you will not see a loss in volume from the reduction of soda or baking powder. If a recipe contains buttermilk or sour cream, do not change the amount of soda, since it serves to counteract the sour taste and does not act only as a leavening agent. When using a mix where leavening cannot be reduced, if you allow the batter or dough to stand about 10 minutes before cooking, some of the gas will be lost. Yeast doughs need not be changed but may cook more evenly if cooked in a bundt or ring mold shape rather than the conventional loaf pan. And observe the following tips:

☐ Because breads rise higher than in a conventional oven, use a larger loaf pan to accommodate the volume.

☐ Fill paper-lined muffin cups only half full to allow for muffins rising more.

☐ You can prepare your own "brown 'n serve" breads and rolls by baking them ahead in the microwave oven. Then place them in the conventional oven to brown just before serving.

☐ Breads and rolls should be reheated to the point where they are warm to the touch. Overheating or overcooking makes bread tough and rubbery.

☐ Heat bread slices on paper napkins or paper towels to absorb excess moisture. You can heat bread and rolls on a microproof roasting rack as well. Or you can heat them on a paper napkin-lined basket and serve them right from the oven.

☐ When making yeast bread in a microwave oven, choose a recipe with cornmeal, whole wheat flour, or rye flour to achieve a rich color.

☐ When preparing yeast dough, use a glass measure and the temperature probe set at 120° to heat liquid and shortening.

☐ If you have a favorite yeast bread you wish to proof, follow directions in Caraway Rye Bread Ring (page 118).

Dandy Dumplings
Total Cooking Time: 17 to 19 minutes

1 cup flour
1½ teaspoons baking powder
½ teaspoon salt
3 tablespoons shortening
1 tablespoon minced fresh
   parsley
⅔ cup milk
2½ cups chicken, beef, or
   vegetable broth

Measure flour, baking powder, and salt in mixing bowl. Cut in shortening until texture of cornmeal. Add parsley. Stir in milk to moisten, but batter should not be smooth. Pour stock in 1½-quart casserole. Cook on HI (max. power) 6 to 8 minutes, or until boiling. Drop dough by rounded teaspoon into boiling stock. Cook, uncovered, on HI (max. power) 6 minutes. Cook, covered, on HI (max. power) 5 minutes, or until dumplings are firm. Remove dumplings to serving dish with slotted spoon.

16 dumplings

COOKING/WARMING/DEFROSTING GUIDE — CONVENIENCE BREADS

Food	Amount	Power Control Setting	Time	Special Notes
Hamburger buns, hot dog rolls, frozen	1 lb.	30 (defrost)	3½ - 4½ minutes	Use original microproof container, paper plate, or towels. Place on microproof rack, turn over after 2 minutes.
Room temperature:	1	80 (reheat)	5 - 10 seconds	
	2	80 (reheat)	10 - 15 seconds	
	4	80 (reheat)	15 - 20 seconds	
	6	80 (reheat)	20 - 25 seconds	
Doughnuts, sweet rolls, muffins	1	80 (reheat)	10 - 15 seconds	Place on paper plate or towel. Add 15 seconds if frozen.
	2	80 (reheat)	20 - 25 seconds	
	4	80 (reheat)	35 - 40 seconds	
	6	80 (reheat)	45 - 50 seconds	
Whole coffee cake, frozen	10 - 13 oz.	80 (reheat)	1½ - 2 minutes	Place on paper plate or towel.
Room temperature:	10 - 13 oz.	80 (reheat)	1 - 1½ minutes	Place on paper plate or towel.
French bread, frozen	1 lb.	80 (reheat)	1½ - 2 minutes	Place on paper plate or towel.
Room temperature:	1 lb.	80 (reheat)	20 - 30 seconds	
English muffins, waffles, frozen	2	HI (max. power)	30 - 45 seconds	Place on paper towels. Toast in toaster after defrosting, if desired.
Corn bread mix	15 oz.	50 (simmer) HI (max. power)	10 minutes 3 - 4 minutes	Use 9" round dish, paper-lined custard cups, or microproof muffin tray. Turn dish if rising unevenly. Let stand 5 minutes before serving.
Nut bread mix	6 muffins 15 - 17 oz.	HI (max. power) HI (max. power)	2 - 3 minutes 15 minutes	Let stand 2 minutes before serving. Use 1½-quart bowl with glass in center. Let stand 5 minutes before serving.
Blueberry muffin mix	4 6	HI (max. power) HI (max. power)	1¼ - 1½ minutes 2 - 3 minutes	Use paper-lined custard cups or microproof muffin tray. Let stand 2 minutes before serving.
Bread, frozen	1 slice	30 (defrost)	15 - 20 seconds	Place on paper plate or towels. Let stand 5 minutes before serving.
	1 lb. loaf	30 (defrost)	2 - 3 minutes	In original plastic bag, remove twister. Let stand 5 minutes before serving.
Coffeecake mix	19 oz.	50 (simmer) HI (max. power)	10 minutes 5 - 6 minutes.	Use 9" round dish. Turn dish if rising unevenly. Let stand 5 minutes before serving.

Raisin-Nut Ring

Total Cooking Time: 9 to 12 minutes

Melt butter in 8-inch round glass dish on HI (max. power) 1 minute. Stir in sugar and corn syrup. Spread in dish. Sprinkle nuts and raisins evenly. Cook on HI (max. power) 1 minute. Place small beverage glass in center of dish and place biscuits around glass on brown sugar mixture. Bake on 50 (simmer) 7 to 10 minutes, or until biscuits are no longer doughy. If ring seems to be rising unevenly rotate dish. Remove glass. Invert ring onto serving plate, allow syrup to run over ring. Let stand 2 to 3 minutes before serving.

10 servings

3 tablespoons butter or margarine
⅓ cup brown sugar
2 tablespoons corn syrup
½ cup chopped nuts
¼ cup raisins
1 roll (10 ounces) refrigerated buttermilk biscuits

Banana Date Bread

Total Cooking Time: 16½ minutes

In large glass mixing bowl, melt butter on HI (max. power) 1½ minutes. With electric mixer, gradually beat in all remaining ingredients except dates. When smooth, stir in dates. Grease a 2-quart glass casserole and place a straight sided glass in center (or use a microproof ring mold). Pour batter around glass. Cook on 70 (roast) 15 minutes, or until toothpick inserted near center comes out clean. Rotate dish if bread seems to be rising unevenly. Let stand 10 minutes before twisting glass to remove and inverting dish on cooling rack. Cool before slicing.

8 to 10 servings

½ cup butter or margarine
½ cup brown sugar
2 eggs
2 cups sliced ripe bananas (2 medium)
2 cups all-purpose flour
½ teaspoon baking soda
1 teaspoon baking powder
½ teaspoon salt
1 teaspoon cinnamon
½ cup chopped dates

Caramel Nut Sticky Buns

Total Cooking Time: 3½ to 4 minutes

In 8-inch round glass dish combine butter, sugar, water, and cinnamon. Cook on HI (max. power) 1 minute. Stir as soon as butter is melted, then stir in nuts. Separate biscuits into ten, cutting each into quarters. Place in sugar mixture and stir carefully to coat each piece. Push biscuits toward outside of dish and place custard cup in center. Cook on HI (max. power) 2½ to 3 minutes. Remove custard cup and let buns stand 2 minutes before pulling sections apart and serving warm.

6 servings

3 tablespoons butter or margarine
⅓ cup brown sugar
1 tablespoon water
1 teaspoon cinnamon
⅓ cup chopped nuts
1 can (10 ounces) refrigerator biscuits

Garlic Parmesan Bread

Total Cooking Time: 1 to 2 minutes

Mix butter and garlic. Cut loaf into slices, 1-inch thick, without cutting all the way through the bottom crust. Spread slices of bread with garlic butter, then sprinkle with cheese and paprika. Place loaf on microproof rack or on paper towels. Cook on HI (max. power) 1 to 2 minutes, or until bread is heated through.

12 servings

½ cup (¼ pound) butter or margarine, softened
2 or 3 cloves garlic, minced
1 loaf (16 ounces) French, Italian, or sourdough bread
½ cup grated Parmesan cheese Paprika

Zucchini-Nut Bread
Total Cooking Time: 15 minutes

1 cup sugar, divided
2 teaspoons cinnamon
2 eggs
½ cup vegetable oil
½ cup yogurt
1 teaspoon vanilla
1 cup grated zucchini
1¾ cups all-purpose flour
1 teaspoon baking soda
1 teaspoon salt
⅔ cup chopped walnuts

Grease 6-cup microproof ring mold. Sprinkle mixture of 2 teaspoons of sugar and cinnamon over greased surface. Shake to spread evenly, discarding excess. Beat together eggs, remaining sugar, oil, yogurt, vanilla, and zucchini. Stir in remaining ingredients and mix well. Pour into prepared mold. Cook on 70 (roast) 15 minutes, or until toothpick inserted near center comes out clean. Rotate dish if bread appears to be rising unevenly. Let stand 10 minutes before removing from pan. Cool completely before slicing.

12 - 18 servings

Raisin Bran Muffins
Total Cooking Time: 6 to 9 minutes

1 egg
1 cup buttermilk
1¼ cups all-purpose flour
¾ cup brown sugar, packed
1 teaspoon baking soda
¼ teaspoon salt
1 cup raisin bran cereal
¼ cup vegetable oil
¼ cup chopped nuts (optional)

In small mixing bowl, beat egg and buttermilk. Mix in all other ingredients and stir well. Spoon batter into 6 paper-lined custard cups or microproof muffin pan; fill about half full. Cook 6 muffins at a time on HI (max. power) 2 to 3 minutes, or until no longer doughy. Repeat twice.

18 muffins

Oatmeal Muffins
Total Cooking Time: 6 to 9 minutes

2 eggs
⅔ cup brown sugar, packed
½ cup vegetable oil
½ cup buttermilk or sour milk
1 cup all-purpose flour
⅔ cup quick cooking oats
1 teaspoon baking powder
½ teaspoon baking soda
½ teaspoon salt

Topping

4 to 5 teaspoons brown sugar
3 tablespoons chopped nuts
Nutmeg

In small mixing bowl beat eggs. Beat in brown sugar, oil, and buttermilk. Stir in, until just moistened, remaining ingredients except for topping ingredients. Spoon batter into 6 paper-lined custard cups or microproof muffin pan; fill about half full. Top each muffin with about ¼ teaspoon brown sugar, ½ teaspoon nuts, and a sprinkle of nutmeg. Cook on HI (max. power) 2 to 3 minutes, or until muffins are no longer doughy. Repeat twice. (Batter may be stored in refrigerator up to one week. Let come to room temperature, then cook as directed.)

18 muffins

Zucchini-Nut Bread, Raisin Bran Muffins, Oatmeal Muffins →

Caraway Rye Bread Ring

Total Cooking Time: 33½ to 34½ minutes

In large mixing bowl, combine 1½ cups of all-purpose flour with rye flour, yeast, sugar, salt, and caraway seeds. In 2-cup measure, heat water and 2 tablespoons butter, using temperature probe set at 120°. Pour into flour mixture, add molasses, and beat until smooth. Gradually add remaining flour to form a stiff dough. Knead until smooth and satiny, about 5 minutes. Place dough in greased glass bowl, turn dough to grease top. Place 1 cup water in 2-cup measure and bring to a boil on HI (max. power) 3 minutes. Place dough next to boiling water in oven. Set Cook Control at "1" (lowest power) for 10 minutes. Leave dough in oven for 20 minutes longer, or until double in volume. Turn dough onto floured surface and pat into rectangle 4×8 inches. Roll tightly to the long side and join ends to form circle. Grease 10-cup microproof bundt-type mold and sprinkle with cornmeal, shaking to spread evenly. In 1-cup glass measure melt 1 tablespoon butter on HI (max. power) 30 seconds. Place dough ring in pan, gently brush top with melted butter. Again heat 1 cup water on HI (max. power) 3 minutes and leave in oven. Place bread in oven. Set Cook Control at "1" (lowest power) for 10 minutes. Leave bread in oven for 20 minutes longer, or until double in volume. Remove water and cook on HI (max. power) 6 to 7 minutes, or until bread springs back when touched, sides recede from pan, and top is no longer doughy. Turn out on cooling rack. Cool before slicing.

8 to 10 servings

2½ to 3 cups all-purpose
    flour, divided
¾ cup rye flour
1 package (¼ ounce) active
    dry yeast
2 tablespoons brown sugar
½ teaspoon salt
2 teaspoons caraway seeds
1 cup water
3 tablespoons butter, divided
3 tablespoons dark molasses
2 tablespoons cornmeal

Country Cornbread

Total Cooking Time: 12 to 14 minutes

Mix dry ingredients in large mixing bowl. In small bowl combine remaining ingredients, then add to dry ingredients and stir until smooth. Pour into 8-inch glass baking dish. Cook on 50 (simmer) 10 minutes. Cook on HI (max. power) 2 to 4 minutes, or until a toothpick inserted in the middle comes out clean. Let stand 5 minutes before serving.

8 servings

1 cup all-purpose flour
1 cup cornmeal
3 tablespoons sugar
½ teaspoon salt
1 teaspoon baking powder
½ teaspoon baking soda
1 cup buttermilk or yogurt
2 tablespoons vegetable oil
2 eggs, slightly beaten

Desserts can transform a simple meal into a delectable feast. From baked fresh fruit to fudgy chocolate cake, they make the perfect ending to any meal. Here are some traditional family favorites, glamorous party desserts, and spur-of-the-moment treats. All are quick and easy with your microwave oven. In no time at all, cakes will rise before your eyes, custards will become thick and creamy, and pie fillings will bubble and thicken. Brownies and bar cookies are delicious, fast and fun to make, and if you've never tried homemade candies, now is the time! It's impossible to fail when you make candy the microwave way.

Yellow food coloring added to Homemade Pie Shell (page 123) will enhance the appearance. Chocolate wafer or graham cracker Crumb Crust (page 123) is a quick dessert when filled with pudding (top left). Rocky Road Candy (page 126) is easy. A candy thermometer is used in the first step (top right) then other ingredients are added (above left). Microwave cakes rise higher than conventional. Fill cake pans only half-full (above right).

← *Devil's Food Cake (page 172) with Snow White Frosting (page 174), Coconut Squares (page 182), Date Oatmeal Bars (page 172)*

Converting Your Recipes

How easy it is! Puddings and custards can be baked without the usual water bath, and they need only occasional stirring. Fruits retain their bright color and fresh-picked flavor. Cakes cook so quickly; yet they are superior in texture, taste, and height. When you discover how effortless it is to make candy, you'll be trying all those recipes you've been longing to do. Because cakes and pie crusts cook so fast, they do not brown. If you like a browned surface, there are many ways to give desserts a browned look. So try adapting your dessert recipes following the guidance of a similar recipe here and these tips:

☐ You can enhance your light batter cookies and cakes with cinnamon, nutmeg, brown sugar, coffee, nuts, toppings, frostings, glazes, food coloring, etc.

☐ Small drop cookies and slice 'n bake cookies don't do as well as the larger bar cookies. Drop cookies must be cooked in small batches; they tend to cook unevenly, and need to be removed individually from the oven when finished.

☐ A serviceable cookie sheet can be made by covering cardboard with waxed paper.

☐ Layer cakes are generally baked one layer at a time. Baking is usually begun on 50 or 60 for the first 7 minutes, then finished on HI. If cake appears to be rising unevenly, rotate the dish one-quarter turn as necessary. Denser batters, such as fruit cakes and carrot cakes, require slower, gentler cooking. Set at 30 for good results.

☐ A pie shell is cooked when very slight browning occurs on top, and surface appears opaque and dry.

☐ For even cooking, select fruit of uniform size to be cooked whole, as in baked apples, or to be cooked in pieces, as in apple pie.

☐ Remove baked custards from oven when centers are nearly firm. They will continue to cook and set after removal.

☐ To avoid lumping, puddings should be stirred once or twice during the second half of cooking.

COOKING GUIDE — PUDDING AND PIE FILLING MIX

Food	Amount	Time (in minutes)	Power Control Setting	Special Notes
Pudding and pie filling mix	3¼ ounces 5½ ounces	6½ - 7 8 - 10	HI (max. power) HI (max. power)	Follow package directions. Stir every 3 minutes. Use 4-cup glass measure.
Egg custard	3 ounces	8 - 10	70 (roast)	Follow package directions. Stir every 3 minutes. Use 4-cup glass measure.
Tapioca	3¼ ounces	6 - 7	HI (max. power)	Follow package directions. Stir every 3 minutes. Use 4-cup glass measure.

COOKING/DEFROSTING GUIDE — CONVENIENCE DESSERTS

Food	Amount	Power Control Setting	Time	Special Notes
Brownies, other bars, frozen	12-13 oz.	30 (defrost)	2-3 minutes	In original ¾" foil tray, lid removed. Let stand 5 minutes.
Cookies, frozen	6	30 (defrost)	50-60 seconds	Place on paper plate or towels.
Pineapple upside-down cake mix	21½ oz.	50 (simmer) HI (max. power)	3 minutes 4 minutes	Use 9" round glass dish. Remove enough batter for 2 cupcakes, bake separately. Rotate if rising unevenly.
Cupcakes or crumb cakes, frozen	1 or 2	30 (defrost)	½-1 minute	Place on shallow plate.
Cheesecake, frozen	17-19 oz.	30 (defrost)	4-5 minutes	Remove from foil pan to plate. Let stand 1 minute.
Pound cake, frozen	10¾ oz.	30 (defrost)	2 minutes	Remove from foil pan to plate. Rotate once. Let stand 5 minutes.
Cake, frozen 2- or 3-layer	17 oz.	30 (defrost)	2½-3 minutes	Remove from foil pan to plate. Watch carefully, frosting melts fast. Let stand 5 minutes.
Custard pie, frozen	9" pie	70 (roast)	4-5½ minutes	Remove from foil pan to plate. Center should be nearly set.
Fruit pie, frozen, unbaked, 2 crusts	9" pie	HI (max. power)	13-15 minutes	On glass pie plate. Brown, if desired, in preheated 425° conventional oven 8-10 minutes.
Frozen fruit	10 oz.	HI (max. power)	5-5½ minutes	On microproof plate. Slit pouch. Flex halfway through cooking time to mix.
	16 oz.	HI (max. power)	7-9 minutes	Remove from bag. Place in glass casserole, cover. Stir halfway through cooking time.

Golden Apple Chunks
Total Cooking Time: 7 to 8 minutes

Place apples in 1-quart microproof casserole. Combine brown sugar and cinnamon in small bowl. Crumble over apples. Dot with butter. Cook, covered, on HI (max. power) 7 to 8 minutes, stirring after 4 minutes.

4 servings

- 4 medium cooking apples, peeled, quartered, and cored
- ¼ cup brown sugar, packed
- 1 teaspoon cinnamon
- 2 tablespoons butter or margarine

Fresh Strawberry Jam
Total Cooking Time: 20 to 23 minutes

In 4-quart microproof bowl combine fruit and juice with pectin. Cook, covered, on HI (max. power) 10 to 11 minutes, or until mixture boils. Stir once during cooking. Stir in sugar. Cook, uncovered, on HI (max. power) 10 to 12 minutes, or until mixture boils hard for at least 1 minute. Skim off any foam with metal spoon. Pour into hot sterilized glasses or jars and seal.

2 quarts

- 5 cups crushed strawberries, washed and hulled
- 2 teaspoons lemon juice
- 1 package (1¾ ounces) powdered fruit pectin
- 7 cups sugar

Devil's Food Cake

Total Cooking Time: 23 to 25 minutes

2 cups sifted all-purpose
    flour
1¼ teaspoons baking soda
¼ teaspoon salt
½ cup shortening
2 cups sugar
½ cup cocoa
1 teaspoon vanilla
1 cup water
½ cup buttermilk
2 eggs, beaten

Grease bottoms of two 8-inch round microproof cake pans. Line bottoms with waxed paper cut to size. Set aside. In large bowl, sift together flour, baking soda, and salt. Set aside. In separate large bowl, cream shortening, sugar, cocoa, and vanilla until light and fluffy. Pour water into 2-cup glass measure and cook on HI (max. power) 2½ minutes, or until water boils. Stir water, buttermilk, and eggs into creamed mixture. Beat well. Add all dry ingredients and beat until smooth. Pour batter equally into prepared cake pans. Cook, one pan at a time, on 50 (simmer) 8 minutes. Rotate pan one-quarter turn. Cook on HI (max. power) 1 to 2 minutes, or until toothpick inserted in center comes out clean. Remove from oven. Let stand 5 minutes. Invert onto cooling rack. Remove waxed paper. Let cool thoroughly before frosting.

8 to 10 servings

For frosting, try Chocolate Fudge Frosting (page 174) or use Snow White Frosting (page 174).

Date Oatmeal Bars

Total Cooking Time: 11 to 13 minutes

Filling

1 cup chopped dates
½ cup raisins
½ cup water
1 tablespoon all-purpose
    flour
2 tablespoons sugar
½ cup chopped nuts

Crust

½ cup butter or margarine
¼ teaspoon baking soda
1 tablespoon water
1 cup brown sugar
1 cup unsifted all-purpose
    flour
¼ teaspoon salt
1 cup quick-cooking rolled
    oats
1 teaspoon cinnamon

In glass bowl combine all filling ingredients except nuts. Cook, uncovered, on HI (max. power) 3 to 4 minutes, or until mixture boils and thickens, stirring once. The date filling should be the consistency of jam. Stir in nuts and set filling aside. In glass mixing bowl melt butter on HI (max. power) 1 minute. Dissolve soda in water and add to butter with all remaining ingredients except cinnamon. Firmly pat two-thirds of mixture in greased 9-inch round glass baking dish. Spread with date filling. Stir cinnamon into remaining oats mixture and crumble over top of filling. Cook, uncovered, on HI (max. power) 7 to 8 minutes, or until top no longer appears doughy. Rotate dish if mixture seems to be cooking unevenly. Cool on bread board, covered with foil, before cutting into squares.

24 bars

Crumb Crust

Total Cooking Time: 2½ to 3 minutes

In 9-inch glass pie plate, melt butter on HI (max. power) 1 minute. Blend in crumbs and sugar. If desired, set aside 2 tablespoons crumb mixture to sprinkle over top of pie. Press crumb mixture firmly and evenly over bottom and sides of pie plate. Cook on HI (max. power) 1½ to 2 minutes. Cool before filling.

1 9-inch pie shell

- 5 tablespoons butter or margarine
- 1¼ cups fine crumbs (vanilla wafers, graham crackers, gingersnaps, chocolate wafers, etc.)
- 1 tablespoon sugar

Homemade Pie Shell

Total Cooking Time: 6 to 7 minutes

Place flour and salt in small bowl. With pastry blender or two knives cut in shortening until mixture resembles small peas. Sprinkle water over mixture. Stir with fork to form a ball. Roll out on floured pastry board with rolling pin to about 12-inch circle. Fit into glass 9-inch pie plate. Trim and flute edge. Prick pastry with fork. Cook on HI (max. power) 6 to 7 minutes. Pastry is done when it looks dry and blistered and is not doughy. Cool. Add filling.

1 9-inch pie shell

- 1 cup all-purpose flour
- 1 teaspoon salt
- 6 tablespoons shortening
- 2 tablespoons ice water

Danish Apple Pie

Total Cooking Time: 12 to 14 minutes

Place apple slices in large mixing bowl. Mix sugar, flour, salt, and cinnamon; add to apples and stir to coat. Pour apples into baked pastry shell, spread evenly. Mix together remaining ingredients for topping and sprinkle over apples. Cook on HI (max. power) 12 to 14 minutes, or until apples are fork-tender. Cool before serving.

6 to 8 servings

- 7 cooking apples, peeled cored, and sliced (6 cups)
- ¾ cup sugar
- 2 tablespoons flour
- ⅛ teaspoon salt
- 1 teaspoon cinnamon
- 1 baked 9-inch Homemade Pie Shell (above)
- 2 tablespoons butter or margarine
- ¼ cup all-purpose flour
- ¼ cup brown sugar

Baked Maple Bananas

Total Cooking Time: 3 minutes

2 tablespoons butter or
  margarine
3 tablespoons maple syrup
4 bananas, peeled, cut in
  half and sliced
  lengthwise
1 tablespoon lemon juice

In medium-size microproof baking dish, cook butter on HI (max. power) 30 seconds, or until melted. Stir in maple syrup. Place bananas in dish, coat well with butter mixture, using spoon. Cook on HI (max. power) 1 minute. Turn bananas, cook on HI (max. power) 1½ minutes. Sprinkle with lemon juice and serve warm.

4 servings

You may also cook whole bananas and cut them in serving portions at the table.

Lemon Pineapple Crème

Total Cooking Time: 5 to 6 minutes

¾ cup sugar, divided
3 tablespoons cornstarch
1 can (8 ounces) crushed
  pineapple, undrained
⅔ cup water
2 eggs, separated
1 teaspoon grated lemon peel
2 tablespoons lemon juice
1 package (3 ounces) cream
  cheese, cubed

In 4-cup glass measure, mix ½ cup of sugar, the cornstarch, pineapple and its juice, and water. Cook, uncovered, on HI (max. power) 4 to 5 minutes, or until mixture boils. Stir twice during cooking time. Beat egg yolks. Stir into pineapple mixture the lemon peel, juice, and egg yolks, then cream cheese. Cook, uncovered, on 80 (reheat) 1 minute. Beat with electric mixer to blend in cream cheese. Cool. Beat egg whites until frothy, gradually add ¼ cup of sugar until soft peaks form. Fold into cooled pudding. Spoon into dessert dishes and refrigerate until served.

5 to 6 servings

Baked Apple

Total Cooking Time: 4 to 5 minutes

2 large baking apples
2 teaspoons butter or
  margarine
4 teaspoons brown sugar
¼ teaspoon cinnamon
2 teaspoons golden raisins
2 tablespoons water

Core apples and make a slit in skin all around the middle of each apple to prevent skin from bursting. Place apples in small microproof baking dish. In small bowl melt butter on HI (max. power) 10 seconds. Stir in sugar, cinnamon, and raisins. Fill each apple with sugar mixture. Add water to dish. Cook, covered with plastic wrap, on HI (max. power) 4 to 5 minutes.

2 servings

Try this recipe with two firm pears instead of apples for a special treat.

Lemon Pineapple Crème, Baked Maple Bananas →

Rocky Road Candy

Total Cooking Time: 5 minutes

1 package (12 ounces) semi-
sweet chocolate chips
1 package (12 ounces)
butterscotch chips
½ cup butter
1 package (10½ ounces)
miniature marshmallows
1 cup nuts

In 4-quart microproof mixing bowl combine chocolate, butterscotch, and butter. Cook on 70 (roast) 5 minutes, or until melted. Stir. Fold in marshmallows and nuts. Spread on buttered 13 × 9-inch pan. Refrigerate until set (about 2 hours). Cut into squares.

45 servings

Try these variations: Substitute ½ cup nuts and ½ cup chopped dried fruit or 1 cup chopped dried fruit for 1 cup nuts. Dried apricots, pitted prunes, or candied fruit would be delicious.

Almond Bark

Total Cooking Time: 6½ to 8½ minutes

1 cup whole blanched almonds
1 teaspoon butter or
margarine
1 pound white chocolate

In 9-inch glass pie plate place almonds and butter. Cook on HI (max. power) 4 to 5½ minutes, or until almonds are toasted, stirring twice during cooking. Set aside. Place chocolate in large microproof mixing bowl and cook on HI (max. power) 2½ to 3 minutes, or until softened. Stir in almonds and pour onto waxed paper-lined baking sheet. Spread to desired thickness and refrigerate until set. Break into pieces to serve.

1½ pounds

Mints

Total Cooking Time: 5 to 6 minutes

2 cups sugar
¼ cup light corn syrup
¼ cup milk
¼ teaspoon cream of tartar
Peppermint extract
Red or green food coloring

In 2-quart glass measure, combine sugar, corn syrup, milk, and cream of tartar. Cook on HI (max. power) 5 to 6 minutes or until a few drops of mixture in cold water forms a soft ball (238° on candy thermometer). Let stand 3 minutes to cool slightly. Beat with electric mixer until creamy. Flavor with 8 to 10 drops peppermint extract and color with food coloring. Drop mixture by teaspoonfuls onto foil. When cool, store in airtight container.

36 servings

Rocky Road Candy, Almond Bark, Mints →

INDEX

INDEX

Carrés à la noix de coco

CUISSON: 8 minutes

60 mL (¼ de tasse) de beurre ou margarine
250 mL (1 tasse) de miettes de biscuits graham
5 mL (1 c. à thé) de sucre
250 mL (1 tasse) de noix de coco en flocons
165 mL (⅔ de tasse) de lait condensé sucré
125 mL (½ tasse) de noix hachées
250 mL (1 tasse) de grains de chocolat semi-sucré

Placer le beurre dans un plat micro-ondes rond de 22,5 cm. Cuire à HI (max.) 1 minute ou jusqu'à ce qu'il soit fondu. Incorporer les miettes et le sucre. Presser le mélange fermement et également dans le fond du plat. Cuire à HI (max.) 2 minutes. Laisser tiédir. Mélanger noix de coco, lait et noix. Mettre à la cuillère sur la croûte de biscuits graham. Cuire à HI (max.) 4 minutes en tournant le plat d'un demi-tour une fois pendant la cuisson. Parsemer de grains de chocolat. Cuire à HI (max.) 1 minute. Étendre le chocolat fondu, également, sur la préparation à la noix de coco. Refroidir et couper en carrés.

16 à 20 carrés

Barres croquantes aux arachides

CUISSON: 3 à 3½ minutes

60 mL (¼ de tasse) de beurre ou margarine
1,25 litre (5 tasses) de guimauves miniatures ou 40 grosses guimauves
85 mL (⅓ de tasse) de beurre d'arachides
1,25 litre (5 tasses) de céréales croquantes au riz
250 mL (1 tasse) d'arachides rôties, non salées

Dans une casserole micro-ondes de 3 litres, faire fondre le beurre à HI (max.) 1 minute. Ajouter les guimauves et cuire, couvert, à HI (max.) 2 à 2½ minutes ou jusqu'à ce que mou, en remuant 1 fois. Incorporer le beurre d'arachides en remuant jusqu'à ce que lisse, puis les céréales et les arachides. Presser la préparation chaude dans un plat de 30 × 17,5 × 5 cm, beurré légèrement. Refroidir et couper en barres.

36 barres

Fudge riche au chocolat

CUISSON: 20 à 22 minutes

1 litre (4 tasses) de sucre
1 boîte de 385 mL de lait évaporé
250 mL (1 tasse) de beurre ou de margarine
1 paquet de 340 g (12 oz) de grains de chocolat semi-sucré
1 pot de 198 g (7 oz) de guimauve en crème
5 mL (1 c. à thé) de vanille
250 mL (1 tasse) de noix hachées

Dans un bol micro-ondes de 4 litres, mélanger sucre, lait et beurre. Cuire à HI (max.) 20 à 22 minutes ou jusqu'à ce que quelques gouttes de la préparation forment une boule molle dans l'eau froide (234°F ou 112°C au thermomètre à bonbon). Ne pas laisser le thermomètre dans le four pendant la cuisson. Bien remuer toutes les 5 minutes pendant la cuisson. Incorporer les grains de chocolat et la guimauve en crème et battre jusqu'à mélange parfait. Ajouter vanille et noix, mélanger. Verser dans un plat carré de 22,5 cm, beurré, pour des morceaux épais ou dans un plat de 30 × 18 × 5 cm pour des morceaux plus minces. Refroidir et couper en carrés.

48 morceaux

Les œufs et le fromage font de bons partenaires micro-ondes; mais chacun d'eux a sa personnalité. Rien ne bat des œufs brouillés ou une fondue au fromage sortant de votre four à micro-ondes. Il vous sert aussi à agrémenter un déjeuner ordinaire ou un brunch du dimanche avec une omelette nature ou une quiche de fantaisie. Les recettes de ce chapitre sont merveilleuses pour servir un repas à l'improviste si vous avez de la visite inattendue. Il ne s'agit que d'avoir à la maison des œufs frais et des fromages cheddar et suisse qui se gardent bien; puis un peu d'oignon et quelques épices, voilà tout ce qu'il vous faut pour un repas vite, facile et délicieux. En outre, nous avons inclu une recette spéciale de yogourt maison dans ce chapitre. Avertissement: ne faites pas cuire d'œufs durs au four à micro-ondes, car la pression à l'intérieur pourrait les faire exploser. On doit toujours percer avec soin les jaunes d'œufs avant la cuisson pour les empêcher d'éclater. Rappelez-vous que les œufs et le fromage sont des aliments fragiles; manipulez-les délicatement et vous aurez des mets succulents.

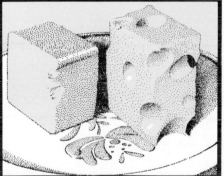

L'omelette classique (page 90) est cuite et servie dans le même plat (en haut, à gauche). Hop! et les œufs au miroir (page 90) sont retournés, si vous les préférez ainsi (ci-dessus). Le fromage au réfrigérateur peut vite être amené à la température de la pièce en le mettant à 60% (bake) 1 minute (à gauche).

Adaptez vos recettes

Le meilleur conseil pour adapter vos recettes qui ont comme ingrédients de base les œufs et le fromage, c'est de cuire moins plutôt que trop. Quelques secondes de cuisson additionnelles, et un mets léger comme un nuage devient caoutchouteux! Vous pouvez varier nos recettes à l'infini, en changeant les sortes de légumes et de viandes cuites et en ajoutant vos propres épices et sauces. Les recettes conventionnelles de soufflés ne s'adaptent pas à la cuisson micro-ondes. Les recettes micro-ondes de soufflés demandent un stabilisant spécial à cause de la cuisson rapide; on utilise donc du lait évaporé pour la Béchamel. Les conseils suivants vous aideront à réussir vos recettes micro-ondes aux œufs et au fromage:

☐ Faites cuire un peu moins les œufs et laissez la cuisson s'achever pendant le temps de repos. Vérifiez continuellement car des œufs trop cuits deviennent caoutchouteux.

☐ Couvrez les œufs pochés et les œufs sur le plat pour emprisonner la vapeur et assurer une cuisson uniforme.

☐ Les œufs sont cuits ordinairement à 60% (bake) ou 70% (roast).

☐ Si vous voulez un jaune mou, retirez l'œuf du four avant que le blanc ne soit complètement cuit. Un bref repos permet au blanc de prendre sans que le jaune durcisse.

☐ Ajoutez un filet de vinaigre à l'eau pour les œufs pochés; le blanc coagulera.

☐ Faites cuire les œufs et le bacon ensemble à HI (max.) puisque les ondes sont attirées par le bacon à cause de sa haute teneur en gras.

☐ Remuez au moins une fois les omelettes et les œufs brouillés pendant la cuisson. Il est aussi bon de remuer les sauces et les fondues à l'occasion.

☐ Le fromage fond vite et garnit bien les casseroles et les sandwiches.

☐ Pour ne pas que le fromage se sépare ou durcisse, cuisez-le à 70% (roast) ou plus bas, pour une courte période.

Utilisation des tableaux de cuisson

1. Les œufs devraient être à la température du réfrigérateur.

2. Les œufs continueront de cuire 1 à 2 minutes après leur sortie du four, donc ôtez-les juste avant qu'ils soient cuits.

3. Pour les œufs brouillés: cassez-les dans un bol micro-ondes ou une tasse de verre de 1 litre. Ajoutez lait ou crème, battez à la fourchette. Ajoutez le beurre. Couvrez de papier ciré et cuisez à 60% (bake) le temps indiqué au tableau. Remuez au moins une fois pendant la cuisson, des bords vers le centre. Laissez reposer une minute avant de servir.

4. Pour les œufs pochés: amenez l'eau à ébullition avec une pincée de sel et un filet de vinaigre à HI (max.). Cassez soigneusement l'œuf dans l'eau bouillante. Percez légèrement l'œuf avec un cure-dent. Couvrez de papier ciré. Cuisez à 50% (simmer) pour le temps indiqué au tableau. Laissez reposer couvert 1 minute avant de servir.

TABLEAU DE CUISSON — ŒUFS BROUILLÉS

Nombre d'œufs	Liquide (lait ou crème)	Beurre	Minutes de cuisson
1	15 mL (1 c. à table)	5 mL (1 c. à thé)	1 - 1¹/₂
2	30 mL (2 c. à table)	10 mL (2 c. à thé)	2 - 2¹/₂
4	45 mL (3 c. à table)	15 mL (3 c. à thé)	4¹/₂ - 5¹/₂
6	60 mL (4 c. à table)	20 mL (4 c. à thé)	7 - 8

TABLEAU DE CUISSON — ŒUFS POCHÉS

Nombre d'œufs	Eau	Contenant	Minutes pour bouillir l'eau	Minutes pour cuire
1	60 mL (¹/₄ de tasse)	Coupe à dessert micro-ondes 180 mL (6 oz)	1¹/₂ - 2	1
2	60 mL (¹/₄ de tasse)	Coupe à dessert micro-ondes 180 mL (6 oz)	2	1¹/₂ - 2
3	60 mL (¹/₄ de tasse)	Coupe à dessert micro-ondes 180 mL (6 oz)	2 - 2¹/₂	2 - 2¹/₂
4	250 mL (1 tasse)	Plat micro-ondes 1 litre (1 pinte)	2¹/₂ - 3	2¹/₂ - 3

TABLEAU DE CUISSON — METS PRÉPARÉS AUX ŒUFS ET AU FROMAGE

Aliment	Quantité	Réglage de cuisson	Temps en minutes	Remarques
Omelette, congelée	284 g (10 oz)	80% (reheat)	4 - 5	Employer une assiette micro-ondes.
Substitut d'œufs	225 g (8 oz)	50% (simmer)	4 - 4¹/₂	Retourner le carton après une minute; l'ouvrir après 1¹/₂ minute. Remuer toutes les 30 secondes jusqu'à lisse.
Soufflés: maïs, congelé	340 g (12 oz)	HI (max.)	10 - 12	Employer une casserole de 1,5 litre. Couvrir. Tourner la casserole 2 fois.
Fromage, congelé	340 g (12 oz)	HI (max.)	11 - 13	Employer une casserole de 1,5 litre. Couvrir. Tourner la casserole 2 fois.
Épinards, congelés	340 g (12 oz)	HI (max.)	12 - 15	Employer une casserole de 1,5 litre. Couvrir. Tourner la casserole 2 fois.
Fondue congelée au fromage	284 g (10 oz)	70% (roast)	6 - 7	Employer une casserole de 1,5 litre. Couvrir. Remuer pendant la cuisson.

Quiche lorraine

CUISSON: 26 à 30 minutes

1 croûte de tarte maison
   (page 123) ou 1 croûte
   au riz (page 100)
   de 22, 5 cm
6 tranches de bacon
3 oignons verts ou
   échalotes émincés
500 mL (2 tasses) de fromage
   suisse râpé
1 boîte de 385 mL (13 oz)
   de lait évaporé
1 mL (¼ de c. à thé) de sel
1 mL (¼ de c. à thé) de
   muscade
   Un soupçon de poivre
   de cayenne
5 mL (1c. à thé) de
   moutarde préparée
4 œufs battus

Préparer la croûte de tarte. Si elle est achetée, la transférer pour cuire dans une assiette à tarte en verre. Cuire le bacon croustillant selon le tableau à la page 61. Émietter. Garder environ 15 mL (1 c. à table) d'oignon et du bacon pour garnir. Étendre le reste du bacon et des oignons avec le fromage dans la croûte à tarte. Dans une mesure de 500 mL (2 tasses) chauffer le lait à HI (max.) 3 minutes ou jusqu'à ébullition. Mélanger sel, muscade, poivre et moutarde avec les œufs battus. Verser le lait chaud graduellement dans le mélange d'œufs en mêlant. Verser avec soin dans la croûte. Parsemer avec le bacon et les oignons réservés. Cuire à 70% (roast) 12 à 14 minutes ou jusqu'à ce que le centre soit presque pris. Laisser reposer découvert, sur une planche ou un comptoir résistant à la chaleur, 10 minutes avant de servir.

6 portions

Omelette classique

CUISSON: 5 à 5½ minutes

15 mL (1 c. à table) de
   beurre ou de margarine
4 œufs
60 mL (4 c. à table) d'eau
2 mL (½ c. à thé) de sel
   Poivre

Cuire le beurre dans une assiette à tarte micro-ondes de 22,5 cm, à HI (max.) 30 secondes ou jusqu'à ce qu'il soit fondu. Battre les autres ingrédients à la fourchette légèrement. Verser dans l'assiette. Couvrir de papier ciré. Cuire à 70% (roast) 3 minutes. Remuer un peu. Cuire couvert à 60% (bake) 1½ à 2 minutes ou jusqu'à ce que le centre soit presque pris. Laisser reposer couvert 1 à 2 minutes avant de servir. Plier et servir.

2 portions

Avant de plier l'omelette, couvrez-la de bacon émietté, de fromage râpé, de jambon haché ou de tomates.

Oeufs au miroir

CUISSON: 2½ à 3 minutes

15 mL (1 c. à table) de
   beurre ou de margarine
2 œufs
   Sel
   Poivre

Préchauffer un plat à brunir de 22,5 cm à HI (max.) 2 minutes. Ajouter le beurre et laisser fondre. Incliner le plat pour enduire la surface. Casser les œufs sur le plat et percer les jaunes. Saler et poivrer légèrement. Mettre un couvercle de verre. Cuire à HI (max.) 30 à 60 secondes ou jusqu'à ce que le jaune soit ferme à votre goût. Laisser reposer 1 minute avant de servir.

1 à 2 portions

Croûtons au fromage

CUISSON: 7 minutes

15   mL (1 c. à table) de
     beurre
250 mL (¹/₂ tasse) de lait
227 g (¹/₂ lb) de fromage
     canadien fort, râpé
15   mL (1 c. à table)
     de farine
2   mL (¹/₂ c. à thé) de
     moutarde sèche
     Une pincée de poivre
     de cayenne
     Une pincée de sel
4   tranches de pain
     français, rôties

Dans un plat micro-ondes de 2 litres, chauffer beurre et lait, à 70% (roast), 2 minutes. Saupoudrer farine, moutarde, poivre de cayenne et sel sur le fromage. Remuer. Ajouter le fromage au lait chaud, bien remuer. Couvrir et cuire, à 70% (roast), 5 minutes en remuant à mi-cuisson. Répartir sur les rôties. Servir immédiatement.

4 portions

Pour un repas plus substantiel, servez avec une salade verte ou des tomates grillées.

Omelette soufflée au cheddar

CUISSON: 7¹/₂ à 9¹/₂ minutes

4   œufs, séparés
85   mL (¹/₃ de tasse) de
     mayonnaise
30   mL (2 c. à table) d'eau
15   mL (1 c. à table) de
     beurre ou de margarine
125 mL (¹/₂ tasse) de fromage
     cheddar râpé
15   mL (1 c. à table) de persil
     frais haché

Battre les blancs d'œufs au malaxeur, dans un grand bol, jusqu'à ce qu'ils forment des pics mous. Battre les jaunes avec la mayonnaise et l'eau dans un petit bol. Incorporer légèrement les jaunes dans les blancs, en pliant. Dans une assiette micro-ondes de 22,5 cm, faire fondre le beurre à HI (max.) 30 secondes. Incliner le plat pour bien l'enduire. Verser dedans le mélange d'œufs. Cuire à 60% (bake) 6 à 8 minutes. Tourner le plat si les œufs ne semblent pas lever également. Quand les œufs sont pris mais encore humides, parsemer le fromage. Cuire à 60% (bake) 1 minute ou jusqu'à ce que le fromage soit fondu. Plier l'omelette en deux et glisser sur le plat de service. Garnir de persil.

2 portions

Oeufs en ramequin

CUISSON: 2¹/₂ à 3 minutes

5   mL (1 c. à thé) de beurre
     ou de margarine
2   œufs
15   mL (1 c. à table) de
     crème
     Poivre et sel

Mettre le beurre dans un ramequin micro-ondes ou dans un petit bol à céréales. Cuire à 70% (roast) 30 secondes pour le faire fondre. Casser les œufs avec soin dans le ramequin. Percer les jaunes avec un cure-dents. Ajouter la crème. Bien couvrir de pellicule plastique et cuire à 60% (bake) 2 à 2¹/₂ minutes. Retirer du four et laisser reposer 1 minute avant de servir. Assaisonner au goût.

1 portion

Soufflé au fromage

CUISSON: 24 à 30 minutes

60 mL (¼ de tasse) de
    farine
4 mL (¾ de c. à thé)
    de sel
2 mL (½ c. à thé) de
    moutarde sèche
    Paprika
    Poivre blanc
1 boîte de 370 mL (13 oz)
    de lait évaporé,
    non dilué
500 mL (2 tasses) de fromage
    cheddar fort, râpé
6 œufs, séparés
5 mL (1 c. à thé) de crème
    de tartre

Dans une mesure en verre d'un litre, mélanger farine, sel, moutarde, paprika et poivre. Ajouter le lait évaporé et remuer. Cuire à HI (max.) 4 à 5 minutes ou jusqu'à épaississement, en remuant après 2 minutes et ensuite à toutes les 30 secondes. Incorporer le fromage et continuer à remuer jusqu'à ce que le fromage soit fondu. Retirer du four. Dans un grand bol, battre les blancs d'œufs avec la crème de tartre jusqu'à ce qu'ils soient fermes mais pas secs. Mettre de côté. Dans un petit bol, battre les jaunes jusqu'à ce qu'ils soient épais. Ajouter lentement la préparation au fromage chaude dans les jaunes d'œufs en remuant pour bien incorporer. Incorporer ce mélange à la cuillère dans les blancs d'œufs en pliant. Mettre dans un plat à soufflé micro-ondes de deux litres, non graissé. Cuire à 30% (defrost) 20 à 25 minutes ou jusqu'à ce que le dessus soit séché. Tourner le plat si le soufflé ne lève pas également. Servir immédiatement.

8 portions

On doit utiliser un plus grand plat pour une recette de soufflé micro-ondes que pour un soufflé conventionnel parce qu'il ne forme pas de croûte et monte ainsi plus haut. Quand il sera prêt, le soufflé sera sec sur le dessus mais le centre sera comme une meringue crémeuse qui pourra servir de sauce pour le soufflé. N'essayez pas d'adapter les recettes conventionnelles de soufflés à la cuisson micro-ondes.

Fondue suisse au fromage

CUISSON: 10 à 11 minutes

45 mL (3 c. à table) de farine
1 mL (¼ de c. à thé) de sel
    Poivre blanc
2 mL (½ c. à thé) de
    poudre d'ail
250 mL (1 tasse) de lait
500 g (1 lb) de fromage
    suisse râpé
15 mL (1 c. à table) de
    beurre ou de margarine
125 mL (½ tasse) de vin
    blanc sec
    Un soupçon de muscade

Dans une casserole de verre de 1,5 litre, combiner farine, assaisonnements et lait. Battre avec un fouet jusqu'à ce que ce soit lisse. Incorporer le fromage et le beurre. Cuire couvert à 70% (roast) 5 minutes. Remuer bien, cuire couvert à 70% (roast) 5 à 6 minutes ou jusqu'à ce que ce soit lisse et épais. On peut aussi faire cuire à 70% (roast) avec la sonde réglée à 180°F (82°C). Incorporer le vin et la muscade. Servir dans un plat à fondue sur un réchaud.

750 mL (3 tasses)

La fondue fait un réveillon chic les soirs froids d'hiver ou un agréable repas de fête. Servez avec des croûtons de pain français ou italien. La fondue peut être préparée à l'avance, réfrigérée et réchauffée. Pour la réchauffer, cuisez couvert à 70% (roast) 8 minutes ou jusqu'à ce qu'elle soit chaude. Remuez-la bien avant de servir.

Le four à micro-ondes ne sauve pas beaucoup de temps pour la cuisson des pâtes et du riz. C'est aussi long de les réhydrater à la façon micro-ondes qu'à la façon ordinaire. Mais la commodité de pouvoir faire cuire et servir dans le même plat et d'éliminer ainsi les tâches de récurage rend tout de même cette méthode valable. Une fois les pâtes cuites et ajoutées au reste des ingrédients de votre recette, le mets cuira avec la rapidité micro-ondes. Un autre avantage intéressant offert par votre four à micro-ondes, c'est que vous pouvez réchauffer les pâtes, le riz et les céréales sans avoir à ajouter d'eau ou à remuer. Pas de pâtes molles ou de riz féculent et c'est aussi bon réchauffé que frais cuit!

Les mets aux pâtes alimentaires sont délicieux préparés au four à micro-ondes: pour un lunch épatant, garnissez les macaroni ou rotini de sauce, de tranches de tomates et de fromage (en haut, à gauche). Faites chauffer le riz dans un sachet à bouillir, sur une assiette en entaillant le sachet pour que la vapeur puisse s'échapper (en haut, à droite). Faites cuire les spaghetti dans un plat de verre (ci-dessus, à gauche). Les céréales chaudes se préparent et se servent facilement dans le même plat (ci-dessus, à droite).

Adaptez vos recettes

Vous trouverez facile d'adapter vos recettes conventionnelles de mets en casserole aux nouilles ou au riz à la cuisson micro-ondes. Quand vous trouverez une recette similaire ici, adaptez vos ingrédients à la méthode micro-ondes mais prenez seulement les trois quarts du temps recommandé pour la cuisson micro-ondes; puis vérifiez, observez et prolongez la cuisson par intervalles d'une minute, jusqu'à ce que ce soit prêt. Prenez note du temps de cuisson total pour la prochaine fois. Avec l'expérience vous apprendrez à éviter les erreurs et vous pourrez bientôt enrichir votre collection de recettes de riz et de pâtes. Ces trucs vous aideront:

☐ Les mets à la casserole cuits au four à micro-ondes demandent moins de liquide parce qu'en raison de leur courte durée de cuisson, il y a moins d'évaporation.

☐ Les mets avec des sauces à la crème et au fromage ou avec des viandes moins tendres qui demandent à être mijotés cuisent mieux à faible intensité.

☐ C'est important d'utiliser un grand contenant micro-ondes quand vous faites cuire des pâtes ou du riz pour empêcher l'eau de déborder.

☐ Les nouilles fines cuisent plus vite et plus également que les nouilles larges.

☐ Les mets préparés peuvent avoir besoin d'être remués pour répartir la chaleur.

☐ Quand un mets est cuit, remuez-le avant d'ajouter la garniture de fromage ou de chapelure.

☐ Les pâtes ou le riz cuits qui entrent dans une recette devraient être un peu plus fermes que si vous les mangez seuls. Faites cuire un peu moins.

☐ Quand vous adaptez vos recettes, substituez du riz à cuisson rapide au riz non cuit; de cette manière il aura le temps de cuire en même temps que les autres ingrédients. Autrement, faites cuire à l'avance du riz ordinaire jusqu'à ce qu'il soit ferme et ajoutez-le à votre mets.

☐ Pour réchauffer les pâtes, le riz et les céréales au four à micro-ondes sans qu'ils sèchent, couvrez bien de pellicule plastique. Chauffez à 80% (reheat) quelques minutes, selon la quantité.

Utilisation des tableaux de cuisson

1. Pour les pâtes, combinez l'eau avec 15 mL (1 c. à table) d'huile végétale et 5 à 10 mL (1 à 2 c. à thé) de sel dans un contenant micro-ondes. Amenez à ébullition à HI (max.). Ajoutez les pâtes, remuez, couvrez. Faites cuire à 50% (simmer) jusqu'à ce que prêt. Égouttez, rincez à l'eau chaude, servez.

2. Pour le riz, ajoutez la margarine et le sel selon les instructions sur le paquet. Amenez l'eau à ébullition à HI (max.). Versez le riz. Couvrez bien. Faites cuire à 50% (simmer) le temps indiqué au tableau. Laissez reposer couvert 5 minutes avant de servir.

3. Pour les céréales à cuisson rapide, suivez le tableau et les instructions sur le paquet. Retirez du four et remuez. Laissez reposer environ une minute avant de servir.

TABLEAU DE CUISSON — PÂTES ALIMENTAIRES

Pâtes	Non-cuites quantité 57 g = 250 mL (2 oz = 1 tasse)	Eau chaude du robinet	Minutes pour ébullition HI (max.)	Réglage de cuisson	Temps en minutes	Remarques
Spaghetti ou linguine	57 g (2 oz)	625 mL (2½ tasses)	5 - 6	50% (simmer)	5 - 6	Plat de 32,5 × 22,5 × 5 cm
	113 g (4 oz)	1 L (4 tasses)	8 - 10	50% (simmer)	6 - 8	
	198 g (7 oz)	1,5 L (6 tasses)	12 - 14	50% (simmer)	8 - 10	Remuer une fois.
Macaroni	113 g (4 oz)	750 mL (3 tasses)	6 - 8	50% (simmer)	10 - 12	Casserole de 3 litres.
Nouilles aux œufs, fines	57 g (2 oz)	500 mL (2 tasses)	4 - 6	50% (simmer)	5 - 6	Casserole de 3 litres.
Nouilles aux œufs, étroites	113 g (4 oz)	750 mL (3 tasses)	6 - 8	50% (simmer)	8 - 10	
Nouilles aux œufs, larges	227 g (8 oz)	1,5 L (6 tasses)	12 - 14	50% (simmer)	12 - 14	larges
Lasagne	113 g (4 oz)	1 L (4 tasses)	8 - 10	50% (simmer)	12 - 14	Plat de 32,5 × 22,5 × 5 cm
	227 g (8 oz)	1,5 L (6 tasses)	12 - 14	50% (simmer)	14 - 15	
Nouilles aux épinards	113 g (4 oz)	1 L (4 tasses)	8 - 10	50% (simmer)	8 - 11	Plat de 32,5 × 22,5 × 5 cm

TABLEAU DE CUISSON — RIZ

Riz	Non-cuit quantité	Eau	Minutes pour ébullition HI (max.)	Réglage de cuisson	Temps en minutes	Repos en minutes	Remarques
Grains courts	250 mL (1 tasse)	500 mL (2 tasses)	4 - 5	50% (simmer)	13 - 15	5	Casserole de 2 litres
Grains longs	250 mL (1 tasse)	500 mL (2 tasses)	4 - 5	50% (simmer)	15 - 17	5	Casserole de 2 litres
Riz sauvage	250 mL (1 tasse)	750 mL (3 tasses)	6 - 7	50% (simmer)	35 - 40	5	Casserole de 3 litres
Riz brun	250 mL (1 tasse)	750 mL (3 tasses)	6 - 7	50% (simmer)	40	5	Casserole de 3 litres
Riz pré-cuit	250 mL (1 tasse)	250 mL (1 tasse)	3 - 4	HI (max.)	0	5	Casserole de 1 litre

TABLEAU DE DÉCONGÉLATION ET CUISSON — METS PRÉPARÉS AUX PÂTES OU AU RIZ

Aliment	Quantité	Réglage de cuisson	Temps en minutes	Remarques
Riz cuit, réfrigéré,	250 mL (1 tasse)	80% (reheat)	1½ - 2	Utiliser un bol couvert. Laisser reposer 2 minutes. Remuer.
Cuit, congelé	250 mL (1 tasse) 500 mL (2 tasses)	80% (reheat) 80% (reheat)	2 - 3 3 - 4	
En sachet, congelé	312 g (11 oz)	80% (reheat)	6 - 7	Entailler le sachet.
Riz frit, congelé	284 g (10 oz)	HI (max.)	5 - 6	Casserole couverte. Remuer 2 fois. Laisser reposer 5 minutes
Riz espagnol, en boîte	340 g (12 oz)	HI (max.)	4 - 5	Casserole couverte. Remuer 2 fois. Laisser reposer 3 minutes.
Lasagne, congelée	595 g (21 oz)	70% (roast)	19 - 20	Casserole couverte. Laisser reposer couvert 5 minutes.
Macaroni et bœuf, congelé	312 g (11 oz)	HI (max.)	7 - 9	Casserole couverte. Remuer 2 fois.
Macaroni au fromage, congelé	284 g (10 oz)	HI (max.)	7 - 9	Casserole couverte. Remuer 2 fois.
Spaghetti avec boulettes, congelé	397 g (14 oz)	HI (max.)	8 - 10	Casserole couverte. Remuer 2 fois.

TABLEAU DE CUISSON — CÉRÉALES

Céréale	Portions	Non-cuite, quantité	Sel	Eau chaude du robinet	Réglage	Temps en minutes	Remarques
Crème de blé	1	37 mL (2 1/2 c. à table)	Une pincée	250 mL (1 tasse)	HI (max.)	3 - 4	Bol de 1 litre
	2	85 mL (1/3 de tasse)	Une pincée	435 mL (1 3/4 de tasse)	HI (max.)	5 - 6	Bol de 2 litres
	4	165 mL (2/3 de tasse)	1 mL (1/4 de c. à thé)	875 mL (3 1/2 tasses)	HI (max.)	7 - 8	Bol de 3 litres
Gruau d'avoine (rapide)	1	85 mL (1/3 de tasse)	Une pincée	185 mL (3/4 de tasse)	HI (max.)	1 - 2	Bol de 500 mL
	2	165 mL (2/3 de tasse)	1 mL (1/4 de c. à thé)	375 mL (1 1/2 tasse)	HI (max.)	2 - 3	Bol de 1,5 litre
	4	335 mL (1 1/3 de tasse)	2 mL (1/2 c. à thé)	750 mL (3 tasses)	HI (max.)	5 - 6	Bol de 2 litres
Semoule de maïs	1	45 mL (3 c. à table)	Une pincée	185 mL (3/4 de tasse)	HI (max.)	3 - 4	Bol de 284 mL
	2	85 mL (1/3 de tasse)	1 mL (1/4 de c. à thé)	335 mL (1 1/3 de tasse)	HI (max.)	6 - 7	Bol de 1,5 litre
	4	165 mL (2/3 de tasse)	4 mL (3/4 de c. à thé)	665 mL (2 2/3 de tasses)	HI (max.)	8 - 9	Bol de 2 litres

Nouilles au poulet

CUISSON: 13 à 15 minutes

- 375 mL (1 1/2 tasse) de nouilles aux œufs fines, non cuites, cassées
- 500 à 750 mL (2 à 3 tasses) de dinde ou de poulet cuit, en dés
- 250 mL (1 tasse) de bouillon de poulet
- 125 mL (1/2 tasse) de lait
- 2 mL (1/2 c. à thé) de sel
- Poivre
- 250 mL (1 tasse) de fromage cheddar râpé
- 60 mL (1/4 de tasse) d'olives vertes farcies, tranchées

Dans une casserole micro-ondes de 2 litres, combiner nouilles, poulet, bouillon de poulet, lait, sel et poivre. Remuer légèrement. Cuire couvert à 70% (roast) 8 à 10 minutes ou jusqu'à ce que les nouilles soient tendres, en remuant une fois. Incorporer le fromage et les olives. Cuire couvert à 20% (low) 5 minutes ou jusqu'à ce que le fromage soit fondu.

4 à 6 portions

Pour deux à trois portions, diminuez les ingrédients de moitié, cuisez couvert à 70% (roast) 6 à 8 minutes ou jusqu'à ce que les nouilles soient tendres, en remuant une fois. Puis continuez comme dans la recette.

Nouilles printanières

CUISSON: 37½ à 43½ minutes

- 375 mL (1 1/2 tasse) de nouilles aux épinards, non cuites
- 60 mL (1/4 de tasse) de beurre ou margarine
- 60 mL (1/4 de tasse) de farine
- 5 mL (1 c. à thé) de sel
- 1 mL (1/4 de c. à thé) de sauce Tabasco
- 560 mL (2 1/4 tasses) de lait
- 250 mL (1 tasse) de fromage cheddar fort, râpé
- 60 mL (1/4 de tasse) de fromage parmesan, râpé
- 3 œufs cuits durs, coupés en deux

Cuire les nouilles aux épinards en suivant le tableau page 95. Égoutter et mettre de côté. Placer le beurre dans un bol micro-ondes de 1,5 litre. Cuire à HI (max.) 60 secondes ou jusqu'à ce que fondu. Incorporer farine, sel, sauce Tabasco et en faire une pâte lisse. Cuire à HI (max.) 30 secondes. Réserver. Verser le lait dans une mesure de verre d'un litre. Cuire à HI (max.) 2 minutes pour réchauffer. Ajouter graduellement le lait dans la farine en remuant vivement. Cuire à HI (max.) 4 à 5 minutes. Remuer à mi-cuisson. Battre vivement pour que la sauce soit lisse. Ajouter le fromage et remuer pour le faire fondre. Mettre les nouilles cuites dans une casserole micro-ondes de deux litres. Ajouter la sauce au fromage et mêler avec soin. Cuire couvert à 60% (bake) 7 à 8 minutes ou jusqu'à ce que chaud. Remuer. Garnir avec les œufs. Cuire couvert à 60% (bake) 3 minutes. Laisser reposer couvert, 3 minutes, avant de servir.

6 portions

Macaroni exquis

CUISSON: 1 heure 1 minute à

1 heure 7 minutes

500	mL (2 tasses) de macaroni coupé en coudes, non cuit
500	g (1 lb) de bœuf haché maigre
1	gros oignon haché fin
1	boîte de 796 mL (28 oz) de tomates italiennes
1	paquet de 283 g (10 oz) de pois congelés
250	mL (1 tasse) de champignons frais, tranchés
185	mL (³/₄ de tasse) de vin rouge sec
60	mL (¹/₄ de tasse) de persil frais haché
5	mL (1 c. à thé) de sucre
5	mL (1 c. à thé) de sel Poivre
500	mL (2 tasses) de fromage parmesan râpé, divisé

Cuire le macaroni en suivant le tableau, page 95. Égoutter et mettre de côté. Dans un bol ou une casserole micro-ondes de deux litres, combiner viande et oignon. Cuire couvert à HI (max.) 3 minutes. Remuer. Cuire à HI (max.) encore 2 minutes ou jusqu'à ce que l'oignon soit transparent. Ôter le gras. Ajouter la boîte de tomates. Avec une cuillère défaire les tomates en morceaux. Ajouter pois, champignons, vin, persil, sucre, sel et poivre. Cuire couvert à 50% (simmer) 30 minutes. Dans un plat micro-ondes de 32,5 × 22,5 cm étendre la moitié de la sauce, puis la moitié du macaroni cuit et 250 mL (1 tasse) de fromage. Ajouter le macaroni et la sauce qui restent. Garnir avec le reste du fromage. Couvrir de papier ciré et cuire à 60% (bake) 10 à 12 minutes ou jusqu'à ce que le fromage soit fondu et que le macaroni bouillonne. Laisser reposer 5 minutes avant de servir.

6 á 8 portions

Macaroni végétarien

CUISSON: 56 à 65 minutes

750	mL (3 tasses) d'eau chaude
200	g (7 oz) de macaroni en coquilles
45	mL (3 c. à table) d'huile d'olive
1	gros oignon émincé
500	mL (2 tasses) de carottes tranchées
250	mL (1 tasse) de céleri haché
1	gousse d'ail écrasé
500	mL (2 tasses) de tomates pelées, en dés
2	mL (¹/₂ c. à thé) de sauge
2	mL (¹/₂ c. à thé) d'origan
1	mL (¹/₄ de c. à thé) de poivre
1	mL (¹/₄ de c. à thé) de basilic
1	pincée de thym
1	pincée de romarin
2	boîtes de 450 mL (16 oz) chacune de haricots rouges, égouttés
	Poivre et sel
	Fromage parmesan râpé

Dans un grand bol micro-ondes, cuire 750 mL (3 tasses) d'eau chaude à HI (max.) 6 à 8 minutes, ou jusqu'à ébullition. Ajouter le macaroni, couvrir de papier ciré. Cuire à HI (max.) 1 minute. Laisser reposer 5 minutes. Égoutter et mettre de côté. Dans une casserole micro-ondes de 4 litres, cuire l'huile à HI (max.) 2 minutes. Incorporer oignon, carottes, céleri et ail. Continuer la cuisson à HI (max.) 10 à 12 minutes ou jusqu'à ce que les légumes soient tendres. Incorporer tomates et assaisonnements. Cuire couvert à 70% (roast) 7 minutes. Incorporer macaroni et haricots. Cuire couvert à HI (max.) 12 à 15 minutes. Remuer. Cuire à 70% (roast) 18 à 20 minutes, en remuant à l'occasion. Saler et poivrer. Soupoudrer de parmesan.

8 portions

Macaroni mexicain: pour un macaroni épicé, remplacez sauge et origan par poudre chili et cumin. Substituez le poivre de cayenne au poivre noir. Vous pouvez aussi changer la variété de haricots. Olé!

Spaghetti à la bolognaise
CUISSON: 30 à 35 minutes

Émietter le bœuf dans une casserole micro-ondes de trois litres. Ajouter ail et oignon. Cuire à HI (max.) 5 minutes. Remuer pour défaire la viande, égoutter le gras. Ajouter les autres ingrédients, sauf le spaghetti. Défaire les tomates en petits morceaux avec une cuillère de bois. Cuire couvert à 50% (simmer) 25 à 30 minutes, ou jusqu'à ce que la préparation soit bien mélangée et épaissie. Couvrir et laisser reposer environ 5 minutes. Servir sur le spaghetti chaud.

Environ 1,5 litre (1 ½ pinte) de sauce
10 portions

500	g (1 lb) de bœuf haché maigre
125	mL (½ tasse) d'oignon haché
2	gousses d'ail émincé
1	boîte de 796 mL (28 oz) de tomates
2	boîtes de 156 mL (5½ oz) chacune de pâte de tomates
10	mL (2 c. à thé) de sel
10	mL (2 c. à thé) d'origan
1	mL (¼ de c. à thé) de basilic
1	mL (¼ de c. à thé) de thym
	Poivre
	Spaghetti cuit (page 95)

Riz sauvage aux champignons
CUISSON: 10 minutes

Dans un moule à pain en verre de 20 × 10 cm, mettre beurre et oignon et cuire à HI (max.) 1 minute. Ajouter les champignons tranchés et cuire à HI (max.) 2 minutes. Ajouter la farine en remuant bien, puis le bouillon. Cuire à HI (max.) 2 minutes. Incorporer le riz. Couvrir de papier ciré, cuire, à 80% (reheat) 5 minutes en tournant le plat à mi-cuisson. Laisser reposer 3 minutes avant de servir.

4 à 6 portions

60	mL (¼ de tasse) d'oignon haché fin
113	g (4 oz) de champignons frais, tranchés
30	mL (2 c. à table) de beurre
15	mL (1 c. à table) de farine
60	mL (4 oz) de bouillon de bœuf
625	mL (2½ tasses) de riz sauvage cuit ou une boîte de 170 g (6 oz) de riz long grain et riz sauvage, cuit

Riz espagnol
CUISSON: 35 à 40 minutes

Dans une casserole micro-ondes de deux litres, combiner tous les ingrédients sauf le riz. Cuire couvert à HI (max.) 5 minutes ou jusqu'à ébullition. Incorporer le riz. Cuire couvert à 50% (simmer) 30 à 35 minutes ou jusqu'à ce que le riz soit tendre. Laisser reposer couvert 5 minutes avant de servir.

6 à 8 portions

375	mL (1½ tasse) d'eau
1	boîte de 454 mL (16 oz) de tomates, hachées
1	boîte de 156 mL (5½ oz) de pâte de tomates
60	mL (¼ de tasse) d'oignon haché fin
5	mL (1 c. à thé) de sucre
5	mL (1 c. à thé) de sel
60	mL (¼ de tasse) de céleri haché
2	mL (½ c. à thé) d'origan
1	gousse d'ail émincé
165	mL (⅔ de tasse) de riz blanc à grains longs

← *Spaghetti à la bolognaise*

Riz frit à la chinoise
CUISSON: 13 à 14 minutes

30 mL (2 c. à table) de
beurre ou margarine
60 mL (¼ de tasse)
d'échalotes émincées
750 mL (3 tasses) de riz
cuit
2 mL (½ c. à thé) de sel
15 mL (1 c. à table) de
sauce soya
3 œufs
15 mL (1 c. à table) d'eau
1 mL (¼ de c. à thé)
de sucre

Placer le beurre et l'oignon dans une casserole micro-ondes de 3 litres. Cuire à HI (max.) 4 minutes ou jusqu'à ce que l'oignon soit mou. Incorporer riz, sel et sauce soya. Dans un petit bol, battre les œufs, l'eau et le sucre légèrement. Verser au centre du riz. Cuire couvert à 70% (roast) 9 à 10 minutes ou jusqu'à ce que les œufs soient pris et que le riz ait l'air sec; remuer les œufs dans le riz après 3 minutes, et encore aux trois minutes jusqu'à ce que ce soit cuit.

4 à 6 portions

Riz quatre-saisons
CUISSON: 12 à 14 minutes

500 mL (2 tasses) de bouillon
de bœuf ou de poulet
250 mL (1 tasse) de riz
converti à grains longs
60 mL (¼ de tasse) d'oignon
émincé
30 mL (2 c. à table) de persil
frais haché

Combiner tous les ingrédients dans une casserole de verre de deux litres. Couvrir et cuire à HI (max.) 12 à 14 minutes. Laisser reposer couvert 10 minutes ou jusqu'à ce que le bouillon soit absorbé.

4 portions

Croûte au riz faible en calories
CUISSON: 1 minute

375 mL (1½ tasse) de riz cuit
1 œuf
85 mL (⅓ de tasse) de
fromage cheddar râpé

Combiner les ingrédients et presser également sur le fond et les côtés d'une assiette à tarte ou d'un plat à quiche en verre de 22,5 cm. Ce n'est pas nécessaire de cuire avant d'ajouter la garniture. Cependant, si vous préférez, cuire à 70% (roast) 1 minute ou jusqu'à ce que le fromage soit fondu.

Riz au fromage
CUISSON: 12¾ à 13¾ minutes

250 mL (1 tasse) de sauce
Béchamel (p.109)
250 mL (1 tasse) de lait
500 mL (2 tasses) de riz cuit
227 g (8 oz) de fromage
cheddar fort, râpé
30 mL (2 c. à table)
de chapelure

Préparer la Béchamel suivant les instructions à la page 109. Mettre de côté. Dans un plat rond en verre, de deux litres, faire chauffer le lait à 70% (roast) 2 minutes. Retirer du four. Incorporer le riz cuit, la sauce Béchamel et les ¾ du fromage râpé. Mélanger le reste du fromage avec la chapelure et en garnir le dessus. Cuire à HI (max.) 4 minutes. Laisser reposer couvert 5 minutes avant de servir.

4 à 6 portions

Votre four à micro-ondes vous permet de découvrir un des aspects les plus intéressants de l'art culinaire: le domaine des succulents légumes cuits à point. Comme on emploie peu ou pas d'eau, les légumes sortent du four avec leurs couleurs brillantes, pleins de saveur, tendres et nutritifs. Même réchauffés, les légumes frais gardent leur couleur et leur saveur originale. Ils ne sèchent pas parce que la vapeur qui les fait chauffer provient des légumes eux-mêmes. Les légumes en boîtes réchauffent bien aussi parce que n'ayant pas besoin de jus pour réchauffer, on peut les égoutter et ils retiennent ainsi leur goût frais.

Arrangez les asperges en faisant chevaucher les pointes au centre du plat. Les carrottes cuisent un peu plus vite et sont plus attrayantes si on les coupe à la chinoise (ci-dessus). La pelure du maïs fournit une enveloppe naturelle. Trempez simplement le maïs dans l'eau pendant 5 minutes et cuisez comme indiqué à la page 103 (ci-dessus, à droite). Pour de meilleurs résultats, coupez vos légumes en morceaux de grosseur uniforme (à droite).

Adaptez vos recettes

Il est préférable de manger les légumes croquants, tendres mais résistants sous la dent. Toutefois, si vous aimez mieux une texture plus molle, augmentez la quantité d'eau et le temps de cuisson. Pour adapter une recette conventionnelle au four à micro-ondes, trouvez une recette semblable dans ce chapitre et vérifiez les tableaux de cuisson des légumes. Les trucs suivants vous aideront à adapter et à créer vos propres recettes:

- ☐ Vérifiez le point de cuisson après le plus court temps recommandé. Ajoutez le temps de cuisson nécessaire pour satisfaire vos goûts personnels.
- ☐ Si vous utilisez la sonde de température, ajoutez une petite quantité de liquide. Placez la sonde au centre du plat de légumes, réglez-la à 150°F (66°C).
- ☐ Vous pouvez employer des légumes congelés au lieu des légumes frais dans vos recettes. Ce n'est pas nécessaire de les décongeler avant la cuisson.
- ☐ Congelez des petites portions de vos plats de légumes favoris dans des sachets de plastique. Si vous vous servez d'une attache métallique, assurez-vous de la remplacer par une corde ou un élastique avant la cuisson. Faites une entaille dans le sachet et réchauffez sur une assiette micro-ondes.
- ☐ Pour empêcher que les plats aux légumes contenant une sauce à la crème renversent, utilisez un plat assez grand pour qu'ils puissent bouillonner. Réglez l'intensité à 60% (bake) ou 70% (roast).
- ☐ On doit faire cuire partiellement le céleri, les oignons, les poivrons verts et les carottes avant de les ajouter à un mets. En général, vous devriez faire cuire tous les légumes partiellement avant de les combiner avec des viandes, de la volaille ou du poisson déjà cuits.
- ☐ Pour faire des pommes de terre en purée, coupez-les en cubes, ajoutez un peu d'eau. Cuisez bien couvert jusqu'à tendreté. Assaisonnez et pilez.
- ☐ Pour réchauffer la purée de pommes de terre, réglez à 80% (reheat) en remuant une fois pendant la cuisson.
- ☐ Comme les carottes et les betteraves sont fibreuses, elles peuvent demander plus d'eau et un plus long temps de cuisson pour prévenir la déshydratation et le durcissement pendant la cuisson.

Utilisation du tableau de cuisson

1. Tous les légumes frais ou congelés sont cuits et réchauffés à HI (max.).
2. Choisissez un grand plat, peu profond, pour pouvoir étendre mieux les légumes.
3. Ajoutez 60 mL (¼ de tasse) d'eau par 225 à 450 g (½ - 1 lb) de légumes frais. N'ajoutez pas d'eau pour les épinards lavés, le maïs en épis, les courges, les pommes de terre au four ou l'aubergine.
4. Ne salez les légumes qu'après la cuisson.
5. Couvrez bien tous les légumes.
6. Remuez les légumes une fois pendant la cuisson.
7. Les sachets de légumes congelés doivent être entaillés pour laisser échapper la vapeur. Placez-les sur un plat micro-ondes.
8. Les légumes congelés sans sauce, peuvent cuire dans leurs cartons, sans eau. Enlevez l'enveloppe de papier ciré avant de placer le carton au four. (Si les légumes en sauce sont dans un carton plutôt que dans un sachet, retirez-les du carton et placez-les dans un plat micro-ondes de 1,5 litre. Ajoutez du liquide selon les instructions sur le paquet avant de faire cuire).
9. Après la cuisson, tous les légumes doivent reposer couverts, de 2 à 3 minutes.

TABLEAU DE CUISSON — LÉGUMES

Légume	Quantité	Préparation des légumes frais	Temps en minutes	Eau	Repos minutes	Remarques
Artichauts 9 cm de diamètre	Frais: 1 2 4 Congelé: 284 g (10 oz)	Laver à fond. Couper le bout de chaque feuille. Entailler le sachet.	7 - 8 11 - 12 5 - 6	60 mL (¹/₄ de tasse) 125 mL (¹/₂ tasse)	2 - 3 2 - 3	Quand c'est prêt, une feuille s'ôte facilement.
Asperges: pointes et morceaux coupés	Fraîches: 450 g (1 lb) Congelées: 284 g (10 oz)	Laver à fond. Casser et jeter le bas des tiges dures.	2 - 3 7 - 8	60 mL (¹/₄ de tasse) non	non 2 - 3	Remuer ou réarranger 1 fois pendant la cuisson.
Aubergine	1 moyenne, tranchée 1 moyenne, entière	Peler. Couper en tranches ou en cubes. Laver. Piquer la pelure.	5 - 6 6 - 7	30 mL (2 c. à table)	3	Placer sur un gril micro-ondes.
Bettes à carde, chou frisé, etc.	Fraîches: 450 g (1 lb)	Laver. Enlever feuilles fanées et tiges dures.	6 - 7	non	2	
Betteraves	4 moyennes	Les brosser. Laisser un bout de tige de 2 cm	16 - 18	60 mL (¹/₄ de tasse)	non	Peler après cuisson. Couper si désiré.
Brocoli	Frais, entier 500 g (1 - 1¹/₂ lb) Congelé, entier Frais, haché 500 g (1 - 1¹/₂ lb) Congelé, haché 284 g (10 oz)	Enlever les feuilles extérieures. Entailler les tiges.	9 - 10 8 - 10 12 - 14 8 - 9	60 mL (¹/₄ de tasse) 60 mL (¹/₄ de tasse) 60 mL (¹/₄ de tasse) non	3 3 2 2	Réarranger ou remuer pendant la cuisson.
Carottes	4: tranchées ou en dés. 6: tranchées ou en dés. 8: petites, entières. Congelées: 284 g (10 oz)	Peler et couper les bouts. Les petites carottes fraîches cuisent mieux.	7 - 9 9 - 10 8 - 10 8 - 9	15 mL (1 c. à table) 30 mL (2 c. à table) 30 mL (2 c. à table) non	2 - 3 2 - 3 2 - 3 non	Remuer 1 fois, pendant la cuisson.
Céleri	625 mL (2¹/₂ tasses) tranché: 2,5 cm (1 po)	Nettoyer les branches à fond.	8 - 9	60 mL (¹/₄ de tasse)	2	
Champignons	Frais, tranchés 227 g (¹/₂ lb)	Ajouter du beurre ou de l'eau.	2 - 4	30 mL (2 c. à table)	2	Remuer à mi-cuisson.
Chou	¹/₂ chou moyen, émincé 1 chou moyen, en quartiers	Enlever les feuilles extérieures fanées	5 - 6 13 - 15	60 mL (¹/₄ de tasse) 60 mL (¹/₄ de tasse)	2 - 3 2 - 3	Réarranger après 7 minutes.
Chou-fleur	1 moyen, en fleurettes 1 moyen entier Congelé: 284 g (10 oz)	Couper les tiges dures. Laver, enlever le cœur et les feuilles	7 - 8 8 - 9 8 - 9	60 mL (¹/₄ de tasse) 125 mL (¹/₂ tasse) 60 mL (¹/₄ de tasse)	2 - 3 3 3	Remuer après 5 minutes. Retourner 1 fois. Remuer après 5 min.
Choux de Bruxelles	Frais: 450 g (1 lb) Congelés: 284 g (10 oz)	Enlever les feuilles fanées. Couper les pieds. Laver.	8 - 9 6 - 7	60 mL (¹/₄ de tasse) non	2 - 3 non	Réarranger ou remuer 1 fois.
Courges: poivrées ou musquées	Entières: 500 g (1 - 1¹/₂ lb)	Brosser. Piquer avec une fourchette.	10 - 12	non		Couper, enlever les graines pour servir.
Courges: spaghetti	Entières: 1 kg (2 - 3 lb)	Brosser. Percer. Placer sur un gril.	14 - 18	non	5	Servir avec beurre, fromage ou sauce à spaghetti.
Courgettes (zucchini)	Tranchées: 750 mL (3 tasses)	Laver. Ne pas peler.	7 - 8	60 mL (¹/₄ de tasse)	2	Remuer après 4 minutes.
Épinards	Frais: 450 g (1 lb) Congelés: 284 g (10 oz)	Bien laver. Enlever les tiges dures. Égoutter.	6 - 7 7 - 8	non non	2 2	Remuer 1 fois pendant la cuisson.
Haricots jaunes ou verts, à la française	Frais: 450 g (1 lb) Congelés: 170 g (6 oz)	Enlever les bouts. Bien laver. Cuire entiers ou coupés.	12 - 14 7 - 8	60 mL (¹/₄ de tasse) non	2 - 3 non	Remuer 1 fois ou réarranger si nécessaire.
Maïs en grains	Congelé: 284 g (10 oz)		5 - 6	60 mL (¹/₄ de tasse)	2	Remuer à mi-cuisson.
Maïs en épis (blé d'Inde)	1 épi 2 épis 3 épis 4 épis Congelés: 2 épis 4 épis	Éplucher. Envelopper chacun de papier ciré. Placer sur le plateau du bas, pas plus de 4 à la fois. Plat peu profond, couvert.	3 - 4 6 - 7 9 - 10 11 - 12 5¹/₂ - 6 10 - 11	non non non non non non	2 2 2 2 2	Réarranger à mi-cuisson si le gril n'est pas utilisé.
Navets blancs	1 litre (4 tasses) en dés	Peler. Laver.	9 - 11	60 mL (¹/₄ de tasse)	3	Remuer après 5 min.

TABLEAU DE CUISSON — LÉGUMES

Légume	Quantité	Préparation des légumes frais	Temps en minutes	Eau	Repos minutes	Remarques
Oignons	Petits, entiers 450 g (1 lb) Moyens à gros 450 g (1 lb)	Peler. Ajouter 15 mL (1 c. à table) de beurre Ajouter 15 mL (1 c. à table) de beurre.	6 - 7 7 - 9	60 mL ($^1/_4$ de tasse) 60 mL ($^1/_4$ de tasse)	3 3	Remuer 1 fois pendant la cuisson.
Okras	Frais: 227 g ($^1/_2$ lb) Congelés: 284 g (10 oz)	Bien laver. Laisser entiers ou couper en tranches épaisses.	3 - 5 7 - 8	60 mL ($^1/_4$ de tasse) non	2 2	
Panais	4 moyens, coupés en quatre	Peler et couper.	8 - 9	60 mL ($^1/_4$ de tasse)	2	Remuer 1 fois pendant la cuisson.
Patates sucrées 142 - 170 g (5 - 6 oz) chacune	1 2 4 6	Bien brosser. Percer à la fourchette. Placer en cercle sur un gril ou du papier. Espacer de 2,5 cm.	4 - 4$^1/_2$ 6 - 7 8 - 10 10 - 11	non non non non	3 3 3 3	
Pois verts	Frais: 450 g (1 lb) Frais: 900 g (2 lb) Congelés: 170 g (6 oz)	Écosser. Bien rincer.	7 - 8 8 - 9 5 - 6	60 mL ($^1/_4$ de tasse) 125 mL ($^1/_2$ tasse) non	2 2 - 3 non	Remuer à mi-cuisson.
Pois et oignons	Congelés: 284 g (10 oz)		6 - 8	30 mL (2 c. à table)	2	
Pois mange-tout	Congelés: 170 g (6 oz)		3 - 4	30 mL (2 c. à table)	3	
Pommes de terre pour le four 170 - 227 g (6 - 8 oz) chacune	1 2 3 4 5	Laver et bien brosser. Percer avec une fourchette. Placer sur gril ou papier absorbant, en cercle à 2,5 cm de distance.	4 - 6 6 - 8 8 - 12 12 - 16 16 - 20	non non non non non	3 3 3 3 3	
Pommes de terre à bouillir	3	Peler. Couper en quatre.	12 - 16	125 mL ($^1/_2$ tasse)	non	Remuer 1 fois pendant la cuisson.
Rutabagas	1 litre (4 tasses) en dés	Peler. Laver.	9 - 11	60 mL ($^1/_4$ de tasse)	3	Remuer après 5 min.
Têtes de violon (crosses de fougères)	Congelées: 283 g (10 oz)		9 - 11	non	2	Remuer à mi-cuisson.

TABLEAU DE CUISSON — LÉGUMES EN BOÎTES

Format	Réglage de cuisson	Temps en minutes (égouttés)	Temps en minutes (non égouttés)	Remarques
213 mL (7.5 oz)	80% (reheat)	1$^1/_2$ - 2	2 - 2$^1/_2$	Indépendamment de la quantité, utiliser une casserole micro-ondes d'un litre. Couvrir, remuer une fois. Laisser reposer couvert, 2 - 3 minutes avant de servir.
398 mL (14 oz)	80% (reheat)	2$^1/_2$ - 3	3 - 4	
540 mL (19 oz)	80% (reheat)	4 - 5	5 - 6	

Vous pouvez utiliser la sonde de température. Réglez la cuisson à 80% (reheat), et la sonde à 150°F (66°C). Placez la sonde au centre du plat. Remuez à mi-cuisson.

TABLEAU DE CUISSON — LÉGUMES DÉJÀ PRÉPARÉS

Aliment	Quantité	Réglage de cuisson	Temps en minutes	Ou	Réglage de la sonde de température	Remarques
Farce préparée	170 g (6 oz)	HI (max.)	8			Casserole couverte de 1,5 litre. Suivre les instructions sur le paquet.
Fèves au lard, congelées	170 g (6 oz)	70% (roast)	8 - 10	ou	150°F (66°C)	Casserole couverte de 1,5 litre. Remuer une fois.
Légumes au gratin, congelés	326 g (11½ oz)	70% (roast)	10 - 12	ou	150°F (66°C)	Moule à pain en verre, couvert.
Maïs au gratin, congelé	340 g (12 oz)	70% (roast)	7 - 8	ou	150°F (66°C)	Casserole couverte de 1 litre.
Pois, pois mange-tout, châtaignes, congelés	283 g (10 oz)	HI (max.)	6 7			Mettre le sachet sur une assiette. Entailler. Presser le sachet en pliant 1 fois, pour mélanger.
Pommes de terre: Au gratin, congelées	326 g (11½ oz)	70% (roast)	12			Casserole couverte de papier ciré, de 1,5 litre.
Croquettes, congelées	454 g (16 oz) 908 g (32 oz)	80% (reheat) 80% (reheat)	9 - 10 12 - 14			Plat rond ou oblong de 2 litres. Réarranger une fois.
En crème (mélange)	113 - 142 g (4 - 5 oz)	70% (roast)	20 - 24	ou	150°F (66°C)	
En purée (instantanée)	99 g (3½ oz) (paquet)	HI (max.)	5 - 6			Casserole couverte. Suivre les instructions sur le paquet. Réduire le liquide de 15 mL.
Farcies (congelées)	2	70% (roast)	10 - 12			Plat peu profond. Couvrir de papier ciré.

Note: Quand vous faites cuire des légumes, n'employez la sonde de température qu'après que les légumes ont dégelé. Pour les soufflés congelés, consultez le tableau à la page 89.

Utilisation du tableau de blanchiment

Le four à micro-ondes peut vous être d'une grande utilité dans la préparation des légumes frais pour le congélateur. (Le four n'est pas recommandé pour la mise en conserve).

Certains légumes ne demandent pas du tout d'eau et bien entendu, moins on utilise d'eau, mieux c'est. Vous aurez cette couleur et cette saveur de « frais cueillis » pour vos produits. Voici quelques conseils pour la préparation des légumes pour le blanchiment:

☐ Choisissez des légumes jeunes et tendres.
☐ Nettoyez et préparez pour la cuisson en suivant le tableau de cuisson.
☐ Mesurez les quantités à blanchir; placez par lots, dans une casserole micro-ondes.
☐ Ajoutez de l'eau suivant le tableau.
☐ Couvrez et cuisez à HI (max.) le temps indiqué au tableau.
☐ Remuez les légumes à mi-cuisson.
☐ Laissez les légumes reposer, couvert, 1 minute après la cuisson.
☐ Placez immédiatement les légumes dans l'eau glacée pour arrêter la cuisson. Quand les légumes ont refroidi, étendez sur une serviette pour absorber le surplus d'humidité.
☐ Empaquetez dans des contenants ou des sachets à congélation. Scellez, étiquetez, datez et congelez rapidement.

TABLEAU DE BLANCHIMENT — LÉGUMES

Légumes	Quantité	Eau	Temps approximatif en minutes	Format de la casserole
Asperges, coupées en morceaux de 2,5 cm (1 po)	1 litre (4 tasses)	60 mL (¼ de tasse)	4½	1,5 litre
Brocoli, coupé en morceaux de 2,5 cm (1 po)	450 g (1 lb)	85 mL (⅓ de tasse)	6	1,5 litre
Carottes, tranchées	450 g (1 lb)	85 mL (⅓ de tasse)	6	1,5 litre
Chou-fleur, en fleurettes	1 tête	85 mL (⅓ de tasse)	6	2 litres
Courgettes, en tranches ou en cubes	450 g (1 lb)	60 mL (¼ de tasse)	4	1,5 litre
Épinards, lavés	450 g (1 lb)	non	4	2 litres
Haricots, jaunes ou verts, coupés en bouts de 2,5 cm (1 po)	450 g (1 lb)	125 mL (½ tasse)	5	1,5 litre
Maïs en épis, pelés	6 épis	non	5½	1,5 litre
Maïs en grains	1 litre (4 tasses)	non	4	1,5 litre
Oignons, coupés en quatre	4 moyens	125 mL (½ tasse)	3 - 4½	1 litre
Panais, en cubes	450 g (1 lb)	60 mL (¼ de tasse)	2½ - 4	1,5 litre
Pois, écossés	1 litre (4 tasses)	60 mL (¼ de tasse)	4½	1,5 litre
Pois mange-tout	1 litre (4 tasses)	60 mL (¼ de tasse)	3½	1,5 litre
Rutabagas, en cubes	450 g (1 lb)	60 mL (¼ de tasse)	3 - 4½	1,5 litre

Épinards à l'orientale
CUISSON: 4 à 5 minutes

283	g (10 oz) d'épinards lavés, déchiquetés
1	boîte de 227 mL (8 oz) de châtaignes d'eau, tranchées, égouttées
4	échalotes émincées
30	mL (2 c. à table) d'huile végétale
30	mL (2 c. à table) de vinaigre de vin
30	mL (2 c. à table) de sauce soya
5	mL (1 c. à thé) de sucre

Dans une casserole micro-ondes de deux litres, placer épinards, châtaignes d'eau et échalotes. Cuire couvert, à HI (max.) 3 à 4 minutes ou jusqu'à ce que les épinards soient affaissés. Remuer, mettre de côté, couvert. Dans une mesure de verre de 250 mL (1 tasse) placer huile, vinaigre, sauce soya et sucre. Cuire à HI (max.) 1 minute. Verser sur les épinards, brasser et servir chaud.

4 portions

Chou rouge aigre-doux
CUISSON: 23 à 27 minutes

675	g (1½ lb) de chou rouge
1	pomme sure pelée, évidée et coupée en dés
15	mL (1 c. à table) de beurre ou de margarine
75	mL (5 c. à table) de vinaigre de vin rouge
5	mL (1 c. à thé) de sel
45	mL (3 c. à table) de sucre

Émincer le chou dans une casserole micro-ondes de 3 litres. Ajouter pomme, beurre et vinaigre. Remuer. Cuire couvert à HI (max.) 18 à 22 minutes ou jusqu'à ce que les pommes et le chou soient tendres. Remuer deux fois pendant la cuisson. Incorporer sel et sucre. Cuire couvert à HI (max.) 5 minutes ou jusqu'à ce que le liquide vienne à ébullition.

6 portions

Pommes de terre farcies

CUISSON: 16 à 20 minutes

4	pommes de terre de 113 à 142 g (4 à 5 oz) chacune
125	mL (¹/₂ tasse) de beurre ou margarine, coupé
125	mL (¹/₂ tasse) de crème sure
2	mL (¹/₂ c. à thé) de sel
	Poivre
	Paprika

Piquer les pommes de terre et les placer en cercle, à 2,5 cm de distance, sur un papier absorbant, dans le four. Cuire à HI (max.) 12 à 16 minutes. Les pommes de terre peuvent sembler fermes, laisser reposer pour amollir: ne pas trop cuire pour éviter qu'elles se déshydratent. Fendre le dessus dans le sens de la longueur et à l'aide d'une cuillère, retirer la pulpe et la mettre dans un bol. (Garder les pelures intactes). Ajouter la crème sure, sel et poivre à la pulpe et battre vigoureusement jusqu'à ce que lisse. Répartir la purée dans les pelures en faisant un monticule si nécessaire. Placer les pommes de terre en cercle sur une assiette micro-ondes. Cuire à HI (max.) 4 minutes. Saupoudrer de paprika.

4 portions

Haricots verts à l'italienne

CUISSON: 15 à 17 minutes

3	tranches de bacon
2	paquets de 283 g (10 oz) chacun de haricots verts congelés
60	mL (¹/₄ de tasse) d'eau
1	petit oignon en tranches épaisses
185	mL (³/₄ de tasse) de vinaigrette italienne

Cuire le bacon selon les instructions à la page 61. Placer les haricots verts et l'eau dans une casserole micro-ondes de 1,5 litre. Cuire, couvert, à HI (max.) 9 à 10 minutes ou jusqu'à ce qu'ils soient presque tendres, en remuant une fois à mi-cuisson. Ajouter oignon et vinaigrette italienne. Cuire, couvert, à HI (max.) 3 à 4 minutes ou jusqu'à ce que les haricots soient tendres et l'oignon transparent. Parsemer avec le bacon cuit émietté.

6 portions

Carottes au miel

CUISSON: 13 à 14 minutes

6	carottes tranchées ou 1 paquet de 283 g (10 oz) de carottes tranchées congelées
60	mL (¹/₄ de tasse) de beurre ou de margarine
30	mL (2 c. à table) de miel
	Sel

Cuire les carottes suivant le tableau à la page 103. Mettre de côté. Placer le beurre dans une casserole micro-ondes de 1,6 à 2 litres. Cuire, couvert, à HI (max.) 1 minute ou jusqu'à ce que le beurre soit fondu. Ajouter le miel. Cuire, couvert, à HI (max.) 1 minute. Incorporer en remuant les carottes cuites. Cuire à HI (max.) 2 minutes. Assaisonner au goût.

4 portions

Pois Francine

CUISSON: 9 à 10 minutes

Dans une casserole micro-ondes de 1,5 litre, placer pois, eau et sucre. Remuer. Cuire couvert à HI (max.) 4 minutes. Remuer et couvrir le dessus en faisant chevaucher les feuilles de laitue. Cuire couvert à HI (max.) 5 à 6 minutes ou jusqu'à tendredé. Enlever et jeter les feuilles de laitue, égoutter les pois. Saler, poivrer. Couvrir et laisser reposer 2 à 3 minutes avant de servir.

4 portions

500	mL (2 tasses) de pois frais écossés
60	mL (¹/₄ de tasse) d'eau
5	mL (1 c. à thé) de sucre
3 - 4	grandes feuilles de laitue Poivre et sel

Champignons sautés

CUISSON: 4 à 5 minutes

Nettoyer et trancher les champignons. Mettre dans un plat micro-ondes de 20 cm. Ajouter ail et beurre. Couvrir de papier ciré et cuire, à 90% (sauté), 4 à 5 minutes en remuant une fois à mi-cuisson.

2 à 4 portions

227	g (8 oz) de champignons
1	gousse d'ail émincé
60	mL (¹/₄ de tasse) de beurre ou de margarine

Servez avec le rôti de bœuf ou le steak ou en surprise avec n'importe quel repas. Les champignons sautés font aussi un excellent repas principal, servis sur des rôties et saupoudrés de fromage parmesan.

Ratatouille

CUISSON: 22 à 24 minutes

Mettre l'aubergine sur un gril micro-ondes, bien la percer avec une fourchette. Cuire à HI (max.) 7 minutes. Mettre de côté pour refroidir. Dans une casserole micro-ondes de 2,5 litres, combiner huile d'olive, ail et oignon. Cuire couvert à HI (max.) 4 minutes ou jusqu'à ce que les oignons soient fondus. Incorporer courgettes et poivrons verts. Peler l'aubergine, la couper en cubes de 3 cm, (environ 500 mL). Ajouter aux courgettes, bien remuer. Cuire, couvert, à HI (max.) 5 minutes. Incorporer tomates, basilic, sel, thym et poivre. Cuire, découvert, à HI (max.) 6 à 8 minutes ou jusqu'à ce que les légumes soient tendres. Saupoudrer de fromage parmesan.

6 à 8 portions

1	aubergine de 675 g (1¹/₂ lb)
60	mL (¹/₄ de tasse) d'huile d'olive
2	gousses d'ail émincé
1	oignon moyen tranché
3	courgettes moyennes tranchées, 450 g, environ 750 mL (1 lb, environ 3 tasses)
1	poivron vert coupé en lanières
4	tomates fermes, hachées
5	mL (1 c. à thé) de basilic
5	mL (1 c. à thé) de sel
1	pincée de thym émietté
1	mL (¹/₄ de c. à thé) de poivre
60	mL (¹/₄ de tasse) de persil frais haché
30	mL (2 c. à table) de fromage parmesan râpé

C'est un enchantement de faire des sauces au four à micro-ondes. Elles ne collent pas, ne brûlent pas comme elles peuvent le faire sur une cuisinière conventionnelle. Elles ne prennent plus au fond et demandent moins d'attention et de temps. Plus besoin de tourner la sauce constamment ou d'employer un bain-marie. Il suffit de remuer de temps en temps pour empêcher les grumeaux de se former, et de battre légèrement après la cuisson pour réussir une sauce veloutée. Vous pouvez mesurer, mélanger et cuire, tout cela dans le même contenant ou directement dans la saucière. Une sauce micro-ondes fait d'un plat ordinaire un mets de fête.

Les sauces sont si faciles! Les étapes pour la sauce Béchamel sont illustrées ici.

Sauce Béchamel de base

CUISSON: 6³/₄ à 7³/₄ minutes

Dans une mesure de verre de 500 mL, faire chauffer le lait, à 70% (roast) 2 minutes. Mettre de côté. Dans une mesure de verre de 500 mL, faire fondre le beurre à HI (max.) 45 secondes. Incorporer la farine, cuire, à HI (max.), 1 minute. Incorporer vivement lait chaud, poivre et muscade. Cuire à HI (max.) 3 à 4 minutes ou jusqu'à ébullition, en remuant une fois pendant la cuisson. Laisser reposer 5 minutes avant de servir. Mettre sur du brocoli ou du chou-fleur cuit ou utiliser comme base pour d'autres sauces.

250 mL (1 tasse)

250	mL (1 tasse) de lait
30	mL (2 c. à table) de beurre ou de margarine
30	mL (2 c. à table) de farine
	Un soupçon de poivre blanc
	Un soupçon de muscade

Adaptez vos recettes

Toutes les sauces généralement réservées aux experts sont faciles à réussir au four à micro-ondes. Quand vous cherchez une recette de sauce semblable à la recette conventionnelle que vous voulez adapter, repérez une recette avec la même quantité de liquide et le même ingrédient de liaison principal tel que fécule de maïs, farine, œuf, fromage ou gelée. Lisez attentivement les instructions pour déterminer le procédé, le temps et le réglage d'intensité. Puis, quand vous remuez, vérifiez comment se comporte la sauce et retirez-la quand elle a atteint la consistance désirée. Prenez des notes qui vous aideront la prochaine fois. Les trucs suivants vous seront utiles:

☐ Employez un contenant micro-ondes environ deux fois plus grand que le volume des ingrédients pour empêcher que la sauce ne déborde — ce qui peut facilement arriver avec les sauces à base de lait ou de crème.
☐ Les sauces et les sauces à salade avec des ingrédients moins sensibles à une grande chaleur peuvent cuire à HI (max.). La sauce Béchamel et le beurre au citron en sont des exemples.
☐ Amenez les préparations liées avec farine ou fécule à ébullition et retirez aussitôt épaissies. Notez que trop cuire une sauce détruit l'agent liant et fait éclaircir la sauce.
☐ Vous remarquerez que pour épaissir les sauces, on a besoin de plus de farine ou de fécule dans la cuisson micro-ondes que dans la cuisson conventionnelle puisqu'il y a moins d'évaporation.
☐ Il suffit de remuer vivement deux ou trois fois pour assurer une cuisson égale. Remuer trop souvent peut ralentir la cuisson.
☐ Si vous utilisez la sonde pour réchauffer les sauces, réglez-la à 125°F (52°C) pour les sauces sucrées et à 150°F (66°C) pour les autres sauces ou les sauces à spaghetti en boîte.
☐ Si une sauce contient des œufs qui peuvent coaguler ou que sa saveur prend du temps à se développer, on devrait la faire cuire lentement, à 50% (simmer), ou même à 30% (defrost). Les jaunes d'œufs sont délicats, il ne faut pas les laisser bouillir.
☐ Vous pouvez créer votre propre sauce Béchamel de base en lui ajoutant à votre goût: fromage, champignons cuits, oignons cuits, épices, pâte de tomates, raifort, herbes fraîches, etc.

Sauce chaude au fenouil
CUISSON: 3¹/₂ à 4¹/₂ minutes

125	mL (¹/₂ tasse) de beurre ou margarine
30	mL (2 c. à table) de farine
5	mL (1 c. à thé) de bouillon de poulet, en poudre
2	mL (¹/₂ c. à thé) de fenouil frais
2	mL (¹/₂ c. à thé) de sel
250	mL (1 tasse) de bouillon de poulet
30	mL (2 c. à table) de jus de citron

Dans une mesure de verre de 500 mL (2 tasses), faire fondre le beurre à HI (max.) environ 1¹/₂ minute. Incorporer farine, poudre de bouillon et sel. Incorporer vivement le bouillon jusqu'à mélange parfait. Cuire à HI (max.) 2 à 3 minutes, ou jusqu'à ce que la sauce bouille et épaississe, en remuant deux fois pendant la cuisson. Incorporer le jus de citron. Servir avec les darnes de saumon grillées ou pochées.

375 mL (1¹/₂ tasse)

Beurre clarifié

CUISSON: 1¹/₂ à 2¹/₂ minutes

Dans une mesure de verre de 500 mL (2 tasses), faire fondre le beurre lentement, à 20% (low), 1¹/₂ à 2¹/₂ minutes, ou jusqu'à ce qu'il soit complètement fondu et que l'huile commence à se séparer, sans bouillonner. Laisser le beurre reposer quelques minutes, écumer. Verser lentement cette huile jaune et mettre de côté; c'est le beurre clarifié. Jeter les impuretés qui restent. Utiliser ce beurre pour y saucer les moules, les pattes de crabe, le homard et les crevettes.

250 mL (1 tasse) de beurre

85 mL (¹/₃ de tasse)

Sauce béarnaise

CUISSON: 1 à 2 minutes

Dans le contenant du mélangeur, placer jaunes d'œufs, vinaigre, oignon, cerfeuil et poivre. Dans une mesure de verre de 250 mL (1 tasse), faire chauffer le beurre à HI (max.) 1 à 2 minutes ou jusqu'à ce qu'il bouillonne. Partir le mélangeur à haute vitesse et ajouter graduellement le beurre par l'ouverture du couvercle. Continuer jusqu'à ce que la sauce soit épaisse et crémeuse. Ajouter le persil et servir chaud sur le steak grillé, les légumes verts, les œufs pochés ou le poisson.

4 jaunes d'œufs
10 mL (2 c. à thé) de vinaigre d'estragon
5 mL (1 c. à thé) de flocons d'oignon séché
2 mL (¹/₂ c. à thé) de cerfeuil
  Poivre blanc
125 mL (¹/₂ tasse) de beurre
5 mL (1 c. à thé) de persil frais haché

125 mL (¹/₂ tasse)

Beurre au citron

CUISSON: 1¹/₂ à 2 minutes

Combiner tous les ingrédients dans une mesure de verre de 500 mL (2 tasses). Cuire, découvert, à HI (max.) 1¹/₂ à 2 minutes ou jusqu'à ce que ce soit chaud et que le beurre soit fondu. Remuer. Servir immédiatement avec les fruits de mer, les légumes verts chauds.

30 mL (2 c. à table) de jus de citron
125 mL (¹/₂ tasse) de beurre ou margarine
  Sel
  Poivre blanc

165 mL (²/₃ de tasse)

Sauce au jus

CUISSON: 3 à 4 minutes

Verser le jus de viande dans une mesure de verre d'un litre. Bien incorporer la farine. Ajouter le liquide et remuer vivement pour bien mélanger. Cuire à HI (max.) 3 à 4 minutes ou jusqu'à ébullition, en remuant plusieurs fois pendant la cuisson. Saler, poivrer. Battre jusqu'à consistance lisse. Servir chaud avec la viande, les pommes de terre ou la farce.

60 mL (¹/₄ de tasse) de jus de rôti ou de volaille, presque complètement dégraissé
60 mL (¹/₄ de tasse) de farine
500 mL (2 tasses) de liquide chaud, (bouillon, eau ou jus)
  Poivre et sel

625 mL (2¹/₂ tasses)

Sauce barbecue piquante

CUISSON: 5 minutes

1 boîte de 213 mL (7¹/₂ oz)
   de sauce tomate
60 mL (¹/₄ de tasse) de
   vinaigre de vin
30 mL (2 c. à table) de
   cassonade
30 mL (2 c. à table) de
   moutarde préparée
15 mL (1 c. à table) de sauce
   Worcestershire
15 mL (1 c. à table) de
   flocons d'oignon séché
 1 mL (¹/₄ de c. à thé) de sel
 5 mL (1 c. à thé) de graines
   de céleri
 1 gousse d'ail émincé
   (optionnel)
   Quelques gouttes de
   sauce Tabasco

Mélanger tous les ingrédients dans une mesure de verre de 1 litre. Couvrir de pellicule plastique, cuire à HI (max.) 5 minutes, en remuant une fois. Remuer et laisser reposer 5 minutes. Servir avec les côtelettes de porc fermière (page 67) ou le poulet.

335 mL (1¹/₃ de tasse)

Cette sauce peut servir de marinade avant la cuisson, pour rehausser la saveur des côtes levées, du porc, du poulet et de l'agneau. Réfrigérez les viandes marinées de 2 à 24 heures.

Vinaigrette française du chef

CUISSON: 8 à 10 minutes

125 mL (¹/₂ tasse) de jus de
    citron
 60 mL (¹/₄ de tasse) de
    vinaigre de vin
  1 petit oignon tranché
  1 gousse d'ail tranché
185 mL (³/₄ de tasse) de sucre
 30 mL (2 c. à table) de sirop
    de maïs
125 mL (¹/₂ tasse) d'eau
125 mL (¹/₂ tasse) de ketchup
250 mL (1 tasse) d'huile
    végétale
  5 mL (1 c. à thé) de sel
  5 mL (1 c. à thé) de paprika
  5 mL (1 c. à thé) de sel au
    céleri
  5 mL (1 c. à thé) de
    moutarde sèche

Mélanger dans un petit bol jus de citron, vinaigre, oignon et ail. Mettre de côté pendant la préparation des autres ingrédients. Dans une mesure de verre de 1 litre, faire bouillir sucre, sirop et eau, à HI (max.), 8 à 10 minutes ou jusqu'à formation d'une boule molle dans l'eau froide. Refroidir le sirop. Couler le mélange de citron-vinaigre et ajouter au sirop. Jeter ail et oignon. Ajouter tous les autres ingrédients et battre à la main ou au mélangeur électrique jusqu'à ce que ce soit épais. Réfrigérer. En plus de la servir sur la salade verte, employer la vinaigrette pour accompagner vos légumes crus ou blanchis.

625 mL (2¹/₂ tasses)

Sauce caramel

CUISSON: 4¹/₂ à 5¹/₂ minutes

 22 mL (1¹/₂ c. à table) de
    fécule de maïs
310 mL (1¹/₄ de tasse) de
    cassonade, tassée
125 mL (¹/₂ tasse) de crème
    légère
 30 mL (2 c. à table) de sirop
    de maïs
    Sel
 60 mL (¹/₄ de tasse) de
    beurre ou margarine
  5 mL (1 c. à thé) de vanille

Dans une casserole micro-ondes de 1,5 litre, mélanger fécule de maïs et cassonade. Incorporer crème, sirop de maïs, sel; ajouter le beurre. Cuire, couvert, à HI (max.) 4¹/₂ à 5¹/₂ minutes en remuant après 2 minutes, ou jusqu'à ce que le sucre soit dissous et la sauce épaissie. Ajouter la vanille et remuer. Servir chaud ou froid, sur la crème glacée ou le gâteau.

375 mL (1¹/₂ tasse)

Accueillez votre famille et vos amis avec l'odeur alléchante du pain chaud, des brioches, des muffins et des gâteaux. Vous pouvez compter sur la cuisson rapide de votre four à micro-ondes pour préparer un déjeuner surprise ou une collation. Le pain cuit au four à micro-ondes a une texture et une saveur parfaites, mais il ne dore pas et ne forme pas de croûte. Il n'y a pas d'air chaud pour faire sécher la surface comme dans la cuisson conventionnelle. Si vous aimez votre pain doré, employez des farines foncées, de la mélasse et des épices pour de meilleurs résultats. Le pain cuit au four à micro-ondes a la propriété de lever plus haut que le pain cuit au four conventionnel, parce qu'il ne se forme pas de croûte. Avec un peu d'attention et de pratique, vous réussirez bientôt à agrémenter vos menus de muffins, brioches et pains maison.

Les pains, tel le pain aux courgettes et aux noix (page 116), et les gâteaux sont vérifiés quant à la cuisson comme dans la méthode conventionnelle (en haut, à gauche). Les ramequins disposés en cercle, peuvent être utilisés pour faire cuire les muffins (ci-dessus). Le pain lève rapidement. Une tasse d'eau aide à fournir de l'humidité (à gauche).

Adaptez vos recettes

Quand vous adaptez des recettes de pâtes éclair, vous devez réduire la quantité de levain (bicarbonate de soude ou poudre à pâte) d'un quart environ de la quantité normale. Si vous employez trop de levain pour vos petits pains et vos muffins, ils vous laisseront un arrière-goût amer. Comme les aliments lèvent plus haut dans le four à micro-ondes, vous n'aurez pas de diminution de volume en réduisant la quantité de bicarbonate de soude ou de soda à pâte. Si une recette contient du lait de beurre ou de la crème sure, ne changez pas la quantité de bicarbonate de soude puisqu'il ne sert pas seulement pour faire lever mais aussi pour neutraliser le goût sur. Si vous utilisez une préparation et que vous ne pouvez pas réduire la quantité de levain, laissez la pâte reposer 10 minutes avant de la faire cuire, ainsi une partie des gaz s'échappera. Les pâtes à la levure n'ont pas besoin d'être modifiées mais elles auront une cuisson plus égale si vous les faites cuire dans un moule en anneau plutôt que dans un moule à pain conventionnel. Observez les conseils suivants:

- ☐ Puisque les pains lèvent plus haut que dans le four conventionnel, utilisez des moules à pain plus grands pour contenir le volume.
- ☐ Ne remplissez qu'à la moitié les moules de papier dans les plats à muffins parce que les muffins lèvent plus haut dans le four à micro-ondes.
- ☐ Vous pouvez préparer vous-même, à l'avance, vos pains et petits pains prêts à dorer dans votre four à micro-ondes. Vous n'aurez qu'à les faire dorer dans votre four conventionnel avant de les servir.
- ☐ Les pains et petits pains ne devraient être réchauffés que pour être tièdes au toucher. Trop chauffer ou trop cuire rend le pain dur et caoutchouteux.
- ☐ Faites chauffer les tranches de pain sur du papier pour absorber le surplus d'humidité. Vous pouvez aussi réchauffer les pains et petits pains sur un gril micro-ondes ou encore dans un panier chemisé de papier et les servir ainsi.
- ☐ Pour que les pains à la levure faits au four à micro-ondes soient plus appétissants, choisissez des recettes avec des farines colorées.
- ☐ Pour préparer de la pâte à la levure, utilisez une mesure de verre et la sonde de température réglée à 120°F (49°C) pour chauffer le liquide et le gras.
- ☐ Si vous avez une recette favorite de pain à la levure à essayer, suivez les instructions pour le pain en anneau au seigle et au cumin, à la page 118.

Grands-pères au bouillon

CUISSON: 17 à 19 minutes

250	mL (1 tasse) de farine
7	mL (1½ c. à thé) de poudre à pâte
2	mL (½ c. à thé) de sel
45	mL (3 c. à table) de graisse
15	mL (1 c. à table) de persil frais haché
165	mL (⅔ de tasse) de lait
625	mL (2½ tasses) de bouillon de poulet, de bœuf ou de jus de légumes

Mesurer farine, poudre à pâte et sel dans un bol à mélanger. Incorporer la graisse en coupant pour obtenir une texture grossière. Ajouter le persil. Incorporer le lait pour humecter; il ne faut pas que la pâte soit lisse. Verser le bouillon dans une casserole de 1,5 litre. Cuire à HI (max.) 6 à 8 minutes ou jusqu'à ébullition. Jeter la pâte par cuillerées dans le liquide bouillant. Cuire, découvert, à HI (max.) 6 minutes. Cuire, couvert, à HI (max.) 5 minutes ou jusqu'à ce que les grands-pères soient fermes. Mettre sur un plat de service à l'aide d'une cuillère trouée.

16 grands-pères

TABLEAU DE CUISSON/RÉCHAUFFAGE/DÉCONGÉLATION — PAINS/BRIOCHES/PÂTES SUCRÉES/DÉJÀ PRÊTS

Aliment	Quantité	Réglage de cuisson	Temps	Remarques
Pains à hamburgers, pains à hot dogs, congelés	450 g (1 lb)	30% (defrost)	3½ - 4½ minutes	Utiliser l'emballage s'il est micro-ondes, une assiette de carton ou du papier. Placer sur le gril micro-ondes, retourner après 2 minutes.
Température ambiante:	1	80% (reheat)	5 - 10 secondes	
	2	80% (reheat)	10 - 15 secondes	
	4	80% (reheat)	15 - 20 secondes	
	6	80% (reheat)	20 - 25 secondes	
Beignes, brioches, muffins	1	80% (reheat)	10 - 15 secondes	Placer sur une assiette de carton ou un papier. Ajouter 15 secondes s'ils sont congelés.
	2	80% (reheat)	20 - 25 secondes	
	4	80% (reheat)	35 - 40 secondes	
	6	80% (reheat)	45 - 50 secondes	
Gâteau à café, entier, congelé	283 - 368 g (10 - 13 oz)	80% (reheat)	1½ - 2 minutes	Placer sur une assiette de carton ou un papier.
Température ambiante	283 - 368 g (10 - 13 oz)	80% (reheat)	1 - 1½ minute	
Pain français, congelé	450 g (1 lb)	80% (reheat)	1½ - 2 minutes	Placer sur une assiette de carton ou un papier.
Température ambiante	450 g (1 lb)	80% (reheat)	20 - 30 secondes	
Muffins anglais, gaufres, congelés	2	HI (max.)	30 - 45 secondes	Placer sur du papier. Rôtir au grille-pain après la décongélation si désiré.
Mélange pour pain de maïs	425 g (15 oz)	50% (simmer) HI (max.)	10 minutes 3 - 4 minutes	Utiliser un moule rond de 22,5 cm ou des coupes doublées de papier ou moule à muffins micro. Tourner le plat au besoin. Laisser reposer 5 minutes avant de servir.
Mélange pour pain aux noix	6 muffins 425 - 482 g (15 - 17 oz)	HI (max.) HI (max.)	2 - 3 minutes 15 minutes	Laisser reposer 2 minutes avant de servir. Utiliser un plat de 1,5 litre avec un verre. Laisser reposer 5 minutes avant de servir.
Mélange pour muffins aux bleuets	4 muffins 6 muffins	HI (max.) HI (max.)	1¼ - 1½ minute 2 - 3 minutes	Utiliser des coupes doublées de papier ou des moules à muffins micro-ondes. Laisser reposer 2 minutes avant de servir.
Pain, congelé	1 tranche	30% (defrost)	15 - 20 secondes	Placer sur assiette de carton ou papier. Laisser reposer 5 minutes avant de servir.
	1 pain de 450 g (1 lb)	30% (defrost)	2 - 3 minutes	Dans le sac de plastique, enlever l'attache. Laisser reposer 5 minutes avant de servir.
Mélange pour gâteau à café	539 g (19 oz)	50% (simmer) HI (max.)	10 minutes 5-6 minutes	Utiliser un moule rond de 22,5 cm. Tourner au besoin. Laisser reposer 5 minutes, servir.

Couronne aux raisins et aux noix

CUISSON: 9 à 12 minutes

Faire fondre le beurre dans un plat de verre rond de 20 cm, à HI (max.) 1 minute. Incorporer cassonade et sirop de maïs. Étendre dans le plat, parsemer uniformément de noix et de raisins. Cuire à HI (max.) 1 minute. Placer un petit verre au centre du plat et mettre les biscuits autour sur le mélange de cassonade. Cuire, à 50% (simmer), 7 à 10 minutes ou jusqu'à ce que les biscuits ne soient plus pâteux. Si la couronne ne semble pas lever également, tourner le plat. Retirer le verre et démouler la couronne sur une assiette en laissant le sirop couler sur les côtés. Laisser reposer 2 à 3 minutes avant de servir.

10 portions

45 mL (3 c. à table) de beurre ou margarine
85 mL (⅓ de tasse) de cassonade
30 mL (2 c. à table) de sirop de maïs
125 mL (½ tasse) de noix hachées
60 mL (¼ de tasse) de raisins
1 rouleau de 283 g (10 oz) de biscuits au lait de beurre, réfrigérés

Pain aux courgettes et aux noix

250 mL (1 tasse) de sucre, divisé
10 mL (2 c. à thé) de cannelle
2 œufs
125 mL (1/2 tasse) d'huile végétale
125 mL (1/2 tasse) de yogourt
5 mL (1 c. à thé) de vanille
250 mL (1 tasse) de courgettes râpées
5 mL (1 c. à thé) de bicarbonate de soude
5 mL (1 c. à thé) de sel
165 mL (2/3 de tasse) de noix hachées
435 mL (1 3/4 tasse) de farine

CUISSON: 15 minutes

Graisser un moule micro-ondes en anneau de 1,5 litre. Saupoudrer avec un mélange de 10 mL (2 c. à thé) de cannelle et 10 mL (2 c. à thé) de sucre. Remuer pour étendre également, enlever le surplus. Battre ensemble œufs, reste du sucre, huile, yogourt, vanille et courgettes. Incorporer les autres ingrédients et bien mélanger. Verser dans le moule préparé. Cuire, à 70% (roast), 15 minutes ou jusqu'à ce qu'un cure-dents inséré au centre ressorte sec. Tourner le plat si le pain ne semble pas lever également. Laisser reposer 10 minutes avant de démouler. Refroidir complètement avant de trancher.

12 à 18 portions

1 œuf
250 mL (1 tasse) de lait de beurre
310 mL (1 1/4 tasse) de farine
185 mL (3/4 de tasse) de cassonade, tassée
5 mL (1 c. à thé) de bicarbonate de soude
1 mL (1/4 de c. à thé) de sel
250 mL (1 tasse) de céréales de son aux raisins
60 mL (1/4 de tasse) d'huile végétale
60 mL (1/4 de tasse) de noix hachées (optionnel)

Muffins au son et aux raisins

CUISSON: 6 à 9 minutes

Dans un petit bol à mélanger, battre œuf et lait de beurre. Incorporer tous les autres ingrédients en remuant bien. Répartir de la pâte dans 6 coupes à dessert doublées de moules de papier ou dans un moule à muffins micro-ondes: remplir à la moitié environ. Cuire 6 muffins à la fois, à HI (max.) 2 à 3 minutes ou jusqu'à ce qu'ils ne soient plus pâteux. Recommencer deux fois.

18 muffins

2 œufs
165 mL (2/3 de tasse) de cassonade, tassée
125 mL (1/2 tasse) d'huile végétale
125 mL (1/2 tasse) de lait de beurre ou de lait sur
250 mL (1 tasse) de farine
165 mL (2/3 de tasse) de gruau d'avoine à cuisson rapide
5 mL (1 c. à thé) de poudre à pâte
2 mL (1/2 c. à thé) de bicarbonate de soude
2 mL (1/2 c. à thé) de sel

Garniture:

20 à 25 mL (4 à 5 c. à thé) de cassonade
45 mL (3 c. à table) de noix hachées
Muscade

Muffins au gruau

CUISSON: 6 à 9 minutes

Dans un petit bol à mélanger, battre les œufs, puis la cassonade, l'huile et le lait de beurre. Incorporer, juste pour les humecter, tous les autres ingrédients, sauf ceux de la garniture. Verser de la pâte dans 6 coupes à dessert doublées de moules de papier ou dans un moule à muffins micro-ondes; remplir à la moitié environ. Garnir chacun avec environ 1 mL (1/4 de c. à thé) de cassonade, 2 mL (1/2 c. à thé) de noix et un soupçon de muscade. Cuire à HI (max.) 2 à 3 minutes ou jusqu'à ce que les muffins ne soient plus pâteux. Recommencer deux fois. (La pâte se conserve une semaine au réfrigérateur. Laisser revenir à la température de la pièce et cuire tel qu'indiqué.)

18 muffins

Pain aux bananes et aux dattes

CUISSON: 16¹/₂ minutes

Dans un grand bol à mélanger en verre, faire fondre le beurre à HI (max.) 1¹/₂ minute. Avec le malaxeur électrique incorporer graduellement tous les autres ingrédients sauf les dattes. Une fois le mélange lisse, incorporer les dattes. Graisser un moule en anneau micro-ondes ou une casserole de verre de 2 litres et placer un verre droit au centre. Verser la pâte autour du verre. Cuire, à 70% (roast), 15 minutes ou jusqu'à ce qu'un cure-dents inséré au centre ressorte sec. Tourner le plat si le pain ne semble pas lever également. Laisser reposer 10 minutes avant de retirer le verre et de retourner le moule sur une grille. Laisser refroidir avant de trancher.

8 à 10 portions

125	mL (¹/₂ tasse) de beurre ou margarine
125	mL (¹/₂ tasse) de cassonade
2	œufs
500	mL (2 tasses) de bananes mûres tranchées (2 moyennes)
500	mL (2 tasses) de farine
2	mL (¹/₂ c. à thé) de bicarbonate de soude
5	mL (1 c. à thé) de poudre à pâte
2	mL (¹/₂ c. à thé) de sel
5	mL (1 c. à thé) de cannelle
125	mL (¹/₂ tasse) de dattes hachées

Brioches au caramel et aux noix

CUISSON: 3¹/₂ à 4 minutes

Dans un moule de verre rond de 20 cm, combiner beurre, cassonade, eau et cannelle. Cuire à HI (max.) 1 minute. Remuer dès que le beurre est fondu et incorporer les noix. Séparer les biscuits en dix et couper chacun en quatre. Les mettre dans le mélange de sucre brun et bien remuer pour enrober chaque morceau. Pousser les biscuits vers l'extérieur du plat et placer une coupe en verre au centre. Cuire à HI (max.) 2¹/₂ à 3 minutes. Retirer la coupe et laisser reposer les brioches 2 minutes avant de séparer les sections. Servir chaud.

6 portions

45	mL (3 c. à table) de beurre ou margarine
85	mL (¹/₃ de tasse) de cassonade
15	mL (1 c. à table) d'eau
5	mL (1 c. à thé) de cannelle
85	mL (¹/₃ de tasse) de noix hachées
1	boîte de 283 g (10 oz) de biscuits réfrigérés

Pain à l'ail et au parmesan

CUISSON: 1 à 2 minutes

Mélanger beurre et ail. Couper le pain en tranches de 2,5 cm d'épaisseur, sans couper la croûte du fond. Étendre le beurre à l'ail sur les tranches puis saupoudrer de fromage et de paprika. Placer le pain sur un gril micro-ondes ou sur du papier absorbant. Cuire à HI (max.) 1 à 2 minutes ou jusqu'à ce que le pain soit bien réchauffé.

12 portions

125	mL (¹/₂ tasse) de beurre ou de margarine, amolli
2	ou 3 gousses d'ail émincé
1	pain français ou italien de 450 g (16 oz)
125	mL (¹/₂ tasse) de fromage parmesan, râpé
	Paprika

Pain en anneau au seigle et au cumin

CUISSON: 33$^1/_2$ à 34$^1/_2$ minutes

Dans un grand bol à mélanger, combiner 375 mL (1$^1/_2$ tasse) de farine tout usage avec la farine de seigle, levure, sucre, sel et graines de cumin. Dans une mesure de 500 mL (2 tasses), faire chauffer eau et 30 mL (2 c. à table) de beurre, avec la sonde réglée à 120°F (49°C). Verser dans le mélange de farine, ajouter la mélasse et battre jusqu'à ce que lisse. Ajouter graduellement le reste de farine pour obtenir une pâte ferme. Pétrir jusqu'à ce que luisant et lisse, environ 5 minutes. Placer la pâte dans un bol de verre graissé, retourner la pâte pour graisser le dessus. Placer 250 mL (1 tasse) d'eau dans une mesure de 500 mL (2 tasses) et amener à ébullition à HI (max.) 3 minutes. Mettre la pâte dans le four à côté de l'eau bouillante. Régler l'intensité à 10% (warm) pour 10 minutes. Laisser la pâte encore 20 minutes dans le four ou jusqu'à ce qu'elle double de volume. Mettre la pâte sur une surface enfarinée et l'abaisser à la main en rectangle de 10 × 20 cm. Rouler sur la longueur et joindre les bouts pour former un anneau. Graisser un moule micro-ondes de 2,5 litres, en anneau ou genre bundt, et saupoudrer de farine de maïs en secouant pour l'étendre également. Dans une mesure de verre de 250 mL (1 tasse) faire fondre 15 mL (1 c. à table) de beurre, à HI (max.), 30 secondes. Placer l'anneau de pâte dans le moule, badigeonner le dessus de beurre fondu. Faire chauffer l'eau de nouveau à HI (max.) 3 minutes. Placer le pain à côté dans le four. Régler l'intensité à 10% (warm) pour 10 minutes. Laisser le pain dans le four encore 20 minutes ou jusqu'à ce qu'il double de volume. Retirer l'eau et cuire à HI (max.) 6 à 7 minutes ou jusqu'à ce que le pain remonte quand on le touche, que les bords se détachent du moule et que le dessus ne soit plus pâteux. Démouler sur une grille, refroidir avant de trancher.

8 à 10 portions

625	à 750 mL (2$^1/_2$ à 3 tasses) de farine tout usage, divisée
185	mL ($^3/_4$ de tasse) de farine de seigle
1	paquet de 8 g ($^1/_4$ d'oz) de levure sèche active
30	mL (2 c. à table) de cassonade
2	mL ($^1/_2$ c. à thé) de sel
10	mL (2 c. à thé) de graines de cumin
250	mL (1 tasse) d'eau
45	mL (3 c. à table) de beurre, divisé
45	mL (3 c. à table) de mélasse
30	mL (2 c. à table) de farine de maïs

Pain de maïs

CUISSON: 12 à 14 minutes

Mélanger les ingrédients secs dans un grand bol. Dans un petit bol, combiner les autres ingrédients et ajouter aux ingrédients secs en remuant jusqu'à ce que ce soit lisse. Verser dans un plat de verre de 20 cm. Cuire, à 50% (simmer), 10 minutes. Cuire à HI (max.) 2 à 4 minutes ou jusqu'à ce qu'un cure-dents inséré au centre ressorte sec. Laisser reposer 5 minutes avant de servir.

8 portions

250	mL (1 tasse) de farine tout usage
250	mL (1 tasse) de farine de maïs
45	mL (3 c. à table) de sucre
2	mL ($^1/_2$ c. à thé) de sel
5	mL (1 c. à thé) de poudre à pâte
2	mL ($^1/_2$ c. à thé) de bicarbonate de soude
250	mL (1 tasse) de lait de beurre ou de yogourt
30	mL (2 c. à table) d'huile végétale
2	œufs battus légèrement

Les desserts peuvent transformer un repas simple en festin. De la simple pomme au four jusqu'au moelleux gâteau au chocolat, ils sont le couronnement de tout repas. Voici quelques desserts de famille favoris, des desserts élaborés pour les réceptions et des gourmandises pour gâter les vôtres. Tous sont faciles et rapides à confectionner dans votre four à micro-ondes. En un rien de temps, les gâteaux lèveront sous vos yeux, les crèmes seront épaisses et onctueuses, les garnitures de tartes cuiront à point. En un tournemain vous faites de délicieux carrés et bouchées, et si vous n'avez jamais osé faire des bonbons à la maison, c'est le temps de vous lancer! Pas d'échec possible si vous les faites au four à micro-ondes.

Le colorant jaune ajouté à la pâte à tarte (page 123) améliorera son apparence. Une croûte de tarte aux miettes de biscuits graham ou au chocolat (page 123) remplie de pouding (en haut, à gauche) fait un dessert rapide. Le fudge riche au chocolat (page 126) est facile. On emploie un thermomètre à bonbons dans la première étape (en haut, à droite), puis les autres ingrédients sont ajoutés (ci-dessus, à gauche). Les gâteaux lèvent plus haut au four à micro-ondes. Ne remplissez qu'à moitié les moules à gâteaux (ci-dessus, à droite).

Adaptez vos recettes

Comme c'est facile! Les poudings et les flans peuvent cuire au four sans le bain d'eau habituel et ils n'ont besoin d'être remués que de temps à autre. Les fruits gardent leurs couleurs éclatantes et leur saveur de frais cueillis. Les gâteaux cuisent vite et pourtant leur texture, leur goût et leur hauteur sont supérieurs. Quand vous découvrirez que les bonbons se font sans effort, vous essaierez toutes ces recettes que vous avez toujours rêvé de faire. Les gâteaux et les croûtes de tarte ne brunissent pas parce qu'ils cuisent très·vite. Si vous aimez une surface dorée, il y a plusieurs trucs pour arriver à cet effet. Pour adapter vos recettes de desserts, suivez les instructions d'une recette semblable et les conseils suivants:

☐ Agrémentez vos biscuits et vos gâteaux de glaçages, colorants, garnitures, glaces, noix, cassonade, café, cannelle, muscade, etc.

☐ Vous aurez plus de succès avec les bouchées et les carrés qu'avec les biscuits à la cuillère ou les biscuits tranchés. Les biscuits à la cuillère ont une cuisson inégale. Faites-en peu à la fois et retirez-les aussitôt prêts.

☐ Inventez-vous une plaque à biscuits pratique en recouvrant un carton avec du papier ciré.

☐ Les gâteaux étagés sont généralement cuits un étage à la fois. La cuisson commence habituellement à 50% (simmer) ou 60% (bake) pour les premières 7 minutes puis finit à HI (max.). Si le gâteau ne lève pas également, tournez le plat d'un quart de tour au besoin. Les pâtes denses comme le gâteau aux fruits ou celui aux carottes demandent une cuisson lente et douce. Réglez l'intensité à 30% (defrost) pour avoir de bons résultats.

☐ Faites vos tartes dans des assiettes de verre, vérifiez la cuisson par le fond.

☐ Une croûte de tarte est cuite quand le dessus est légèrement doré et que la surface devient opaque et sèche.

☐ Pour une cuisson uniforme, choisissez des fruits d'égale grosseur, qu'ils soient cuits entiers ou en morceaux: pommes au four ou tarte aux pommes.

☐ Retirez le flan du four quand le centre est presque ferme. Il continuera à cuire et à prendre une fois sorti du four.

☐ Pour éviter les grumeaux, vous devez remuer les poudings une ou deux fois pendant la seconde moitié de la cuisson.

TABLEAU DE CUISSON
MÉLANGES À POUDINGS ET GARNITURES POUR TARTES

Aliment	Quantité	Temps en minutes	Réglage de cuisson	Remarques
Mélange à pouding et garniture pour tarte	92 g (3¹/₄ oz) 156 g (5¹/₂ oz)	6¹/₂ - 7 8 - 10	HI (max.) HI (max.)	Suivre les instructions sur le paquet. Remuer à toutes les 3 minutes. Utiliser une mesure de verre de 1 litre.
Crème anglaise (flan)	85 g (3 oz)	8 - 10	70% (roast)	Suivre les instructions sur le paquet. Remuer à toutes les 3 minutes. Utiliser une mesure de verre de 1 litre.
Tapioca	92 g (3¹/₄ oz)	6 - 7	HI (max.)	Suivre les instructions sur le paquet. Remuer à toutes les 3 minutes. Utiliser une mesure de verre de 1 litre.

TABLEAU DE CUISSON/DÉCONGÉLATION
DESSERTS DÉJÀ PRÉPARÉS

Aliment	Quantité	Réglage de cuisson	Temps	Remarques
Carrés au chocolat, autres carrés, congelés	340 - 368 g (12 - 13 oz)	30% (defrost)	2 - 3 minutes	Dans le plateau d'aluminium de 2 cm, couvercle enlevé. Laisser reposer 5 minutes.
Biscuits, congelés	6	30% (defrost)	50 - 60 secondes	Placer sur assiette de carton ou sur du papier.
Mélange pour gâteau renversé à l'ananas	610 g (21½ oz)	50% (simmer) HI (max.)	3 minutes 4 minutes	Utiliser un plat de verre rond de 22,5 cm. Ôter assez de pâte pour 2 petits gâteaux, cuire à part. Tourner s'il ne lève pas également.
Petits gâteaux, congelés	1 ou 2	30% (defrost)	30 - 60 secondes	Mettre sur une assiette micro-ondes.
Gâteau au fromage, congelé	482 - 539 g (17 - 19 oz)	30% (defrost)	4 - 5 minutes	Transférer sur une assiette. Laisser reposer 1 minute.
Gâteau à la livre (Quatre-quarts) congelé	305 g (10¾ oz)	30% (defrost)	2 minutes	Transférer sur une assiette. Tourner 1 fois. Laisser reposer 5 minutes.
Gâteau, congelé 2 ou 3 étages	482 g (17 oz)	30% (defrost)	2½ - 3 minutes	Transférer sur une assiette. Bien surveiller, le glaçage fond vite. Laisser reposer 5 minutes.
Tarte à la crème, congelée	22,5 cm	70% (roast)	4 - 5½ minutes	Transférer sur une assiette. Le centre devrait être presque pris.
Tarte aux fruits, congelée, non cuite, deux croûtes	22,5 cm	HI (max.)	13 - 15 minutes	Sur une assiette à tarte en verre. Dorer, si désiré à 425°F (218°C) dans le four conventionnel pendant 8 à 10 minutes.
Fruits congelés	283 g (10 oz) 454 g (16 oz)	HI (max.) HI (max.)	5 - 5½ minutes 7 - 9 minutes	Sur une assiette micro-ondes. Entailler le sachet. Le plier à mi-cuisson pour bien mélanger. Retirer du sac. Placer dans une casserole de verre, couvrir. Remuer à mi-cuisson.

Quartiers de pommes dorés

CUISSON: 7 à 8 minutes

Placer les pommes dans une casserole micro-ondes d'un litre. Mélanger cassonade et cannelle dans un petit bol. Saupoudrer sur les pommes, parsemer de beurre. Cuire, couvert, à HI (max.) 7 à 8 minutes, en remuant après 4 minutes.

4 portions

4	pommes à cuire, moyennes, pelées, évidées, coupées en quatre
60	mL (¼ de tasse) de cassonade, tassée
5	mL (1 c. à thé) de cannelle
30	mL (2 c. à table) de beurre ou margarine

Confiture aux fraises

CUISSON: 20 à 23 minutes

Dans une marmite micro-ondes de 4 litres, mélanger fruits, jus et pectine. Cuire, couvert, à HI (max.), 10 à 11 minutes ou jusqu'à ébullition. Remuer 1 fois pendant la cuisson. Incorporer le sucre. Cuire, découvert, à HI (max.), 10 à 12 minutes ou jusqu'à ce que le mélange bouille fort pendant au moins 1 minute. Écumer avec une cuillère de métal. Verser dans des verres ou des pots stérélisés chauds et sceller.

2 litres

1,25	litre de fraises fraîches, (5 tasses) lavées, équeutées, écrasées
10	mL (2 c. à thé) de jus de citron
1	paquet de 50 g (1¾ oz) de pectine de fruits en poudre
1,75	litre de sucre (7 tasses)

Gâteau du diable

CUISSON: 23 à 25 minutes

500 mL (2 tasses) de farine
     tout usage, tamisée
  6 mL (1¼ de c. à thé) de
     bicarbonate de soude
  1 mL (¼ de c. à thé) de sel
125 mL (½ tasse) de
     shortening
500 mL (2 tasses) de sucre
125 mL (½ tasse) de cacao
  5 mL (1 c. à thé) de vanille
250 mL (1 tasse) d'eau
125 mL (½ tasse) de lait de
     beurre
  2 œufs battus

Graisser le fond de deux assiettes à gâteau rondes, micro-ondes, de 20 cm. Doubler les fonds de papier ciré. Mettre de côté. Dans un grand bol, tamiser ensemble farine, sel et bicarbonate de soude. Mettre de côté. Dans un autre grand bol, battre en crème shortening, sucre, cacao et vanille jusqu'à ce que ce soit léger. Verser l'eau dans une mesure de verre de 500 mL et cuire à HI (max.) 2½ minutes ou jusqu'à ébullition. Incorporer eau, lait de beurre et œufs dans le mélange en crème. Bien battre. Ajouter tous les ingrédients secs et battre jusqu'à ce que lisse. Verser la pâte également dans les deux moules. Cuire, un moule à la fois, à 50% (simmer), 8 minutes. Tourner le moule d'un quart de tour. Cuire à HI (max.) 1 à 2 minutes ou jusqu'à ce qu'un cure-dents inséré au centre en ressorte propre. Retirer du four. Laisser reposer 5 minutes. Retourner sur une grille. Enlever le papier ciré. Laisser bien refroidir avant de glacer.

8 à 10 portions

Garniture

250 mL (1 tasse) de dattes
     hachées
125 mL (½ tasse) de raisins
125 mL (½ tasse) d'eau
 15 mL (1 c. à table) de farine
 30 mL (2 c. à table) de sucre
125 mL (½ tasse) de noix
     hachées

Croûte

125 mL (½ tasse) de beurre
     ou margarine
  1 mL (¼ de c. à thé) de
     bicarbonate de soude
 15 mL (1 c. à table) d'eau
250 mL (1 tasse) de
     cassonade
250 mL (1 tasse) de farine
     non tamisée
  1 mL (¼ de c. à thé) de sel
250 mL (1 tasse) de gruau
     d'avoine à cuisson
     rapide
  5 mL (1 c. à thé) de
     cannelle

Carrés aux dattes

CUISSON: 11 à 13 minutes

Dans un bol de verre, combiner tous les ingrédients de la garniture, sauf les noix. Cuire, découvert, à HI (max.), 3 à 4 minutes ou jusqu'à ce que le mélange bouille et épaississe en remuant une fois. La garniture aux dattes devrait avoir la consistance de la marmelade. Ajouter les noix et mettre de côté. Dans un bol à mélanger en verre, faire fondre le beurre à HI (max.) 1 minute. Dissoudre dans l'eau le bicarbonate de soude, ajouter au beurre avec les autres ingrédients, sauf la cannelle. Presser fermement les deux tiers de cette préparation dans une assiette de verre de 22,5 cm, graissée. Étendre la garniture aux dattes dessus. Incorporer la cannelle dans le reste de préparation au gruau et émietter sur le dessus de la garniture. Cuire, découvert, à HI (max.), 7 à 8 minutes ou jusqu'à ce que le dessus n'ait plus l'air pâteux. Tourner le plat si la cuisson n'est pas égale. Refroidir, couvert d'aluminium, sur une planche de bois, avant de couper en carrés.

24 carrés

Croûte de miettes

CUISSON: 2½ à 3 minutes

Dans une assiette à tarte en verre, de 22,5 cm, faire fondre le beurre à HI (max.) 1 minute. Incorporer miettes et sucre. Si désiré, réserver 30 mL (2 c. à table) de ce mélange pour saupoudrer sur le dessus. Presser le mélange de miettes fermement et également sur le fond et les bords de l'assiette. Cuire à HI (max.) 1½ à 2 minutes. Refroidir avant de garnir.

75	mL (5 c. à table) de beurre ou margarine
310	mL (1¼ tasse) de chapelure de biscuits secs à la vanille, graham, au chocolat, au gingembre, etc.
15	mL (1 c. à table) de sucre

1 crôte de 22,5 cm

Croûte de tarte maison

CUISSON: 6 à 7 minutes

Placer farine et sel dans un petit bol, y couper le shortening avec deux couteaux ou un mélangeur à pâtisserie jusqu'à ce qu'il ait la grosseur de petits pois. Asperger d'eau. Remuer avec une fourchette pour former une boule. Abaisser avec le rouleau à pâte sur une planche farinée pour obtenir un rond d'environ 30 cm. Foncer une assiette à tarte de 22,5 cm. Égaliser et canneler le bord. Piquer la pâte avec une fourchette. Cuire à HI (max.) 6 à 7 minutes. La croûte est prête quand elle semble sèche et gonflée et n'est plus pâteuse. Refroidir. Ajouter la garniture.

250	mL (1 tasse) de farine tout usage
5	mL (1 c. à thé) de sel
90	mL (6 c. à table) de shortening
30	mL (2 c. à table) d'eau glacée

1 croûte de tarte de 22,5 cm

Tarte aux pommes à la danoise

CUISSON: 12 à 14 minutes

Placer les tranches de pommes dans un grand bol à mélanger. Combiner sucre, farine, sel et cannelle; ajouter aux pommes et remuer pour enrober. Verser les pommes dans la croûte à tarte cuite, étendre également. Mélanger ensemble les autres ingrédients pour le dessus et saupoudrer sur les pommes. Cuire à HI (max.) 12 à 14 minutes ou jusqu'à ce que les pommes soient tendres à la fourchette. Refroidir, servir.

7	pommes à cuire, pelées, évidées et tranchées ou 1,5 litre (6 tasses)
185	mL (¾ de tasse) de sucre
30	mL (2 c. à table) de farine Sel
5	mL (1 c. à thé) de cannelle
1	croûte de tarte maison, cuite de 22,5 cm (ci-dessus)
30	mL (2 c. à table) de beurre ou margarine
60	mL (¼ de tasse) de farine
60	mL (¼ de tasse) de cassonade

6 à 8 portions

Bonbons rocailleux

CUISSON: 5 minutes

1 paquet de 340 g (12 oz)
   de grains de chocolat
   semi-sucré
1 paquet de 340 g (12 oz)
   de grains de caramel
   écossais
125 mL (¹/₂ tasse) de beurre
1 paquet de 312 g (11 oz)
   de guimauves
   miniatures
250 mL (1 tasse) de noix

Dans un bol à mélanger micro-ondes de 4 litres, combiner chocolat, caramel écossais et beurre. Cuire, à 70% (roast), 5 minutes ou jusqu'à ce que ce soit fondu. Remuer. Ajouter en pliant guimauve et noix. Étendre sur une plaque beurrée de 32,5 × 22,5 cm. Réfrigérer jusqu'à ce que ce soit pris, environ 2 heures. Couper en carrés.

45 carrés

Essayez ces variations: remplacez les noix par des fruits séchés hachés ou moitié noix, moitié fruits séchés. Des abricots séchés, des prunes dénoyautées ou des fruits confits seraient aussi délicieux.

Écorces aux amandes

CUISSON: 6¹/₂ à 8¹/₂ minutes

250 mL (1 tasse) d'amandes
   mondées
5 mL (1 c. à thé) de beurre
   ou de margarine
454 g (1 lb) de chocolat blanc

Dans une assiette à tarte de verre, de 22,5 cm, placer amandes et beurre. Cuire à HI (max.) 4 à 5¹/₂ minutes ou jusqu'à ce que les amandes soient grillées, en remuant deux fois pendant la cuisson. Mettre de côté. Placer le chocolat blanc dans un grand bol à mélanger micro-ondes et faire cuire à HI (max.) 2¹/₂ à 3 minutes ou jusqu'à ce qu'il soit amolli. Incorporer les amandes et verser sur une tôle à biscuits couverte de papier ciré. Étendre à l'épaisseur désirée et faire prendre au réfrigérateur. Casser en morceaux pour servir.

680 g (1 ¹/₂ lb)

Menthes

CUISSON: 5 à 6 minutes

500 mL (2 tasses) de sucre
60 mL (¹/₄ de tasse)
   de sirop de maïs clair
60 mL (¹/₄ de tasse) de lait
1 mL (¹/₄ de c. à thé)
   de crème de tartre
   Essence de menthe
   poivrée
   Colorant végétal rouge
   ou vert

Dans un bol à mélanger de 2 litres, combiner sucre, sirop de maïs, lait et crème de tartre. Cuire à HI (max.) 5 à 6 minutes jusqu'à l'obtention d'une boule molle dans l'eau froide (114°C ou 238°F au thermomètre à bonbon). Laisser tiédir 3 minutes. Battre au malaxeur jusqu'à ce que crémeux. Incorporer 8 à 10 gouttes d'essence de menthe poivrée et le colorant. Mettre la préparation par cuillerée à thé sur du papier d'aluminium. Quand les menthes sont refroidies, placer dans un contenant hermétique.

36 menthes

Bonbons rocailleux, Écorces aux amandes, Menthes →

Rédactrice en chef: Germaine J. Ellis
Traduction et adaptation des recettes: Julie J. Méthé
                                        Louise Joli-Coeur
Certaines recettes québécoises adaptées à la cuisson micro-ondes
proviennent du fichier de l'Institut de Tourisme et d'Hôtellerie du Québec
Conception graphique: Tom C. Brecklin
Typographie: Dubord Photo-Composition Inc.
Photographie: Walter Storck, New York
Impression et reliure: Dai Nippon, Tokyo

INSTRUCTIONS À L'USAGER

RÈGLES DE PRUDENCE POUR ÉVITER UNE EXPOSITION EXCESSIVE AUX MICRO-ONDES

(a) N'ESSAYEZ PAS d'utiliser ce four quand la porte est ouverte puisque son fonctionnement dans cette condition peut vous exposer dangereusement aux effets de l'énergie des micro-ondes. Il est très important de ne pas essayer de déjouer ou modifier les dispositifs de verrouillage de sécurité.

(b) NE PLACEZ aucun objet entre l'avant du four et la porte et ne laissez pas la saleté ou les résidus de nettoyants s'accumuler sur le joint d'étanchéité.

(c) N'EMPLOYEZ PAS le four s'il est défectueux. Il est particulièrement important que la porte du four ferme bien et qu'il n'y ait aucun défaut:

      1 — Porte (tordue)
      2 — Charnières et loquets (cassés ou mal ajustés)
      3 — Joints de porte et surfaces d'étanchéité.

(d) LE FOUR NE DOIT ÊTRE AJUSTÉ OU RÉPARÉ QUE PAR UN TECHNICIEN DÛMENT QUALIFIÉ.

Dépôt légal
Bibliothèque nationale du Québec
3ᵉᵐᵉ trimestre 1985

ISBN: 0-87502-169-7

Publié par The Benjamin Company, Inc.
1 Westchester Plaza, Elmsford, New York 10523

Imprimé au Japon

Première édition

CUISSON MICRO-ONDES

BENJAMIN

TABLE DES MATIÈRES

Bienvenue dans l'univers magique de la cuisson micro-ondes. Vous faites maintenant partie des centaines de milliers de personnes qui ont découvert les merveilles du four à micro-ondes et profitent de cette méthode facile, rapide et efficace. Mais, comme pour tout autre appareil, il faut lire les instructions avec soin avant de commencer à l'employer. Les chapitres préliminaires illustrés vous indiqueront le fonctionnement du four, son mode d'opération, ce qu'il peut faire et comment en tirer le meilleur parti. L'utilisation du four est simple, il suffit juste de saisir les particularités de la cuisson micro-ondes et vous voilà prêt. Ce livre, comme tout bon livre de recettes, ne veut rien laisser au hasard afin que la cuisson micro-ondes devienne pour vous simple comme bonjour. Que vous ayez l'intention d'utiliser votre four pour toute votre cuisine ou seulement une partie, prenez quelques moments pour vous initier à la technique et aux principes de votre four, puis vous pourrez essayer les délicieuses recettes des chapitres suivants. Bientôt vous n'aurez plus envie de cuisiner autrement qu'au four à micro-ondes.

Suivez les instructions du fabricant pour l'installation de votre four. Le four à micro-ondes fonctionne sur le courant domestique 110-120v et vous n'avez pas besoin de technicien pour l'installer.

Le four à micro-ondes demande peu d'entretien. Ainsi vous n'avez qu'à suivre les instructions du fabricant pour un nettoyage facile. Comme le four à micro-ondes, contrairement au four conventionnel ne dégage pas de chaleur à l'intérieur, les aliments et la graisse ne cuisent pas sur les parois. Vous éliminez les dures tâches de récurage et l'usage de produits nocifs. Un coup de chiffon et votre four est propre.

Gardez la porte et le joint de sécurité libres de tout amoncellement de nourriture pour conserver une bonne étanchéité. Étudions maintenant comment fonctionne le four à micro-ondes.

Comment cela fonctionne

Dans la cuisson traditionnelle, au gaz ou à l'électricité, sur la cuisinière, la cuisson se fait par la chaleur qui vient du fond de la casserole et, dans le four, par l'air chaud qui circule. Dans la cuisson micro-ondes, les micro-ondes vont directement à la nourriture sans chauffer le four. Dans le four se trouve un tube à vide appelé magnétron qui convertit l'énergie électrique ordinaire en micro-ondes à haute fréquence tout comme les ondes de la radio et de la télévision. Un genre de ventilateur agitateur aide à répartir les micro-ondes également dans le four. Les micro-ondes sont des ondes d'énergie, non de chaleur. Ces ondes sont réfléchies, transmises ou absorbées selon la nature de la substance qu'elles rencontrent. Par exemple, le

← *Rôti de côtes de bœuf de choix (tableau de cuisson, page 57)*

métal réfléchit les micro-ondes; le verre, la poterie, le papier et la plupart des plastiques laissent passer les ondes que la nourriture absorbe. Et, tout simplement, l'énergie micro-ondes absorbée fait vibrer les molécules d'aliments rapidement les unes contre les autres engendrant une friction produisant la chaleur qui cuit les aliments; c'est un peu comme la chaleur produite par la friction des mains. Les ondes pénètrent les aliments et la cuisson commence par l'extérieur. L'intérieur cuit ensuite par conduction. La photo du rôti de côtes à la page 7 illustre ce principe. C'est ce principe qui cause la rapidité de cuisson du four à micro-ondes. Les contenants employés dans le four à micro-ondes n'absorbent pas cette énergie, c'est pourquoi ils ne deviennent pas chauds. Les micro-ondes passent à travers les contenants directement dans la nourriture. Cependant les

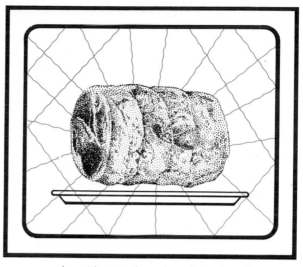

Les micro-ondes rebondissent sur les parois et sont absorbées par la nourriture. Dans le four, l'air demeure frais.

contenants peuvent absorber la chaleur qui se dégage de la nourriture, aussi devrez-vous à l'occasion utiliser des poignées. Le hublot dans la porte du four à micro-ondes est fabriqué avec un matériau spécial qui contient un écran métallique. Cet écran réfléchit les micro-ondes tout en vous permettant de surveiller la nourriture pendant sa cuisson. Les ondes ne peuvent pas traverser cet écran. Quand vous ouvrez la porte de votre four, l'appareil cesse automatiquement de fonctionner; vous pouvez alors remuer, tourner ou vérifier le degré de cuisson à votre aise, sans recevoir cette bouffée d'air chaud qui vous assaille lorsque vous ouvrez un four conventionnel.

Maintenant que vous connaissez le fonctionnement du four à micro-ondes, regardons les merveilles que vous pouvez réaliser.

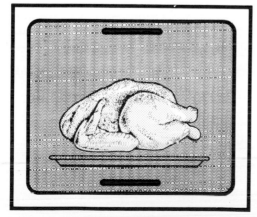

Les fours conventionnels cuisent à l'air chaud.

Vous pouvez presque tout faire cuire dans votre four à micro-ondes, mais, quelques aliments sont si savoureux cuits de cette façon, que nous les avons illustrés pour vous. Les recettes des mets illustrés sont contenues dans ce livre. Vous vous rendrez compte qu'avec le four à micro-ondes, non seulement vous pouvez improviser de très bons plats, mais aussi réchauffer ou dégeler avec d'excellents résultats. Voyons cela.

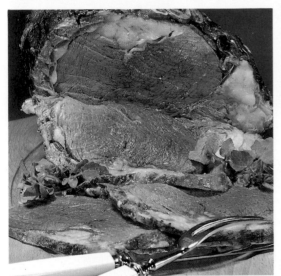

□ *Le rôti de bœuf* est juteux et saignant et réduit moins que dans un four ordinaire. □ Vous pouvez savourer tous les *légumes* à leur meilleur. Leur saveur et leur vraie couleur restent intactes. Les pommes de terre sont légères, le chou-fleur ferme et le brocoli vert nature. □ Vous serez prêts à manger des *œufs brouillés* matin, midi et soir, une fois que vous les aurez essayés préparés au micro-ondes. Cuits de cette manière, ils sont plus gonflés et plus agréables à l'œil et au palais que cuits de la façon ordinaire. □ Vous aurez du plaisir à manger les *restes* réchauffés au micro-ondes puisqu'ils sont comme frais préparés.

☐ Faites de succulents *gâteaux au chocolat* bien levés, appétissants et moelleux. ☐ Les *fruits* comme cette pomme au four peuvent être préparés sans eau; tout comme les légumes, les fruits conservent leur couleur et leur saveur naturelles. ☐ Les *sauces* se font par enchantement au micro-ondes. Plus besoin de remuer sans arrêt. Imaginez donc l'avantage de mélanger, cuire et servir dans le même contenant. Quel-

ques coups de fouet seulement et la sauce hollandaise est onctueuse. ☐ Rien ne surpasse le micro-ondes pour réchauffer les *brioches et le pain*. Vous pouvez même les cuire directement dans la corbeille à pain. ☐ Le *bacon* cuit au micro-ondes est sans égal, plat et croustillant; une tranche cuit en moins d'une minute. On peut le placer sur un plat pour bacon ou entre des essuie-tout.

□ Les adeptes du micro-ondes adorent faire des *bonbons* parce que c'est facile comme tout. Ce n'est plus nécessaire de remuer constamment les préparations au chocolat ou au caramel. Essayez les écorces aux amandes avec chocolat blanc ou les menthes de fantaisie et vous pourrez en juger vous-même. □ Les *hors-d'œuvre chauds* sont prêts au moment opportun. Ils cuisent rapide-

ment, sans saleté et pas de casserole à nettoyer. Faites les cuire directement sur une assiette de carton ou un plat de service. Le Rumaki (foies de poulet et châtaignes d'eau enroulés de bacon) et les champignons font de délicieux hors-d'œuvre. □ Les mets à la *casserole* cuisent sans coller et sont aussi bons réchauffés. Le plat de Macaroni Exquis porte bien son nom.

□ Découvrez le plaisir de cuire les *fruits de mer* au micro-ondes. Les poissons entiers ou en filets sont tendres et juteux, leurs sucs naturels rehaussant leur saveur délicate.
□ Pour un petit remontant rapide, rien de tel qu'un *bol de soupe,* une tasse de café ou une choppe de chocolat servi directement du four.

□ Faites *fondre le chocolat, amollir le beurre* et *le fromage à la crème* en quelques secondes tout en épargnant du temps et le nettoyage du bain-marie et des casseroles collées.

Maintenant que vous avez un aperçu de ce que votre appareil peut faire, voyons ce que vous devez savoir pour commencer à cuisiner.

Dans ce chapitre, vous trouverez tout ce que vous devez savoir pour que la cuisson micro-ondes soit facile, efficace et agréable. Une fois que vous en aurez compris les principes, cette technique de cuisson n'aura plus de secret pour vous. Étudiez bien ces renseignements de base et les illustrations pertinentes. Quand vous commencerez à vous servir de votre four, vous pourrez toujours recourir à ce guide pratique pour trouver un terme ou une méthode de cuisson. Ici vous apprendrez pourquoi certains aliments cuisent plus vite que d'autres, ce que vous devez savoir au sujet du minutage et de la température, quels ustensiles sont plus appropriés pour la cuisson, comment cuisiner plus efficacement, etc.

À cause des particularités de l'énergie micro-ondes, la cuisson micro-ondes utilise certains termes et méthodes qui sont différents de ceux de la cuisson conventionnelle. Ainsi, dans la cuisson micro-ondes, certains aliments finissent de cuire après avoir été retirés du four; c'est le temps de repos. De plus, pour une cuisson uniforme, il est important de bien disposer la nourriture sur le plat de cuisson. Vous découvrirez aussi la méthode alternative de cuisson micro-ondes avec la sonde de température automatique. Vous apprendrez aussi comment votre four peut dégeler et réchauffer rapidement et des trucs spéciaux pour d'excellents résultats.

QUESTION DE TEMPS

Le temps est un facteur important dans la cuisine micro-ondes, mais cela n'est-il pas vrai pour toute cuisine? Les goûts de votre famille et votre jugement vous aideront à déterminer le temps de cuisson. Vous pouvez peut-être dire, juste à le regarder, qu'un poulet est cuit. Votre expérience peut même vous dispenser de suivre à la lettre les guides de cuisson sur les emballages. C'est aussi important de savoir que même si le four à micro-ondes est un superbe produit de la technologie des ordinateurs, il n'est ni moins, ni plus précis que n'importe quel autre système de cuisson. Cependant, à cause de la rapidité de cuisson des aliments, le minutage est plus important dans la cuisson micro-ondes que dans la cuisson classique. Une minute peut faire toute la différence. En effet, quand vous pensez qu'une cuisson de 60 minutes dans un four normal ne requiert que 15 minutes au four à micro-ondes, vous vous faites une idée différente de la durée de cuisson. C'est cette minute qui peut faire qu'un plat n'est pas assez cuit ou trop cuit. C'est pour cela que les recettes micro-ondes indiquent des temps de cuisson probables minimum-maximum, tel que « cuire à 70 (roast) 4-5 minutes ». Cette instruction est souvent complétée par une phrase comme « jusqu'à ce que la sauce soit épaisse ». Quand vous connaîtrez mieux votre four,

vous saurez quand commencer à vérifier le degré de cuisson. Mieux vaut vérifier trop tôt que trop tard.

Les temps de cuisson pourraient être précis si on nous garantissait que les sources d'énergie sont toujours égales et que les produits alimentaires sont toujours uniformes. Le fait est qu'une pomme de terre ou un steak varient d'un autre en densité, humidité ou contenu de gras, forme, poids et température. Ceci est vrai pour tous les aliments. Vous devez toujours être prêt à vous adapter aux changements, être souple et attentif. Tout ceci pour dire que c'est vous qui faites la cuisine, non le four à micro-ondes. Le four ne peut pas juger à votre place. Les recettes de ce livre ont toutes été éprouvées méticuleusement dans nos cuisines par des spécialistes en la matière. Vous verrez que les temps de cuisson suggérés sont assez exacts. Cependant, comme toute bonne cuisine, la cuisine micro-ondes sera rehaussée par votre touche personnelle.

CARACTÉRISTIQUES DES ALIMENTS

Les aliments sont composés d'éléments distincts qui affectent spécifiquement la durée de cuisson micro-ondes. La compréhension de ces caractéristiques fera de vous un véritable cordon-bleu de la cuisson micro-ondes.

Quantité

Le temps de cuisson varie en fonction du volume des aliments. Par exemple, une pomme de terre peut cuire en 4 à 6 minutes, mais 2 prendront une fois et demie ce temps. Un épi de blé d'Inde non épluché cuit dans environ 3 minutes, mais 3 épis prendront 8 minutes. Donc si la quantité dans une recette est modifiée, le temps de cuisson aussi doit l'être. Voici la règle générale à suivre: si vous doublez une recette, augmentez le temps de cuisson d'environ 50%; si vous coupez une recette en deux, réduisez le temps de cuisson d'environ 40%.

Forme et grosseur

Les aliments minces cuisent plus vite que les aliments épais; les parties minces plus vite que les parties épaisses; les petits morceaux plus vite que les gros morceaux. Pour une cuisson égale, il faut placer les morceaux épais vers l'extérieur du plat puisque la cuisson s'opère de l'extérieur vers l'intérieur. Pour de meilleurs résultats, essayez de faire cuire ensemble des morceaux de forme et de grosseur semblables.

dans le haut du four. On peut être obligé de protéger avec du papier d'aluminium ou de retourner la nourriture près du haut pour avoir une cuisson égale.

Densité

Les aliments denses comme les pommes de terre, le rôti de bœuf et les carottes prennent plus de temps à cuire que les aliments poreux

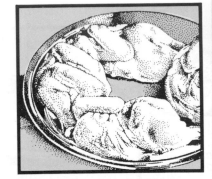

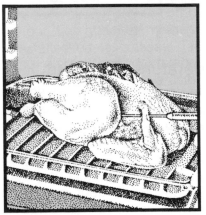

La densité influence le temps de cuisson des aliments (ci-dessus). Les aliments de forme irrégulière demandent une disposition spéciale (en haut, à gauche). Les parties des aliments près de la source d'énergie sont soit protégées ou retournées pendant la cuisson (à gauche).

Hauteur

Comme dans la cuisson conventionnelle, les surfaces qui sont plus près de la source d'énergie cuisent plus vite. Dans la plupart des fours à micro-ondes, la source d'énergie est

comme les gâteaux, le bœuf haché et les pommes parce que les micro-ondes prennent plus de temps à les pénétrer. Par exemple, un rôti d'un kilo prendra plus de temps à cuire qu'un pain de viande d'un kilo.

Des grils spéciaux, des plats à brunir et d'autres ustensiles ont été conçus pour le four à micro-ondes, (en haut à gauche). Les objets familiers tels que les moules et les plats sont maintenant disponibles avec les ustensiles micro-ondes, (en haut à droite). Une multitude d'articles en verre, en céramique et en bois sont excellents pour la cuisine micro-ondes, (ci-dessus à droite). Tous les produits de papier facilitent la cuisson micro-ondes, (ci-dessus à gauche). Plusieurs plastiques conviennent à la cuisson micro-ondes (à gauche).

bol. Un plat de 30 cm x 20 cm ou un moule rond de 22,5 cm correspondent à un plat à cuire peu profond. Dans le cas des poudings, sauces et bonbons, on recommande des grands récipients pour prévenir le débordement des liquides surtout dans les recettes à base de lait. Pour de meilleurs résultats, essayez de vous en tenir au plat demandé.

Matériaux

☐ PORCELAINE, POTERIE: Ces matériaux conviennent parfaitement à la cuisson micro-ondes. Mais, on ne doit pas les employer s'ils ont des garnitures ou des glaçures contenant du métal.

☐ VERRE: Excellent. Il est pratique pour vérifier la cuisson des fonds de tartes. Vous pouvez toujours utiliser un verre « résistant au four » pour vos recettes micro-ondes.

☐ MÉTAUX: Ne conviennent pas, sauf dans les cas suivants:

Des petites bandes de papier d'aluminium peuvent être employées pour couvrir des endroits qui dégèlent ou cuisent plus rapidement que le reste du morceau sur les grosses pièces de viande ou les volailles — par exemple un rôti avec des parties saillantes ou des bouts minces, les ailes ou le bréchet des volailles; c'est ce qu'on appelle faire un écran en cuisson micro-ondes.

On peut faire chauffer les repas-éclairs, en enlevant le couvercle, pourvu que le contenant d'aluminium n'ait pas plus que 2 cm de hauteur. (Cependant, ils chaufferont beaucoup plus vite si vous les renversez sur une assiette de service).

Les agrafes de métal n'ont pas besoin d'être enlevées avant la décongélation des volailles. Les enlever après.

Tout article de métal ou d'aluminium doit être à au moins 2,5 cm des parois du four.

☐ PAPIER: Il convient pour un temps de cuisson court ou pour réchauffer à faible intensité. Il ne doit pas être doublé d'aluminium. Un usage prolongé peut le faire brûler. Le papier ciré peut servir à couvrir.

☐ PLASTIQUE: Le plastique peut être employé s'il est résistant au lave-vaisselle, mais seulement pour des périodes de cuisson limitées ou pour faire chauffer. N'employez pas de plastique pour des aliments à base de tomates ou à haut contenu de gras ou de sucre.

☐ SACHETS DE PLASTIQUE POUR LA CUISSON: Ils peuvent être employés, mais, il faut faire une entaille pour laisser échapper la vapeur.

☐ PAILLE, OSIER, BOIS: Ils peuvent être utilisés pour chauffer rapidement. Assurez-vous qu'il n'y ait aucun métal dans leur composition.

Plat à brunir

Un plat à brunir est employé pour saisir, griller, rôtir ou brunir les aliments. Il est conçu pour absorber l'énergie micro-ondes quand il est d'abord chauffé vide. Un enduit spécial sur le fond du plat devient très chaud quand il est ainsi chauffé dans le four à micro-ondes. Il y a toute une variété de ces plats disponibles. Suivez les instructions du fabricant pour le soin, l'usage et la durée de préchauffage du plat.

Quand le plat est chaud, on peut ajouter de l'huile végétale ou du beurre pour faire dorer et éviter que les aliments ne collent. Après que les aliments sont placés sur le plat à brunir réchauffé, le plat est retourné au four où les micro-ondes cuisent l'intérieur de la nourriture, tandis que l'extérieur. On retourne ensuite la nourriture pour la brunir sur l'autre côté. Lorsque vous faites cuire du steak haché ou des aliments humides, vous pouvez enlever le surplus de jus avant de les retourner. Plus vous attendez pour retourner l'ali-

ment moins il brunira puisque le plat refroidit rapidement. Vous aurez peut-être besoin de vider le plat, de l'essuyer et de le réchauffer de nouveau. Si vous doublez une recette, comme le poulet grillé, essuyez le plat à brunir après la première fournée et chauffez de nouveau le plat et répétez le procédé. Servez-vous de poignées pour manipuler le plat puisqu'il devient très brûlant.

Quand il est utilisé comme gril, le plat à brunir accélère le temps de cuisson. Cependant si vous utilisez ce plat pour brunir certains aliments avant de les ajouter à une recette, le temps indiqué dans votre recette ne changera pas. Quelques aliments comme les œufs ou les sandwiches demandent moins de chaleur pour dorer que d'autres comme le poulet ou la viande.

Plateau de verre du bas

Certains modèles de fours à micro-ondes possèdent un plateau de verre qui sert de niveau principal de cuisson. Les micro-ondes pénètrent facilement le verre ce qui permet au dessous des aliments de bien cuire. Le verre se nettoie aisément avec un chiffon humide. Si votre four est muni d'un plateau de verre, assurez-vous qu'il soit en place avant de mettre votre four en marche.

Grille de métal du centre

La grille de métal amovible, dont sont munis certains fours, vous facilitera la cuisson de recettes doubles. Cette grille est faite d'un métal spécialement traité qui ne présente aucun danger pour votre four à micro-ondes. Les mico-ondes rebondissent sur cette grille et sont absorbées par la nourriture. Généralement, pour une cuisson égale et rapide, il est préférable du cuire en plusieurs fois plutôt que sur deux niveaux en même temps. La grille doit être retirée du four quand elle n'est pas utilisée pour la cuisson.

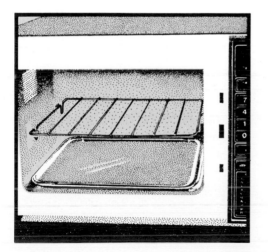

Dans les fours ainsi munis, le plateau de verre du bas est la surface principale de cuisson et la grille de métal du centre est utilisée pour doubler les quantités de certains mets.

TABLEAUX DES MATÉRIAUX UTILISÉS DANS LE FOUR À MICRO-ONDES

ARTICLES	BON USAGE	NOTES GÉNÉRALES
Assiettes et tasses de porcelaine	Faire chauffer les repas et les boissons.	Sans garniture métallique
Sachets pour la cuisson (plastique)	Faire cuire la viande, les légumes, le riz et autres aliments congelés.	Faire une entaille pour laisser échapper la vapeur.
Corelle* Livingware	Faire chauffer les repas, les soupes et les boissons.	Les tasses à anses fermées ne devraient pas être employées.
Corning Ware* ou casseroles Pyrex	Faire cuire les mets principaux, les légumes et les desserts.	Sans garniture métallique.
Des grils ou des plats à brunir micro-ondes	Saisir, griller et rôtir des petites pièces de viande; griller les sandwiches, faire des œufs sur le plat.	Ces ustensiles sont faits spécialement pour absorber les micro-ondes et être préchauffés à hautes températures. Ils font brunir la nourriture qui autrement ne brunirait pas dans le four à micro-ondes.
Des supports micro-ondes pour rôtir	Faire cuire les rôtis et le poulet, les courges et les pommes de terre.	Il existe aussi des supports spéciaux pour faire cuire le bacon.
Pellicule et sachets pour cuisson	Faire cuire les rôtis et les ragoûts.	Remplacer les attaches de métal par de la corde. Le sac lui-même n'attendrit pas. Ne pas employer de pellicule avec une bordure d'aluminium.
Serviettes de papier, assiettes et tasses de carton	Faire chauffer les boissons, les hot-dogs, les petits pains, les hors-d'œuvres et les sandwiches.	Redonne la fraîcheur aux aliments cuits et absorbe l'humidité. On ne doit pas employer les assiettes et les tasses de carton avec un enduit ciré.
Pellicule plastique	Couvrir les plats.	Replier le bord pour aérer et permettre à la vapeur de s'échapper.
Assiettes, chopes, tasses etc. de poterie ou de céramique	Faire chauffer les repas, les soupes et les boissons.	Certaines glaçures de poterie contiennent du métal. Pour vérifier, faire l'essai recommandé (page 15).
Plastiques mous, cartons de sorbets	Réchauffer les restes.	Utiliser pour de courtes périodes de réchauffage.
Thermomètres	Voir la température de la viande, de la volaille et des bonbons.	Utiliser seulement les thermomètres à viande ou à bonbons approuvés pour le four à micro-ondes. La sonde de température micro-ondes est disponible pour certains fours (page 26).
Plateaux d'aluminium pour repas-éclairs	Repas congelés, achetés ou faits à la maison.	Pas plus profond que 2 cm. La nourriture ne recevra la chaleur que par le dessus; il faut donc enlever le couvert d'aluminium.
Papier ciré	Couvrir les casseroles. Utiliser comme une tente.	Prévenir les éclaboussures. Aider à retenir la chaleur quand un couvercle hermétique n'est pas requis. La chaleur des aliments peut le faire fondre un peu.
Cuillères et brochettes de bois, paniers de paille	Remuer les sauces et les flans; faire les brochettes; les hors-d'œuvre; réchauffer les pains.	Peuvent supporter les micro-ondes pour de courtes périodes de cuisson. Assurez-vous que les ustensiles de bois ou de paille n'aient pas de garnitures métalliques.

MÉTHODES

L'uniformité et la rapidité de la cuisson micro-ondes sont affectées non seulement par la nature des aliments, mais aussi par certaines méthodes décrites ci-dessous. Certaines de ces techniques sont aussi utilisées en cuisine conventionnelle, mais elles ont une application particulière en cuisine micro-ondes à cause des qualités spéciales de l'énergie micro-ondes. Plusieurs autres facteurs importants qui in-

Arrangement

La façon dont la nourriture est arrangée sur la surface de cuisson contribue à rendre le dégel, le chauffage et la cuisson des aliments uniformes et rapides. Les micro-ondes pénètrent les parties externes de la nourriture en premier. Donc il faut placer les parties les plus denses et les plus épaisses près du bord du plat et les plus minces et les plus poreuses près du centre. Par exemple, quand vous faites cuire du brocoli, faites

Les méthodes d'arrangement vous permettent de créer une présentation cuisson-service. Ce plat de chou-fleur et brocoli, par exemple, est cuit couvert, pendant 9 minutes à HI (max.) avec 60 mL d'eau.

fluencent la cuisson, la décongélation et le réchauffage dans le four à micro-ondes sont décrits ici. Familiarisez-vous avec ces termes et ces techniques pour bien réussir votre cuisine micro-ondes.

des incisions dans les grosses tiges pour augmenter la surface d'exposition et faites chevaucher les têtes de choux-fleurs avec le brocoli pour avoir un plat attrayant. Ceci donne une densité égale à la nourriture et

assure une bonne cuisson. Disposer les crevettes en cercle, avec les queues vers le centre. Les cuisses de poulet doivent être arrangées comme les rayons d'une roue, avec le bout de l'os vers le milieu. Les aliments comme les petits gâteaux, les tomates et les pommes de terre doivent être disposés en rond plutôt qu'en rangée.

fent partout. Quand vous réarrangez la nourriture, placez les aliments qui sont au centre vers l'extérieur du plat et vice versa. Par exemple, le Steak Suisse (page 63) et le Coq rôti micro-ondes (page 76), doivent être réarrangés en cours de cuisson.

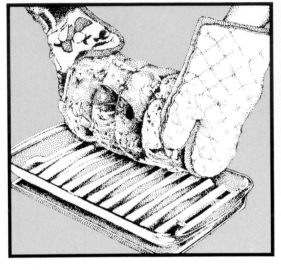

Retourner

Comme dans la cuisson convention-nelle, quelques aliments tels que les gros rôtis, les volailles entières, le jambon ou les hamburgers peuvent avoir besoin d'être retournés pour brunir de chaque côté et obtenir une cuisson égale. Tout aliment saisi sur un plat à brunir doit être retourné. Pendant l'opération de dégel dans le four à micro-ondes, il est souvent nécessaire de retourner les aliments.

Réarranger

Certains aliments qui ne peuvent être remués demandent à être réarrangés dans le plat pour qu'ils chauf-

Remuer

On a moins besoin de remuer dans la cuisine micro-ondes que dans la cuisine conventionnelle. Quand c'est nécessaire, remuez de l'extérieur vers l'intérieur, puisque les portions vers l'extérieur chauffent plus vite que celles du centre. Le remuage mélange les saveurs et favorise une cuisson uniforme. Remuez seule-ment comme indiqué dans la re-cette. Il n'est jamais nécessaire de remuer constamment dans la cuis-son micro-ondes.

Les muffins et les gâteaux sont parfois tournés d'un quart de tour (en haut à gauche). Les couvercles sont aussi importants en cuisine micro-ondes qu'en cuisine conventionnelle (à gauche et ci-dessus).

Tourner

Pour quelques aliments, comme les tartes et les gâteaux, qui ne peuvent être remués, retournés ou réarrangés, vous devez tourner le plat d'un quart de tour pour permettre une distribution égale de l'énergie micro-ondes. Tournez seulement si l'aliment ne cuit pas ou ne lève pas également. La plupart des aliments n'ont pas besoin d'être tournés.

Couvrir

Vous couvrez pour emprisonner la vapeur, empêcher la déshydratation, accélérer la cuisson et aider la nourriture à conserver son humidité naturelle. Des couvercles appropriés sont ceux des casseroles micro-ondes, les couvercles de verre, les pellicules de plastique, les sacs pour le four, les assiettes et les soucoupes de vaisselle micro-ondes. Les sacs de congélation qui peuvent bouillir servent de contenant pour la nourriture congelée. Percez le des-

sus avec un couteau pour ventiler avant la cuisson. Prenez garde de ne pas enlever les couvercles devant votre figure pour éviter les brûlures par la vapeur. Le papier absorbant est particulièrement utile comme couvert léger pour prévenir les éclaboussures et absorber l'humidité. Le papier ciré aide à retenir la chaleur et l'humidité.

Protéger

Certaines parties minces ou osseuses comme le bout des ailes de poulet, la tête et la queue des poissons ou le bréchet de la dinde cuisent plus vite que les parties plus épaisses. Vous empêchez ces parties de trop cuire en les couvrant avec des petits morceaux de papier d'aluminium puisque celui-ci réfléchit les ondes. On peut aussi l'employer pour couvrir les parties qui dégèlent plus rapidement que d'autres. Ne l'employez que lorsqu'il est recommandé dans la recette. Prenez garde qu'il ne touche pas les parois du four.

Temps de repos

Ce terme s'applique au temps requis par les aliments pour compléter leur cuisson après avoir été retirés du four à micro-ondes. Durant ce temps de repos, la chaleur continue à se propager de l'extérieur vers l'intérieur des aliments. Quand vous arrêtez le four, vous pouvez y laisser la nourriture pour le temps de repos ou la placer sur un comptoir résistant à la chaleur. Ce principe est une partie essentielle de la préparation de la nourriture avec votre four à micro-ondes. Certains aliments, comme les rôtis, exigent une période de repos pour atteindre le degré de température intérieure correspondant à saignant, moyen ou bien cuit. Les mets à la casserole ont besoin d'un temps de repos pour permettre à la chaleur de se répandre également et compléter la cuisson et le réchauffage. Pour ce qui est des gâteaux, des tartes et des quiches, le temps de repos assure que le centre finisse de cuire. Pour le temps de repos à l'extérieur du four, placez la nourriture sur une surface plate comme un comptoir ou une planche à pain résistants à la chaleur, et non sur une grille.

Perçage

Il faut briser la peau ou la membrane de certains aliments tels que les jaunes d'œufs, les pommes de terre, le foie, les gésiers de poulet, les aubergines et les courges. Parce que les peaux et les membranes retiennent l'humidité pendant la cuisson, on doit les percer avant pour éviter l'éclatement et laisser échapper la vapeur. Par exemple, piquez l'enveloppe de la saucisse à plusieurs endroits avant de la faire cuire. On peut utiliser un cure-dent pour les jaunes d'œufs; une fourchette pour les pommes de terre et les courges; un couteau pour entailler les sacs de cuisson.

Perçage (en haut, à droite). L'effet du temps de repos sur le rôti de bœuf (à droite). Utilisez une surface plate pour le temps de repos (ci-dessus).

Brunir

Plusieurs aliments ne brunissent pas de la même façon dans le four à micro-ondes que dans le four conventionnel. Selon leur contenu en gras, la plupart des aliments bruniront dans 8 à 10 minutes au four à micro-ondes. Ainsi le bacon ne prend que quelques minutes à brunir à cause de son haut contenu en gras, mais la volaille ne sera pas brune même après 10 minutes. Un plat à brunir spécial est disponible pour les aliments qui cuisent trop vite pour brunir tels que le bœuf haché, les œufs frits, le steak ou les côtelettes, (page 17). Le brunissage sera d'autant mieux réussi que le temps de cuisson sera long et le contenu en gras élevé. Vous pouvez aussi créer un effet de brunissage sur les rôtis, la volaille, les steaks et autres aliments en les badigeonnant avec des concentrés pour sauce, des mélanges déshydratés pour soupe à l'oignon, de la sauce soya, du paprika, etc. Les gâteaux, les pains et les croûtes de tartes ne brunissent pas comme dans la cuisine conventionnelle. L'emploi de chocolat, d'épices ou de farines foncées aide à leur donner de la couleur. Vous pouvez aussi les rendre appétissants en les couvrant d'une crème, d'une gelée ou d'un glaçage.

Augmenter le temps en grande altitude

La cuisine micro-ondes, tout comme la cuisine conventionnelle requiert des ajustements dans les temps de cuisson quand vous cuisez, en grande altitude, des aliments qui lèvent, comme les pains et les gâteaux. D'autres aliments demandent un temps de cuisson un peu plus long pour devenir tendres puisque l'eau bout à une température inférieure. Vous ajoutez habituellement 1 minute à toutes les 3 minutes de cuisson micro-ondes en grande altitude. Donc une recette demandant 3 minutes exigera 4 minutes et une autre de 6 minutes, 8 minutes. Il serait donc sage de vous conformer au temps indiqué dans la recette et de vérifier avant de prolonger la cuisson. C'est mieux s'il le faut d'ajouter du temps que d'avoir un plat trop cuit. Le résultat dépend de votre jugement.

Programmer

Selon les caractéristiques du modèle de votre four, vous pourrez lui donner certaines instructions (programme). Consultez votre guide d'utilisation et d'entretien pour des explications complètes. Toutes les fonctions comme le réglage du temps, de la température, de l'intensité de cuisson, la mise en marche et l'arrêt du four seront décrites en détail.

Votre four à micro-ondes vous offre la possibilité de choisir parmi plusieurs réglages de puissance allant de zéro à 100% HI (max.). Tout comme dans un four conventionnel, ces réglages ont toute la souplesse nécessaire pour vous assurer une cuisson parfaite de vos mets. Votre four à puissance multiple peut être réglé selon l'aliment à cuire. Pour obtenir de meilleurs résultats, on doit cuire plusieurs aliments lentement à une énergie moins intense. La plupart des fours utilisent 625 ou 650 watts quand ils opèrent à 100% ou HI (max.). Selon votre modèle particulier, le panneau de commande vous permet de choisir l'intensité désirée. Si votre gamme d'intensité

d'énergie va de 1 à 10 HI (max.), chaque réglage représente 10% de différence dans le niveau d'énergie. Ainsi, 4 équivaut à (braise) ou 40% de l'énergie que le four pourrait fournir à HI (max.). Quand les touches sont numérotées 10, 20, 30, 40, etc. elles indiquent le pourcentage de l'énergie maximum (100). Si vous pouvez régler votre four à n'importe quelle position numérique de 1 à 100, vous aurez alors la possibilité d'obtenir un pourcentage précis de l'énergie maximum. Chaque recette dans ce livre indique le réglage approprié. Le tableau ci-dessous décrit les usages spécifiques des principaux réglages.

Tableau de contrôle des réglages de cuisson

Principaux réglages	Usages suggérés
10 (tiède) (warm) **(1)**	Amollir le fromage à la crème; garder les aliments chauds.
20 (lent) (low) **(2)**	Amollir le chocolat; réchauffer les pains, les crêpes, le pain doré, etc.; clarifier le beurre; réchauffer un peu les fruits; chauffer des petites portions.
30 (dégeler) (defrost) **(3)**	Dégeler la viande, la volaille et les fruits de mer; compléter la cuisson de ragoût et de certaines sauces; cuire la plupart des aliments en petites quantités.
40 (braiser) (braise) **(4)**	Cuire les coupes de viande les moins tendres et les mets à cuisson lente; compléter la cuisson des rôtis moins tendres.
50 (mijoter) (simmer) **(5)**	Cuire les ragoûts et les soupes après les avoir amenés à ébullition; cuire les pâtes et les flans.
60 (cuire) (bake) **(6)**	Cuire les œufs brouillés; cuire les gâteaux.
70 (rôtir) (roast) **(7)**	Cuire le rôti de croupe; cuire le jambon, le veau et l'agneau; cuire les plats au fromage, les œufs et le lait; cuire les pains à cuisson rapide et les céréales.
80 (réchauffer) (reheat) **(8)**	Réchauffer rapidement les aliments préparés ou déjà cuits; faire chauffer les sandwiches.
90 (sauter) (sauté) **(9)**	Faire sauter les oignons, le céleri et les piments verts; réchauffer les tranches de viande rapidement.
HI (max.) (max. power) **(10)**	Cuire les coupes de viande tendres; cuire la volaille, le poisson, les légumes et la plupart des mets à la casserole; faire chauffer le plat à brunir; faire bouillir l'eau; épaissir certaines sauces; cuire les muffins.

cause de la chaleur transmise par la portion dégelée. Des méthodes spéciales pour protéger et tourner les aliments sont utiles pour vous assurer que la portion décongelée ne cuise pas avant que le reste dégèle. Il est souvent nécessaire de tourner, remuer et séparer pour accélérer le procédé de décongélation. La décongélation s'achève par un temps de repos. À cause de la différence de forme, de poids et de densité des aliments, les temps de décongélation recommandés ne peuvent être qu'approximatifs. Un temps de repos additionnel peut être nécessaire pour compléter la décongélation. Lisez les tableaux de décongélation du livre pour les temps et instructions spéciales se rapportant à différents genres d'aliments. Voici quelques conseils qui vous aideront à obtenir une décongélation facile et rapide:

- ☐ La volaille, les fruits de mer, les poissons, les viandes et la plupart des légumes peuvent être décongelés dans leur propre emballage. Vous pouvez laisser les agrafes de métal sur la volaille pendant la décongélation, mais vous devriez les enlever aussitôt que possible avant la cuisson. Remplacez les attaches de métal sur les sacs par des cordes ou des bandes élastiques avant la décongélation.
- ☐ Les ailes et les cuisses de volailles, les os et les petits bouts de viandes ou de poissons peuvent avoir besoin d'être recouverts de morceaux de papier d'aluminium, pendant une partie du temps de décongélation, pour empêcher qu'ils ne cuisent pendant que le reste dégèle.
- ☐ Les grosses pièces doivent être retournées et déplacées quand la moitié du temps de décongélation est écoulé pour assurer une décongélation uniforme.
- ☐ La texture des aliments influence le temps de décongélation. À cause de l'air qu'ils contiennent, les aliments poreux comme les gâteaux et les pains dégèlent plus vite que les aliments denses, comme les rôtis et les sauces.
- ☐ Ne dégelez pas des aliments enveloppés dans l'aluminium ou dans des contenants d'aluminium, sauf dans les cas cités à la page 17.
- ☐ L'extérieur commencera à cuire si la viande, le poisson ou les fruits de mer sont laissés complètement à dégeler dans le four à micro-ondes. Donc, vous devriez retirer les aliments du four quand le centre est encore glacé. La décongélation finira pendant le temps de repos.
- ☐ Retirez les portions de viande hachée aussitôt qu'elles sont dégelées, et retournez les portions congelées au four.
- ☐ Pour décongeler la moitié d'un paquet de légumes, enveloppez la moitié du paquet avec du papier d'aluminium. Quand le côté non enveloppé est dégelé, séparez et retournez le reste au congélateur.
- ☐ Les morceaux minces ou tranchés, comme les filets de poisson, les croquettes de viande, etc., doivent être séparés aussitôt que possible. Enlevez les morceaux dégelés et laissez les autres poursuivre la décongélation.
- ☐ Les plats à la casserole, les plats en sauce, les légumes et les soupes doivent être remués une ou deux fois pendant la décongélation pour répartir la chaleur.
- ☐ Les aliments frits congelés peuvent être dégelés mais ils ne seront pas croustillants si vous les réchauffez dans votre four à micro-ondes.
- ☐ Trucs de congélation: Il est préférable de congeler en petites quantités plutôt qu'en un seul gros paquet. Quand vous congelez des mets en casserole, c'est une bonne idée de placer un gobelet de carton au centre du contenant: ceci accélère la décongélation. Une dépression au centre de la viande hachée quand vous la congelez accélèrera plus tard la décongélation. Prenez soin de bien emballer vos aliments pour qu'ils conservent toutes leurs qualités. Il faut éliminer l'air des emballages et les sceller hermétiquement. Entreposez à −18°C (0°F), ou moins, pour une période n'excédant pas celle recommandée pour la congélation.

Maintenant il est temps de passer à la pratique en faisant appel à toutes les ressources de votre four à micro-ondes; d'abord une boisson chaude en vitesse, ensuite, un petit déjeuner et, finalement, un repas simple. Vous avez lu les pages d'introduction de ce livre et vous avez consulté le manuel du four; votre four est prêt à être étrenné. Commençons par faire une tasse de café, de thé ou de soupe instantanée et dégustons-la tout de suite:

Leçon un

Un remontant rapide

Prenez votre chope ou votre tasse favorite; assurez-vous qu'elle n'a pas de garniture ou de glaçure métallique. Si vous n'êtes pas certain que votre tasse va au four à micro-ondes, faites l'essai décrit à la page 15.

Ensuite, suivez ces directions étape par étape.

1. Remplissez d'eau une chope ou une tasse et placez-la dans le bas du four, au centre, sur le plateau de verre si vous en avez un avec votre modèle. Fermez la porte du four.

2. Effleurez la touche « clear » pour effacer toute programmation antérieure.

3. Effleurez la touche « time » et ensuite les touches 2-0-0. (En fait, cela commande à votre four de fonctionner pendant « deux minutes et zéro seconde »). Il n'est pas nécessaire de toucher « cook control » parce que votre four est automatiquement réglé à HI (max.) à moins qu'il ait été programmé à une autre intensité.

4. Effleurez maintenant la touche « start ».

5. La minuterie sonnera quand les deux minutes seront écoulées. Le four s'arrête automatiquement. Ouvrez la porte.

6. Retirez la chope par l'anse qui sera à la température de la pièce alors que la chope sera réchauffée par le liquide bouillant.

7. Ajoutez, en remuant, la poudre de café, de thé ou de soupe.

8. Relaxez et dégustez!

Leçon deux

Petit déjeuner

Jus d'orange congelé
(boîte de 141 mL (5 oz)
Brioche
Café instantané

1. Mettez le jus congelé par cuillerées dans une mesure de verre d'un litre ou dans un pichet micro-ondes et placez dans le four. Fermez la porte.

2. Effleurez la touche « clear »; la touche « time »; puis les touches 2 et 0. Le four est programmé pour 20 secondes à HI (max.).

3. Effleurez la touche « start ».

4. Quand la minuterie sonne, ouvrez la porte et retirez le contenant. Laissez reposer 5 minutes avant d'ajouter l'eau.

5. Entretemps, préparez le café tel qu'indiqué à la page 31.

6. Disposez la brioche sur une assiette de carton ou une serviette de papier.

7. Placez au four et fermez la porte.

8. Effleurez « clear », « time », puis les touches 3 et 0. Ensuite effleurez « cook control », puis la touche 2 ou 2 et 0, selon votre four. Le four est programmé pour 30 secondes à 20% (low).

9. Effleurez « start ». Les pâtisseries sont prêtes quand elles sont à peine chaudes au toucher puisqu'elles seront plus chaudes à l'intérieur. Cependant, étant donné que le sucre attire les micro-ondes, le glaçage ou la gelée peuvent être brûlants.

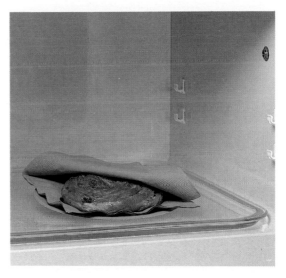

10. Bon appétit!

Leçon trois

Pour four muni d'une sonde de température

Repas léger
1 tasse de soupe
(en boîte ou maison)
1 saucisse fumée
1 pain à hot-dog fendu

1. Versez la soupe dans une tasse de service micro-ondes.
2. Placez la pointe de la sonde de température au centre de la tasse, branchez l'autre bout dans la prise sur la paroi latérale de la cavité du four.
3. Fermez la porte.

4. Effleurez la touche « clear », puis « temperature control », puis 1-5-0; la touche « cook control », puis 8 ou 8 et 0 puis « start ». Votre four est maintenant programmé pour chauffer la soupe à une température de 150°F (66°C) au réglage de cuisson 80% (reheat).

5. Remuez la soupe une fois pendant qu'elle chauffe, de la façon suivante: dès que le tableau d'affichage indique 100°F (38°C), ouvrez la porte, retirez la sonde, remuez la soupe et replacez la sonde. Fermez la porte et effleurez la touche « start » de nouveau. Le four continuera à fonctionner selon le programme déjà inscrit et s'arrêtera de lui-même quand la soupe atteindra la température de 150°F (66°C).
6. Enlevez la sonde de température du four après usage.
7. Mettez la soupe de côté, couvrez-la pendant que le hot-dog chauffera.
8. Placez la saucisse dans le pain, enveloppez de papier; placez au four et fermez la porte.

9. Touchez « clear », « time », 5-0, « cook control », 8 ou 8 et 0 et « start ». Votre four est programmé pour chauffer pendant 50 secondes à 80% (reheat).
10. Moutarde, ketchup à votre goût, et voilà!

Avertissements...

Pour obtenir la plus grande satisfaction de votre four à micro-ondes, n'oubliez pas que certains aliments se prêtent mieux à la cuisson traditionnelle. Voici donc pourquoi nous ne le recommandons pas dans les cas suivants:

☐ Les œufs cuits dans la coquille, car l'énergie se concentre sur la membrane du jaune, causant ainsi une accumulation de vapeur qui pourrait faire éclater l'œuf.

☐ La friture qui présente des risques à cause de l'espace restreint du four qui ne convient pas à la manipulation d'aliments dans l'huile.

☐ Les crêpes, parce qu'elles ne deviennent pas croustillantes. Par contre, le four à micro-ondes est merveilleux pour réchauffer les crêpes, les gaufres et autres aliments du genre.

☐ Les rôties, pour les mêmes raisons que dans le cas des crêpes.

☐ La pâte à chou parce que pour lever, il doit y avoir un développement lent de la vapeur.

☐ Les conserves à la maison parce qu'il est impossible de juger exactement la température à l'intérieur du pot; donc on ne peut être certain que la température et la durée de la cuisson soient suffisantes pour empêcher la détérioration des aliments.

☐ Les gâteaux des anges et les gâteaux chiffon, parce qu'ils requièrent une chaleur sèche et constante pour lever et être tendres.

☐ Faire chauffer les bouteilles avec de petits goulots, comme celles de sirop parce que l'accumulation de pression à l'intérieur peut les faire casser.

☐ Les grosses pièces, comme une dinde de 12 kilos, ou les grandes quantités, comme une douzaine de pommes de terre au four, parce que l'espace n'est pas adéquat et qu'on ne sauve pas de temps.

Le pop-corn

N'essayez pas de faire éclater du maïs dans un sac de papier, puisque le maïs peut se déshydrater, surchauffer et ainsi faire prendre le sac en feu. À cause de plusieurs impondérables tels l'âge du maïs, son contenu d'humidité, il n'est pas recommandé de faire du pop-corn au four à micro-ondes. Cependant, il existe des accessoires à cet effet qui ne présentent aucun danger, mais ils ne donnent pas d'aussi bons résultats que les appareils à pop-corn conventionnels. Si vous utilisez l'accessoire micro-ondes pour faire éclater le maïs, suivez scrupuleusement les instructions qui l'accompagnent.

Vous voudrez sans doute exécuter quelques unes de vos recettes préférées dans le four à micro-ondes. Avec un peu d'imagination et d'expérience, vous pourrez en adapter plusieurs. Avant de convertir une recette, étudiez-la pour voir si elle est facile d'adaptation à la cuisine micro-ondes. Cherchez dans le livre la recette qui s'apparente le plus à votre recette conventionnelle. Par exemple, trouvez une recette dont l'ingrédient principal comporte la même quantité, est du même genre et de la même forme, comme 500 g de viande hachée ou 1 kilo de cubes de bœuf de 2 cm, etc. Comparez ensuite les autres ingrédients, comme les pâtes ou les légumes. La recette micro-ondes demandera probablement moins de liquide, parce qu'il y a très peu d'évaporation dans la cuisson micro-ondes. Au début de chaque chapitre de recettes, des conseils vous sont fournis pour adapter vos recettes. Guidez-vous aussi sur les informations qui suivent:

☐ Les bonbons, les carrés et les bouchées, les pains de viande et certains autres mets cuits au four peuvent être faits sans changement dans les ingrédients. Cependant pour les poudings, les gâteaux, les sauces et quelques mets à la casserole, on devra diminuer le liquide.

☐ Les mets à la casserole demanderont certaines modifications. Par exemple, dans une recette conventionnelle, le riz prend plus de temps à cuire que les autres ingrédients: donc, dans une recette micro-ondes, substituez-lui du riz déjà cuit. Un autre exemple, remplacez de l'oignon frais par de l'oignon instantané. Coupez les légumes, comme les carottes, plus fin que pour une recette conventionnelle.

☐ La plupart des recettes adaptées auront besoin d'ajustements dans le temps de cuisson. Même si toute règle a des exceptions, vous pouvez prendre pour acquit que la plupart des recettes micro-ondes ne prennent que le quart ou le tiers du temps de cuisson d'une recette conventionnelle. Donc, quand le quart du temps est écoulé, vérifiez avant de continuer la cuisson.

Essayons maintenant de convertir une recette conventionnelle pour le four à micro-ondes. Supposons que vous avez une recette favorite de Poulet Marengo que vous aimeriez préparer dans votre four à micro-ondes; la recette qui lui ressemble le plus dans ce livre serait le Poulet chasseur (page 74). Voyons comment faire la conversion.

Poulet Marengo
Façon conventionnelle
4 à 6 portions

125 mL (½ tasse) de farine
5 mL (1 c. à thé) de sel
2 mL (½ c. à thé) de poivre
5 mL (1 c. à thé) d'estragon
1 poulet d'environ 1,5 kg (3 lbs) coupé en morceaux
60 mL (¼ de tasse) d'huile d'olive
60 mL (¼ de tasse) de beurre
250 mL (1 tasse) de vin blanc sec
500 mL (2 tasses) de tomates en boîte
1 gousse d'ail haché fin
8 champignons, 250 g (½ livre) tranchés
Persil haché

Chauffer le four à 180°C (350°F). Mélanger la farine, le sel, le poivre et l'estragon et en enrober le poulet. Mettre en réserve le reste de farine.

Faire chauffer l'huile et le beurre dans un poêlon, y faire dorer les morceaux de poulet. Placer le poulet dans une grande casserole. Ajouter la farine en réserve aux gras dans le poêlon et à l'aide d'un fouet, incorporer graduellement le vin. Quand la sauce est lisse et épaisse, verser sur le poulet et ajouter les tomates, l'ail et les champignons. Couvrir la casserole et cuire jusqu'à ce que le poulet soit tendre, environ 45 minutes. Saupoudrer de persil avant de servir.

En vérifiant la recette de Poulet Chasseur (page 74), vous noterez que la quantité de liquide est pas mal moindre que dans la recette conventionnelle de Poulet Marengo; c'est parce que les liquides ne réduisent pas dans la cuisson micro-ondes et que nous ne voulons pas avoir une sauce claire. Notez aussi que l'oignon est cuit d'abord pour être sûr qu'il est tendre et que la saveur de mets est accentuée. Dans l'adaptation de la recette de Poulet Marengo, on diminue la quantité de liquide et on fait cuire l'ail en premier.

Poulet Marengo *(Recette adaptée)*
Façon micro-ondes
4 à 6 portions

1 poulet coupé en morceaux d'environ 1,5 kg (3 livres)
5 mL (1 c. à thé) de sel
2 mL (½ c. à thé) de poivre
5 mL (1 c. à thé) d'estragon
1 gousse d'ail émincé
15 mL (1 c. à table) de beurre
15 mL (1 c. à table) d'huile d'olive
60 mL (¼ de tasse) de farine
125 mL (½ tasse) de vin blanc sec
500 mL (2 tasses) de tomates en boîte
8 champignons, 250 g (½ livre) tranchés
Persil haché

Frotter le poulet avec le sel, le poivre et l'estragon et mettre de côté. Mettre l'ail, le beurre et l'huile d'olive dans une casserole micro-ondes de 3 litres. Cuire couvert, à HI (max.) 1 minute. Ajouter la farine, remuer jusqu'à consistance lisse en ajoutant graduellement le vin. Incorporer les tomates et les champignons. Cuire couvert, à HI (max.) 5 minutes, remuer. Ajouter le poulet en le recouvrant bien de sauce. Cuire couvert, à HI (max.) 25 à 30 minutes, ou jusqu'à ce que le poulet soit tendre à la fourchette. Vérifier l'assaisonnement, saupoudrer de persil haché et laisser reposer couvert pendant 5 minutes avant de servir.

Les quantités de beurre, d'huile d'olive et de farine ont été diminuées, parce que dans la recette micro-ondes on ne fait pas brunir. Cependant, si vous désirez, vous pouvez mettre plus de beurre et d'huile d'olive, enfariner le poulet et le faire dorer dans un plat à brunir

préchauffé. On met moins de vin blanc pour éviter une sauce trop claire.

Cuisson des mets à la casserole

Le four à micro-ondes est exceptionnellement bon pour faire cuire ces mets. Les légumes gardent leur couleur brillante et leur texture croquante. Les viandes sont tendres et savoureuses. Voici quelques conseils pour vous aider:

☐ La plupart des mets peuvent être préparés à l'avance, réfrigérés ou congelés, puis réchauffés plus tard au four à micro-ondes.
☐ Les casseroles sont ordinairement couvertes de pellicule plastique ou de couvercles de verre pendant la cuisson.
☐ Laissez reposer 5 à 10 minutes avant de servir, selon la grosseur du plat. Le temps de repos permet que le centre de la casserole finisse de cuire.
☐ Vous obtiendrez de meilleurs résultats si vous coupez les aliments en morceaux d'égale grosseur et si vous remuez quelquefois pour distribuer la chaleur. Si les aliments sont de différentes grosseurs, remuez plus souvent.
☐ Les mets contenant des parties de viande moins tendres ont besoin de mijoter plus longtemps, à plus faible intensité, comme 40% (braise) ou 50% (simmer). Les mets contenant des ingrédients délicats comme la crème ou les sauces au fromage nécessitent souvent un réglage d'intensité plus bas tel 70% (roast). Les garnitures de fromage ajoutées pendant les dernières minutes, devraient cuire à une intensité qui ne dépasse pas 70% (roast).
☐ On doit faire sauter le céleri, les

oignons, les piments verts et les carottes avant de les ajouter à un mets en casserole qui cuit rapidement. Le riz et les nouilles doivent être partiellement cuits avant de les combiner avec de la viande cuite, du poisson ou de la volaille. Réglez le four à haute intensité tel 80% (reheat) ou HI (max.) pour ces recettes.

À propos de calories

Tout au long de ce livre, vous trouverez des suggestions d'aliments et des recettes à faible teneur en calories. Elles sont inscrites dans l'index de sorte que vous pouvez les repérer quand vous en avez besoin. Généralement, vous pouvez diminuer les calories dans plusieurs recettes en faisant les substitutions suivantes:

Du bouillon ou de l'eau à la place du beurre quand vous faites fondre ou sauter les légumes;
Des légumes à la place des pommes de terre ou des pâtes;
Des viandes maigres à la place des viandes grasses;
Du lait écrémé à la place du lait entier;
Des fromages de lait écrémé comme le fromage blanc maigre, le ricotta et le mozzarella à la place des fromages gras à la crème;
Des jus naturels avec des herbes à la place des sauces à la crème et au beurre (vous pouvez incorporer du yogourt à la toute fin);
Des fruits cuits dans leur jus à la place de ceux cuits au sirop;
Des poitrines de poulet sans peau à la place des morceaux de poulet ordinaires;
Des crustacés et des poissons blancs tels la sole, le flétan et la morue à la place du maquereau, du tuna et des autres poissons gras.

Lors de vos réceptions, la préparation des hors-d'œuvre vous permet de déployer beaucoup d'imagination. Vous pouvez les servir chauds ou froids, simples ou de fantaisie, légers ou nourrissants selon les occasions. Il n'y a pas de règle, laissez vagabonder votre imagination. Jusqu'à maintenant les hors-d'œuvre chauds étaient longs et difficiles à faire, mais il n'en est plus ainsi avec votre four à micro-ondes. Il est très facile et agréable de préparer les réceptions avec votre four parce qu'il élimine l'énervement de dernière minute de même que les longues corvées autour du « poêle ». Vous pouvez préparer la plupart des hors-d'œuvre et des amuse-gueule à l'avance et, au bon moment, tout simplement chauffer et servir. Ce chapitre offre plusieurs recettes pour recevoir vos invités, mais vous aurez également le goût de préparer de délicieux goûters et des bouchées juste pour votre famille. Il n'y a pas de doute, avec votre four à micro-ondes, c'est amusant de préparer des hors-d'œuvre, facile de les servir et agréable de les manger.

Les Champignons Farcis (page 41), les Rumaki (page 43) et les Pizza pronto (page 43) sont prêts à cuire (cidessus et en haut à droite). Pour redonner leur fraîcheur aux croustilles et autres amuse-gueule, chauffez-les directement dans le panier à HI (max.) 15 secondes; laissez reposer 3 minutes (à droite).

← *Méli-mélo croquant (page 41), Cretons de Julie (page 44), Crevettes et têtes de violon (page 42)*

Adaptez vos propres recettes

Avec votre four à micro-ondes, vous pouvez faire la plupart des hors-d'œuvre que vous avez toujours rêvé de préparer excepté ceux enroulés dans la pâte, puisque celle-ci ne peut devenir croustillante. La recette de Rumaki est un excellent guide pour quantité de brochettes faites de combinaisons de poissons, de viandes, de fruits et de légumes. Comparez votre recette de trempette préférée avec une de celles qui suivent pour en déterminer le temps et touche d'énergie. L'immense choix de hors-d'œuvre, de trempettes et de canapés vous offrira plein de bonnes surprises. Voici quelques conseils utiles:

☐ Les hors-d'œuvre et les trempettes qui contiennent du fromage, de la mayonnaise et d'autres ingrédients délicats sont habituellement chauffés à 70% (roast). Un réglage plus élevé pourrait causer le dessèchement ou la séparation des aliments.

☐ Le réglage à 70% (roast) avec la sonde à 130°F (54°C) offre une alternative pour faire chauffer les trempettes contenant des fruits de mer, du fromage ou des aliments qui seront servis dans un réchaud ou un plat à fondue.

☐ Par contre, en raison de leur nature délicate, les trempettes à la crème sure devraient être couvertes et chauffées à 50% (simmer) avec la sonde à 90°F (32°C).

☐ Les garnitures des canapés peuvent être préparées à l'avance, mais placez-les sur le pain ou les biscuits à la dernière minute pour avoir un fond bien croustillant.

☐ Couvrez les hors-d'œuvre et les trempettes seulement quand la recette l'exige. À cet effet, servez vous de couvercles de verre, de papier ciré, de pellicule plastique ou de papier absorbant.

☐ Vous pouvez, en une seule fournée, faire chauffer deux fois plus de hors-d'œuvre de la même sorte ou se ressemblant, en utilisant les deux niveaux de votre four; le temps de cuisson sera presque doublé. Surveillez bien; ceux du dessus pourraient cuire plus vite que ceux du dessous.

TABLEAU DE CUISSON — HORS-D'ŒUVRE AVEC ALIMENTS PRÉPARÉS

Aliment	Quantité	Réglage de cuisson	Temps	ou	Réglage de la sonde	Remarques
Viande en conserve à tartiner	113 g (4 oz)	80% (reheat)	30 - 45 secondes			Placer dans un petit bol micro-ondes.
Saucisses cocktail en conserve	142 g (5 oz)	80% (reheat)	1½ - 2 minutes			Placer dans un plat de verre avec couvercle.
Saucisses fumées à cocktail, mini-pizzas	4 portions	70% (roast)	45 - 60 secondes			Mettre sur du papier absorbant. La pâte ne sera pas croustillante.
Pizza cuite de 25 cm coupée en 8	1 pointe 4 pointes entière	80% (reheat) 80% (reheat) 70% (roast)	45 - 60 secondes 1½ - 2 minutes 3¼ - 4 minutes			Placer sur des serviettes de papier ou une assiette de carton ou laisser découverte dans la boîte de carton, les pointes vers le centre.
Trempettes, crème	125 mL (½ tasse)	10% (warm)	1½-2½ minutes	ou	130°F 54°C	Recouvrir de pellicule plastique.
Pâtés Impériaux	2 portions	70% (roast)	30 - 45 secondes			Placer sur des serviettes de papier, ne pas recouvrir.
Fondue suisse, congelée	283 g (10 oz)	80% (reheat)	5 6 minutes	ou	150°F 66°C	Inciser le sachet. Placer sur un plat micro-ondes. Remuer avant de servir.

Champignons farcis

CUISSON: 7 à 9 minutes

Laver et assécher les champignons, enlever les tiges. Hacher les tiges, mettre de côté. Dans un contenant de verre de 1 litre, mélanger le bacon, le poivron vert et l'oignon. Recouvrir de serviettes de papier et cuire à HI (max.) 4 minutes, en remuant une fois. Égoutter la graisse. Ajouter le sel, le fromage à la crème, la sauce Worcestershire et les tiges de champignons. Bien mélanger. Farcir les champignons avec la préparation. Dans une mesure de verre de 500 mL, mélanger le beurre, la mie de pain émiettée et le persil. Cuire à HI (max.) 1 minute. Presser cette préparation sur le dessus des champignons farcis. Placer la moitié des champignons sur un plat micro-ondes de 23 cm, la farce sur le dessus. Cuire à HI (max.) 1 à 2 minutes. Recommencer avec les champignons qui restent.

environ 50 champignons

450	g (1 lb) de petits champignons
4	tranches de bacon haché fin
30	mL (2 c. à table) de poivron vert haché
60	mL (¼ de tasse) d'oignon haché
2	mL (½ c. à thé) de sel
90	g (3 oz) de fromage à la crème
1	mL (¼ de c. à thé) de sauce Worcestershire
15	mL (1 c. à table) de beurre ou de margarine
125	mL (½ tasse) de mie de pain émiettée
5	mL (1 c. à thé) de persil haché, frais

Canapés au cheddar

CUISSON: 30 secondes

Mélanger les fromages cheddar et parmesan, la crème, la sauce Worcestershire, la sauce Tabasco et les graines de sésame. Bien mêler jusqu'à consistance lisse. Étendre une cuillerée de la préparation sur chaque toast rond ou craquelin. Disposer 12 canapés sur un plateau micro-ondes. Cuire à 70% (roast) 30 secondes ou jusqu'à ce que la préparation soit chaude et le fromage fondu. Garnir de persil; servir chaud.

12 canapés

60	mL (¼ de tasse) de fromage cheddar râpé
30	mL (2 c. à table) de crème légère
15	mL (1 c. à table) de fromage parmesan râpé
	Quelques gouttes de sauce Worcestershire
	Quelques gouttes de sauce Tabasco
15	mL (1 c. à table) de graines de sésame
12	toasts ronds ou craquelins
	Persil haché

Méli-mélo croquant

CUISSON: 6½ à 7½ minutes

Mélanger les pretzels, les noix et les céréales dans un grand plat à cuire de 30 cm x 20 cm. Fondre le beurre à HI (max.) 1½ minute. Incorporer les assaisonnements et la sauce Worcestershire; en asperger les céréales et bien mêler. Cuire à HI (max.) 5 à 6 minutes, ou jusqu'à ce que croquant, en prenant soin de remuer après les 3 premières minutes. Refroidir et serrer dans des contenants hermétiques.

2,5 litres

Faites les combinaisons et ajoutez les assaisonnements qui vous plaisent.

500	mL (2 tasses) de pretzels fins
375	mL (1½ tasse) de noix salées
500	mL (2 tasses) de carrés de céréale de riz
500	mL (2 tasses) de carrés de céréale de blé
500	mL (2 tasses) d'anneaux de céréale d'avoine
125	mL (½ tasse) de beurre ou de margarine
2	mL (½ c. à thé) de poudre d'ail
2	mL (½ c. à thé) de poudre d'oignon
2	mL (½ c. à thé) de sel de céleri
5	mL (1 c. à thé) de sauce Worcestershire

Crevettes et têtes de violon

CUISSON: 12 à 13 minutes

Étaler les crevettes en une seule couche, les queues vers le centre, sur une assiette micro-ondes ronde. Cuire, couvert de papier ciré, à 70% (roast) 3 à 4 minutes. Les retirer du four quand elles sont roses. Laisser reposer 5 minutes puis décortiquer et déveiner. Faire cuire les têtes de violon à HI (max.) 9 minutes. Laisser refroidir. Faire une vinaigrette avec tous les autres ingrédients; la verser sur les crevettes et réfrigérer. Au moment de servir, mélanger délicatement les crevettes et la vinaigrette avec les têtes de violon. Garnir de tranches de citron.

environ 40 bouchées

500	g (1 lb) de crevettes de Matane fraîches, non décortiquées
283	g (10 oz) de têtes de violon congelées
60	mL (¼ de tasse) d'huile d'olive
	Jus d'un demi citron
1	gousse d'ail émincé
2	mL (½ c. à thé) de sel
	Poivre
	Paprika
½	citron tranché

Boulettes mignonnes

CUISSON: 10 à 12 minutes

Combiner et mélanger les ingrédients dans un grand bol. Former des petites boulettes d'environ 2,5 cm de diamètre. Étendre la moitié des boulettes sur le plat micro-ondes. Cuire à découvert à 90% (sauté) 5 à 6 minutes. Garder sur un réchaud. Faire cuire les boulettes de viande qui restent et les mettre aussi sur le réchaud. Servir chaud. Utiliser des cure-dents pour les piquer et les saucer dans la trempette au cari (page 44). Ces boulettes peuvent être préparées à l'avance et réchauffées au moment de servir à HI (max.) 2 à 3 minutes.

environ 60 boulettes

500	g (1 lb) de bœuf haché maigre
250	g (½ lb) de porc haché
1	petit oignon haché fin
250	mL (1 tasse) de lait
1	œuf, battu légèrement
250	mL (1 tasse) de chapelure
5	mL (1 c. à thé) de sel
1	mL (¼ de c. à thé) de poivre
1	mL (¼ de c. à thé) de toute-épice
10	mL (2 c. à thé) de sauce soya

Saucisses coquetel

CUISSON: 7 à 8 minutes

Mélanger l'oignon et le beurre dans un plat micro-ondes en verre, de 1,5 litre. Couvrir et cuire à HI (max.) 2 à 3 minutes ou jusqu'à ce que l'oignon soit transparent. Ajouter tous les autres ingrédients, sauf les saucisses. Couvrir et cuire à HI (max.) 3 minutes ou jusqu'à ce que la sauce bouillonne. Ajouter les saucisses. Cuire couvert à HI (max.) 2 minutes ou jusqu'à ce que les saucisses soient chaudes. Laisser reposer couvert 2 minutes. Servir chaud. Piquer avec des cure-dents.

2 à 3 douzaines

60	mL (¼ de tasse) d'oignon émincé
30	mL (2 c. à table) de beurre
60	mL (¼ de tasse) d'eau
125	mL (½ tasse) de catsup aux tomates
15	mL (1 c. à table) de vinaigre
2	mL (½ c. à thé) de sauce Worcestershire
30	mL (2 c. à table) de cassonade
2	mL (½ c. à thé) de sel
2	mL (½ c. à thé) de moutarde sèche
2	mL (½ c. à thé) de paprika
250	g (8 oz) de petites saucisses fumées

Caviar d'aubergine

CUISSON: 7$\frac{1}{2}$ à 9 minutes

1	aubergine d'environ 500 g (1 lb)
1	petit oignon haché
$\frac{1}{2}$	poivron vert moyen, haché
1	gousse d'ail haché
5	mL (1 c. à thé) de jus de citron
2	mL ($\frac{1}{2}$ c. à thé) de sel Poivre au goût
250	mL (1 tasse) de yogourt nature

Placer l'aubergine entière sur la grille micro-ondes, percer la peau à plusieurs endroits. Cuire à HI (max.) 6 à 7 minutes ou jusqu'à tendreté. Laisser refroidir. Combiner l'oignon, le poivron vert, l'ail et le jus de citron dans un petit bol micro-ondes. Cuire à HI (max.) 1$\frac{1}{2}$ à 2 minutes ou jusqu'à ce que les légumes soient ramollis. Couper l'aubergine en deux, en retirer la pulpe et la mettre dans un petit bol à mélanger. Ajouter tous les ingrédients sauf le yogourt. Battre en mélangeant bien. Incorporer le yogourt, couvrir et refroidir complètement avant de servir.

2 tasses

Servir avec du pain de seigle noir ou autre pain lourd ou des biscuits. Le caviar d'aubergine est un délicieux hors-d'œuvre faible en calories: celles-ci sont encore diminuées si le caviar est servi avec des crudités.

Rumaki

CUISSON: 21 minutes

12	tranches de bacon
250	g ($\frac{1}{2}$ lb) de foies de poulet
1	mL ($\frac{1}{4}$ de c. à thé) de poudre d'ail
60	mL ($\frac{1}{4}$ de tasse) de sauce soya
1	boîte de 227 mL (8 oz) de châtaignes d'eau égouttées

Couper les tranches de bacon en trois et les foies en morceaux de 2,5 cm. Mélanger la sauce soya et la poudre d'ail. Tremper les foies dans la sauce. Placer une châtaigne d'eau sur chaque morceau de foie et enrouler de bacon. Fixer à l'aide d'un cure-dent de bois. En placer 12 à la fois, en cercle, dans une assiette micro-ondes chemisée de papier; couvrir de papier. Cuire à HI (max.) 4 minutes. Retourner, couvrir et cuire à HI (max.) 3 minutes ou jusqu'à ce que le bacon soit cuit. Laisser reposer une minute avant de servir.

36 hors-d'œuvre

Mini-Pizzas

CUISSON: 9 à 12 minutes

6	muffins anglais fendus et grillés
1	boîte de 227 mL (8 oz) de sauce à pizza
1	paquet de 113 g (4 oz) de pepperoni tranché
250	mL (1 tasse) de fromage mozzarella râpé

Tartiner chaque moitié de muffin avec de la sauce à pizza. Couvrir avec 3 tranches de pepperoni et du fromage. Placer 4 moitiés en cercle sur une assiette micro-ondes. Cuire à 70% (roast) 3 à 4 minutes ou jusqu'à ce que le fromage soit fondu. Laisser reposer 3 minutes avant de servir. Recommencer avec les autres muffins.

12 portions

Bouchées à la reine

CUISSON: 2 minutes

1 boîte de 184 g (6.5 oz) de flocons de poulet
¹/₂ boîte de 284 mL (10 oz) de crème aux champignons, non diluée
24 petits vol-au-vent

Bien défaire le poulet à la fourchette. Ajouter la crème aux champignons et mélanger. Placer douze vol-au-vent en cercle sur une assiette micro-ondes. Les remplir aux deux tiers de préparation. Chauffer à 80% (reheat) 1 minute. Couvrir de papier ciré et laisser reposer 1 minute avant de servir. Recommencer avec les douze autres vol-au-vent.

24 bouchées

Cretons de Julie

CUISSON: 20 minutes

500 g (1 lb) de porc haché
125 mL (¹/₂ tasse) de lait
125 mL (¹/₂ tasse) de mie de pain frais
1 gros oignon, coupé en quatre
1 gousse d'ail
2 mL (¹/₂ c. à thé) de sel
1 mL (¹/₄ de c. à thé) de toute-épice
1 mL (¹/₄ de c. à thé) de poivre blanc
1 mL (¹/₄ de c. à thé) de poivre de céleri

Déposer le porc haché dans un plat micro-ondes rond, en verre, de 2 litres. Mettre tous les autres ingrédients dans le mélangeur électrique. Réduire en purée. Verser sur la viande et bien incorporer. Faire un creux au centre du plat et cuire couvert, à 50% (simmer), 20 minutes. Retirer du four deux fois pendant la cuisson et bien écraser la viande à la fourchette. Refaire un creux au centre avant de retourner au four. Laisser reposer couvert 10 minutes. Écraser de nouveau, vérifier l'assaisonnement. Refroidir dans deux petits bols. Servir sur des tranches de pain baguette ou des craquelins.

2 petits moules

Canapés au crabe

CUISSON: 1 à 1¹/₂ minute

180 à 200 g (6¹/₂ à 7 oz) de chair de crabe égouttée, en boîte
125 mL (¹/₂ tasse) de céleri haché fin
10 mL (2 c. à thé) de moutarde préparée
20 mL (4 c. à thé) de relish sucrée
2 échalotes émincées
125 mL (¹/₂ tasse) de mayonnaise
16 craquelins ou toasts ronds

Examiner le crabe et en retirer tout cartilage. Placer dans un bol de 1 litre et défaire à la fourchette. Ajouter le céleri, la moutarde, la relish sucrée, les échalotes et la mayonnaise. Bien mélanger. Étendre la préparation sur des craquelins ou des toasts ronds. En mettre 8 à la fois sur des serviettes de papier dans un plat micro-ondes. Recouvrir de papier ciré. Cuire à 70% (roast) 30 à 45 secondes, ou jusqu'à ce que chaud. Recommencer avec les canapés qui restent.

16 canapés

Les micro-ondes sont insurpassables pour les sandwiches, les boissons chaudes, les soupes et les chaudrées. Pour un petit remontant vous n'avez besoin que d'une minute ou deux et une tasse d'eau pour faire une soupe ou un café instantané. Si vous aimez faire vos potages maison sans avoir à faire mijoter et surveiller pendant des heures, comme dans la cuisson traditionnelle, suivez ces recettes micro-ondes.

Levez-vous en beauté avec un bon chocolat chaud et finissez la journée avec un café préparé vite et facilement dans votre four. Quelle commodité pour les amateurs de café! Finie cette potion amère qui restait quand vous gardiez votre café chaud plus de 15 minutes à la mode ancienne. Préparez votre café comme d'habitude, versez ce que vous voulez boire tout de suite et réfrigérez le reste. Puis, tout au long de la journée, versez-vous une tasse du café réfrigéré et faites chauffer 1½ à 2 minutes à HI (max.) et savourez le goût d'un café vraiment frais.

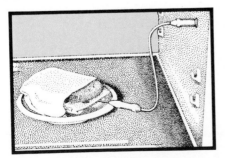

La sonde de température est particulièrement utile pour préparer les soupes. Voyez la position de la sonde quand une casserole ou un bol est recouvert d'une pellicule plastique. La pellicule n'est pas percée par la sonde (en haut, à gauche). La sonde peut être utilisée quand on fait chauffer 1 à 4 tasses de soupe: disposez-les en cercle et mettez la sonde dans l'une d'elles (ci-dessus). Le Croquemonsiour (page 52) est vite réchauffé avec la sonde (à gauche).

Adaptez vos propres recettes de soupes et de boissons chaudes

Les soupes et les boissons chaudes s'adaptent très facilement à la méthode micro-ondes. Trouvez dans le livre une recette qui ressemble à une des vôtres, en volume et en consistance, ou à une nouvelle recette que vous voulez essayer. Vous devrez peut-être changer un ingrédient ou deux: par exemple, les soupes de légumineuses comme la soupe aux fèves rouges ne donnent pas toujours de très bons résultats au four à micro-ondes. Cependant les fèves en boîte et les mélanges de soupes déshydratées sont d'excellents substituts. Voici quelques conseils qui vous aideront à bien réussir vos propres recettes:

☐ Soyez prudent avec les préparations liquides au lait ou avec les quantités de 2 ou 3 litres qui peuvent renverser très rapidement. Choisissez toujours un contenant micro-ondes assez grand pour éviter tout débordement et ne remplissez pas les tasses individuelles plus qu'au deux-tiers.
☐ Couvrez les soupes pour la cuisson. Utilisez les couvercles de vos casseroles micro-ondes, du papier ciré ou une pellicule plastique.
☐ Les soupes avec de la viande ou du poulet cru doivent mijoter à faible intensité. Commencez la cuisson à HI (max.) et finissez à 50% (simmer). On utilise généralement 80% (reheat) pour les soupes contenant de la viande et/ou des légumes cuits.
☐ La durée de cuisson varie selon le volume du liquide et la densité des aliments qui composent la soupe.
☐ Souvenez-vous que si le four à micro-ondes cuit plus rapidement c'est parce que les liquides s'y évaporent moins que sur une cuisinière conventionnelle.
☐ Commencez avec seulement un quart du temps suggéré dans la recette conventionnelle et continuez selon les besoins pour compléter la cuisson.

Utilisation du tableau de cuisson des boissons chaudes

1. Verser le liquide dans une tasse micro-ondes.
2. La température initiale du liquide influencera le temps total de cuisson. L'eau froide du robinet et le lait du réfrigérateur prendront plus de temps à chauffer.
3. Chauffer les boissons à base d'eau à HI (max.) et celles à base de lait à 70% (roast) et surveiller bien pour qu'elles ne renversent pas.
4. On peut se servir de la sonde de température réglée à 150°F (66°C). Chauffer les boissons à base d'eau à HI (max.) et celles à base de lait à 70% (roast).

TABLEAU DE CUISSON — BOISSONS CHAUDES

Liquide	Réglage de cuisson	Tasse 185 mL (6 oz)	Temps en minutes	Tasse 250 mL (8 oz)	Temps en minutes	Remarques
Eau	HI (max.)	1	1 - 1¼	1	1½ - 2	Pour de la soupe, du thé, du café
		2	1¾ - 2	2	3 - 3¼	instantané, etc.
Lait	70% (roast)	1	2½	1	2¾ - 3	Pour du chocolat chaud, etc.
		2	2¾ - 3	2	3¼ - 3½	
Café à réchauffer	HI (max.)	1	1 - 1½	1	1¼ - 1½	
		2	2 - 2¼	2	2 - 2½	

Utilisation du tableau de cuisson pour les soupes en boîtes

1. Verser la soupe dans une casserole micro-ondes de 1½ à 2 litres.
2. Ajouter le lait ou l'eau selon le mode d'emploi. Remuer.
3. Couvrir la casserole avec son couvercle, du papier ciré ou de la pellicule plastique.
4. Cuire suivant les instructions du tableau. Remuer les soupes en crème à mi-cuisson.
5. On peut utiliser une sonde de température. Régler et cuire tel qu'indiqué dans le tableau.
6. Laisser reposer, couvert, 3 minutes avant de servir.

TABLEAU DE CUISSON — SOUPES EN BOÎTES

Soupe	Quantité	Réglage de cuisson	Temps en minutes	ou	Réglage de la sonde	Remarques
Bouillon	284 mL (10 oz)	80% (reheat)	3½ - 4	ou	150°F (66°C)	Employer une casserole de 1,5 L
Soupes en crème	284 mL (10 oz)	80% (reheat)	5 - 6	ou	140°F (60°C)	Employer une casserole de 1,5 L
crème de tomates	796 mL (28 oz)	80% (reheat)	8 - 10	ou	140°F (60°C)	Employer une casserole de 2 L
Haricots, pois ou champignons	284 mL (10 oz)	70% (reheat)	7 - 8	ou	150°F (66°C)	Employer une casserole de 1,5 L
Légumes à la fermière, non diluée	284 mL (10 oz)	80% (reheat)	2½ - 4	ou	150°F (66°C)	Employer une casserole de 1 L
	537 mL (19 oz)	80% (reheat)	5 - 7	ou	150°F (66°C)	Employer une casserole de 1,5 L

Utilisation du tableau de cuisson des soupes en enveloppes

1. Verser l'eau dans une casserole ou une chope micro-ondes.
2. Couvrir avec le couvercle ou du papier ciré.
3. Cuire suivant les instructions du tableau.
4. Laisser reposer 5 minutes avant de servir.
5. Vérifier les nouilles ou le riz, s'il y en a. Si ce n'est pas cuit, remettre au four à 80% (reheat) 30 secondes.
6. On peut utiliser une sonde de température. Régler tel qu'indiqué au tableau, cuire à HI (max.) et laisser reposer 5 minutes avant de servir.

TABLEAU DE CUISSON — SOUPES EN ENVELOPPES

Soupe	Nombre d'enveloppes	Réglage de cuisson	Temps en minutes	ou	Réglage de la sonde	Remarques
Soupe instantanée enveloppe de 34 g (1¼ oz)	1	HI (max.)	2 - 2½	ou	150°F (66°C)	Remplir d'eau aux ⅔ une chope de 250 mL
	2	HI (max.)	3 - 3½	ou	150°F (66°F)	Remplir d'eau aux ⅔ les chopes
	4	HI (max.)	6 - 7	ou	150°F (66°C)	Remplir d'eau aux ⅔ les chopes
Mélange pour soupe en enveloppe de 60 g (2¼ oz)	1	HI (max.)	8 - 10	ou	160°F (71°C)	Mettre 1 litre d'eau dans une casserole de 2 litres

Adaptez vos propres recettes de sandwiches

L'immense variété de combinaisons de sandwiches que vous pouvez faire dans votre four à micro-ondes aiguisera votre imagination, et, elles sont si faciles à faire! Combinez viandes, fromages, œufs, salades et légumes; faites des sandwiches tête-bêche ou des sandwiches de fantaisie; et bien sûr, vous pourrez toujours vous dépanner avec les hot-dogs et les hamburgers. Les sandwiches chauffent en quelques secondes, donc prenez garde de ne pas trop les faire cuire car le pain deviendrait dur et pesant. Faites chauffer les pains jusqu'à ce qu'ils soient chauds mais non brûlants et le fromage jusqu'à ce qu'il commence à fondre. Vous pouvez réchauffer les sandwiches remplis seulement de fines tranches de viande, à HI (max.) comme suit:

1 sandwiche,   45 à 50 secondes
2 sandwiches, 1 à 1¹/₂ minute
4 sandwiches, 2 à 2¹/₂ minutes

Les conseils suivants vous aideront à adapter ou inventer vos propres sandwiches:

☐ Les meilleurs pains à utiliser pour les sandwiches chauds sont ceux vieux d'un jour et consistants comme ceux au seigle et au blé entier, ou ceux riches en œufs et en shortening comme le pain français, italien et autres pains blancs.

☐ Faites chauffer les sandwiches sur du papier ou dans des assiettes de carton pour absorber la vapeur et empêcher qu'ils soient détrempés. Couvrez avec du papier pour prévenir les éclaboussures. Ce qu'il y a de plus simple c'est d'envelopper chaque sandwiche dans du papier. Développez immédiatement après avoir réchauffé.

☐ Plusieurs tranches fines de viande cuisent plus vite et ont meilleur goût qu'une tranche épaisse; celle-ci prend plus de temps à chauffer et le pain peut devenir trop cuit.

☐ Pour empêcher que le pain soit détrempé, on devrait généralement faire chauffer séparément la garniture des Sloppy Joe et des sandwiches avec sauce.

☐ Vous pouvez vous servir du plat à brunir pour améliorer l'apparence de certains sandwiches grillés au fromage, au bacon ou autres. Brunissez le côté extérieur beurré avant de mettre la garniture.

Potage Saint-Germain à la menthe

CUISSON: 7 à 10 minutes

60	mL (¹/₄ de tasse) de persil frais, sans les tiges
2	échalotes
¹/₂	pomme de laitue, sans le cœur
500	mL (2 tasses) de pois frais ou 283 g (10 oz) de pois congelés
415	mL (14 oz) de bouillon de poulet
2	mL (¹/₂ c. à thé) de sel
60	mL (¹/₄ de tasse) de feuilles de menthe fraîche hachées
1	mL (¹/₄ de c. à thé) de poivre blanc
125	mL (¹/₂ tasse) de crème épaisse
4	tiges de menthe fraîche pour garnir

Hacher le persil, les échalotes et la laitue. Mettre dans une casserole de 2 litres, ajouter les pois, le bouillon de poulet, le sel, le poivre et la menthe. Cuire à HI (max.) 7 à 10 minutes ou jusqu'à ce que les légumes soient tendres. Verser la soupe dans le mélangeur, couvrir, partir à basse vitesse en augmentant jusqu'à consistance lisse. Incorporer la crème et couvrir. Refroidir jusqu'au moment de servir. Garnir de menthe.

4 portions

Si vous n'avez pas de menthe fraîche, remplacez par 15 mL (1 c. à table) de menthe séchée. Ou pour une variation intéressante, remplacez par 2 mL (¹/₂ c. à thé) de thym.

Soupe à l'oignon à la française

CUISSON: 23 à 29 minutes

Faire cuire le beurre et les oignons dans une casserole micro-ondes de 3 litres, à HI (max.), 10 à 12 minutes ou jusqu'à ce que les oignons soient transparents en remuant une fois pendant la cuisson. Incorporer la farine et cuire, à découvert, à HI (max.) 1 minute. Ajouter le bouillon, le vin, le sel et le poivre. Cuire couvert à HI (max.) 8 minutes. Pour servir, remplir aux deux-tiers les bols micro-ondes de soupe chaude et y faire flotter les toasts beurrés saupoudrés d'ail et garnis généreusement de fromage suisse. Placer 2 bols (ou 3, en cercle), au four. Cuire à découvert à 70% (roast) 2 minutes ou jusqu'à ce que le fromage soit fondu.

6 à 8 portions

3	gros oignons coupés en 4 et émincés
60	mL (¼ de tasse) de beurre ou margarine
10	mL (2 c. à thé) de farine
1,5	L (6 tasses) de bouillon de bœuf
60	mL (¼ de tasse) de vin blanc sec
2	mL (½ c. à thé) de sel
	Un peu de poivre
	Poudre d'ail
6 à 8	tranches de pain français grillées et beurrées
250	mL (1 tasse) de fromage suisse râpé

Vous pouvez préparer cette soupe à l'avance. Réfrigérez avant d'ajouter les toasts. Plus tard, cuire, couvert, à HI (max.) 5 minutes, en remuant deux fois pendant la cuisson; et procédez tel qu'indiqué.

Consommé madrilène

CUISSON: 16 à 17 minutes

Placer le beurre et le céleri dans une casserole de verre de 2 litres. Cuire à HI (max.) 5 minutes. Ajouter tous les autres ingrédients sauf les tranches de citron. Cuire couvert à 80% (reheat) 11 à 12 minutes ou jusqu'à ce que ce soit chaud. Laisser reposer 2 à 5 minutes. Garnir de tranches de citron.

4 à 6 portions

15	mL (1 c. à table) de beurre ou margarine
125	mL (½ tasse) de céleri haché fin
1	L (4 tasses) de jus de tomate
1	boîte de 284 mL (10 oz) de consommé de bœuf condensé
15	mL (1 c. à table) de sherry sec
2	mL (½ c. à thé) de thym
5	mL (1 c. à thé) de sucre
2	mL (½ c. à thé) de sel de céleri
	Quelques gouttes de sauce Tabasco
4 à 6	tranches de citron

Crème de champignons

CUISSON: 7 minutes

Combiner les champignons, les assaisonnements et le bouillon dans une casserole micro-ondes de 2 litres. Cuire à HI (max.) 5 minutes en remuant une fois. Incorporer la crème, cuire à 60% (bake) 2 minutes ou jusqu'à ce que ce soit chaud.

6 portions

500	mL (2 tasses) de champignons frais hachés
2	mL (½ c. à thé) de poudre d'oignon
1	mL (¼ de c. à thé) de sel
	Poudre d'ail et poivre blanc au goût
625	mL (2½ tasses) de bouillon de poulet
250	mL (1 tasse) de crème épaisse

Pour une soupe plus faible en calories, remplacer la crème par du lait évaporé écrémé.

Soupe aux pois du Québec
CUISSON: 1 heure 15 minutes

250 mL (1 tasse) de pois
  cassés, jaunes
125 g (¹/₄ de livre) de lard
  salé, en dés
1,5 litre (6 tasses) d'eau
  chaude
1 oignon moyen haché
1 carotte en cubes
1 feuille de laurier
1 branche de céleri haché
2 mL (¹/₂ c. à thé) de
  sarriette

Laver les pois, les faire tremper deux heures. Égoutter et mettre avec tous les autres ingrédients dans une casserole micro-ondes de 4 litres. Cuire couvert à HI (max.) 15 minutes ou jusqu'à ébullition. Remuer. Cuire couvert, à 60% (bake), 1 heure ou jusqu'à ce que les pois soient en purée. Remuer deux fois pendant la cuisson. Retirer la feuille de laurier avant de servir.

6 portions

Soupe campagnarde aux légumes
CUISSON: 40 à 45 minutes

2 pommes de terre
  moyennes pelées
  coupées en dés
2 carottes tranchées
2 petits oignons hachés
250 mL (1 tasse) de chou en
  lanières
375 mL (1¹/₂ tasse) de maïs
  frais ou
1 boîte de 354 mL (12 oz)
  de maïs en grains
1 L (4 tasses) de bouillon
  de bœuf
1 boîte de 473 mL (16 oz)
  de tomates étuvées
5 mL (1 c. à thé) de sel
2 mL (¹/₂ c. à thé) de thym
  Poivre
  Une feuille de laurier
85 mL (¹/₃ de tasse) de
  persil frais haché

Combiner tous les ingrédients sauf le persil, dans une casserole micro-ondes de 4 litres. Cuire couvert à HI (max.) 20 minutes. Remuer, cuire à 50% (simmer) 20 à 25 minutes. Laisser reposer 5 minutes. Retirer la feuille de laurier. Répartir le persil dans les plats de service. Verser la soupe chaude sur le persil. Servir immédiatement avec des biscuits ou du pain croûté.

6 portions

Consommé madrilène (page 49),
Soupe aux pois du Québec →

Croissant Rougemont

CUISSON: 1 minute

Couper un croissant en deux. Mettre la moitié du fromage sur le fond du croissant. Étaler les tranches de pomme sur le fromage. Saupoudrer de cannelle. Placer le reste du fromage et couvrir avec l'autre moitié du croissant. Envelopper de papier ciré. Cuire à HI (max.) 1 minute. Laisser reposer 1 minute. Servir.

1 portion

1   croissant
1   tranche de fromage
      cheddar doux, coupée
      en deux
1   quartier de pomme en
      tranches minces
    Cannelle

Hot-dogs

CUISSON: 2½ à 3 minutes

Placer chaque saucisse dans un pain et envelopper individuellement avec une serviette de papier. Arranger comme les rayons d'une roue sur un plateau de verre. Cuire à 80% (reheat) 2½ à 3 minutes. Bien surveiller pour qu'ils ne cuisent pas trop. Servir les hot-dogs avec un choix de sauce chili, moutarde, relish, catsup, choucroute, oignon haché, poivron vert haché et fromage râpé.

6 portions

6   pains à hot-dogs fendus
6   saucisses fumées

Pour cuire: 1 hot-dog, 50 à 60 secondes; 2 hot-dogs, 1 à 1½ minute; 3 hot-dogs, 1½ à 2 minutes; 4 hot-dogs, 2 à 2¼ minutes.

Croque-monsieur

CUISSON: 1½ minute

Étendre le beurre et la moutarde sur les morceaux de pain. Couvrir chacun avec une tranche de jambon puis une tranche de fromage. Saupoudrer de paprika. Cuire découvert à HI (max.) 1½ minute ou jusqu'à ce que le fromage bouillonne. Laisser reposer 30 secondes.

2 portions

1   morceau de pain
      baguette, séparé
      en deux
2   tranches de jambon cuit
2   tranches de fromage
      cheddar doux, blanc
    Beurre ou margarine
    Moutarde de Dijon
    Paprika

← *Croissant Rougemont*

Sandwiches chauds au poulet

CUISSON: 4 minutes

Verser la sauce dans un contenant de verre de 500 mL (2 tasses). Chauffer à HI (max.) 2 minutes. Remuer. Placer les petits pois dans un plat micro-ondes. Remettre la sauce au four en même temps que les pois et cuire à HI (max.) 2 minutes. Beurrer les tranches de pain. Répartir le poulet sur deux tranches. Napper avec la moitié de la sauce. Recouvrir avec les autres tranches de pain. Verser le reste de sauce sur les sandwiches. Servir avec les petits pois.

2 portions

4	tranches de pain blanc
200	g (7 oz) de poulet cuit, tranché mince
1	boîte de 400 mL (14 oz) de sauce pour sandwiches chauds
1	boîte de 284 mL (10 oz) de petits pois
	Beurre

Sandwiche de l'Ouest

CUISSON: 2 minutes

Mettre tous les ingrédients, sauf le pain, dans une tasse de verre. Battre à la fourchette. Verser dans une soucoupe micro-ondes. Cuire à 60% (bake) 1 minute. Remuer avec soin. Cuire à 60% (bake) 1 autre minute ou jusqu'à ce que ce soit pris. Servir sur du pain grillé.

1 sandwiche

1	œuf
15	mL (1 c. à table) d'oignon haché
5	mL (1 c. à thé) de poivron vert haché
45	mL (3 c. à table) de jambon cuit, coupé en dés
2	toasts ou 1 pain grillé

Sandwiches au bœuf fumé

CUISSON: 1 minute

Placer les sachets de bœuf fumé sur une assiette micro-ondes. Les entailler. Cuire à HI (max.) 1 minute. Étendre de la moutarde, au goût, sur les tranches de pain. Mettre le contenu de chaque sachet entre deux tranches de pain. Servir avec les cornichons. 2 portions

2	sachets de 50 g chacun (2 oz), de bœuf fumé tranché
4	tranches de pain de seigle
	Moutarde préparée
2	cornichons à l'aneth

Café irlandais

CUISSON: 1½ à 2 minutes

45 mL (3 c. à table) de
      whisky irlandais
10 mL (2 c. à thé) de sucre
15 mL (1 c. à table) de café
      instantané
      Crème fouettée

Verser le whisky dans une grande tasse ou une chope micro-ondes. Ajouter le sucre et le café. Remplir d'eau au trois-quarts, bien mélanger. Cuire à HI (max.) 1½ à 2 minutes jusqu'à ce que ce soit chaud mais non bouillant. Remuer pour dissoudre le sucre. Garnir d'une cuillerée de crème fouettée. Ne pas remuer. Siroter le café avec la couche de crème.

1 portion

Chagrin d'érable

CUISSON: 2 minutes

200 mL (7 oz) de lait
  5 mL (1 c. à thé) de café
      instantané
45 mL (3 c. à table) de
      liqueur d'érable
      Crème fouettée
      (optionnel)
      Sucre d'érable râpé

Dans une grande chope ou tasse micro-ondes, mélanger le lait et la poudre de café, Cuire à 70% (roast) 2 minutes ou jusqu'à ce que très chaud mais pas bouillant. Ajouter la liqueur d'érable. Garnir de crème fouettée. Saupoudrer de sucre d'érable râpé. Scrvir.

1 portion

Chocolat chaud

CUISSON: 6 à 7 minutes

85 mL (⅓ de tasse) de
      cacao
60 mL (¼ de tasse) de sucre
750 mL (3 tasses) de lait
10 mL (2 c. à thé) de zeste
      d'orange râpé
  1 mL (¼ de c. à thé)
      d'essence d'amandes
  4 bâtons de cannelle

Mélanger le cacao et le sucre dans un contenant de verre de 1 litre. Ajouter 125 mL (½ tasse) de lait pour faire une pâte lisse. Incorporer le reste du lait, le zeste d'orange et l'essence d'amandes. Mélanger bien pour dissoudre le sucre. Cuire à 70% (roast) 6 à 7 minutes ou jusqu'à ce que ce soit très chaud. Verser dans les chopes et placer un bâton de cannelle dans chacune.

4 portions

Bouillon à la tomate

CUISSON: 6 à 7 minutes

625 mL (2½ tasses) de jus de
      tomate
  1 boîte de 284 ml (10 oz) de
      bouillon de bœuf
      condensé
60 mL (¼ de tasse) de jus
      de citron
  5 mL (1 c. à thé) de raifort
      préparé
  5 mL (1 c. à thé) de flocons
      de persil
  2 mL (½ c. à thé) de sel
      de céleri
60 mL (¼ de tasse) de
      sherry sec (optionnel)

Combiner tous les ingrédients, sauf le sherry, dans un contenant micro ondes de 1 litre. Cuire à HI (max.) 6 à 7 minutes, jusqu'à ce que ce soit très chaud mais non bouillant. Verser dans 6 chopes et incorporer dans chacune 10 mL (2 c. à thé) de sherry.

6 portions

La cuisson de la viande au four à micro-ondes offre beaucoup plus d'avantages que la cuisson avec la cuisinière. Cette méthode fait merveille pour emprisonner jus et saveur. Votre dollar va plus loin parce que la viande diminue moins. Vous pouvez aussi décongeler, cuire et réchauffer en quelques minutes tout en gardant votre cuisine fraîche et confortable.

Si certains de vos convives préfèrent leur bœuf saignant tandis que d'autres l'aiment bien cuit, le four à micro-ondes résout le problème. Après que le rôti est découpé, quelques secondes au micro-ondes rendront les tranches saignantes, à point ou bien cuites. De plus, la viande pour le barbecue gagne à être partie au four à micro-ondes. Vous aurez cette délicieuse saveur de charbon de bois sans les longues attentes qui finissent souvent en viandes brûlées ou calcinées. Au four à micro-ondes, comme dans le four conventionnel, les coupes tendres donnent de meilleurs résultats. Les coupes moins tendres devraient être marinées ou attendries et cuites à une faible intensité, car, comme dans la cuisson conventionnelle, c'est braisées ou mijotées qu'elles seront à leur meilleur.

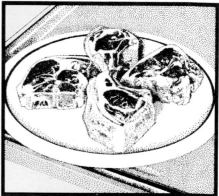

Le pain de viande peut être cuit dans un moule à pain, mais un moule en anneau est préférable. Vous pouvez faire votre propre moule en utilisant un petit verre droit dans un plat rond (ci-dessus). L'arrangement des aliments pour la cuisson micro-ondes est démontré avec les côtelettes d'agneau: le bout de la côte est placé vers le centre du plat (au-dessus, à droite). Voyez comment la sonde de température est placée dans le rôti de côtes (à droite).

Il y en a qui croient que la viande ne brunit pas au four à micro-ondes. Faux! Toute viande qui cuit plus de 10 minutes brunira au four à micro-ondes. Par contre, les steaks, les côtelettes, les pâtés de viande hachée et les coupes de viande minces qui cuisent rapidement grilleront mieux dans un plat à brunir micro-ondes.

Utilisation de plat à brunir pour → les pâtés de bœuf haché (tableau de cuisson, page 58)

Adaptez vos recettes

Les tableaux des pages suivantes donnent un résumé des temps de décongélation et de cuisson des coupes de viande courantes. La sonde de température élimine les devinettes et les problèmes de calcul. Vous trouverez sûrement des recettes similaires pour vous guider dans l'adaptation de vos recettes personnelles de pains de viande, de viandes en sauces et casseroles qui demandent des coupes moins tendres. Faites correspondre le plus possible les méthodes et les ingrédients de vos recettes conventionnelles à ceux de la cuisine micro-ondes. Faites autant d'essais que vous voulez. Voici quelques conseils utiles:

- ☐ Pour de meilleurs résultats, faites cuire des petits rôtis de forme égale, désossés, roulés et attachés.
- ☐ On présume que la viande est à la température du réfrigérateur pour les temps de cuisson: si vos repas demandent une longue préparation pendant laquelle la viande peut atteindre la température de la pièce, réduisez le temps de cuisson.
- ☐ Arrosez, marinez et assaisonnez la viande tout comme vous le feriez dans la cuisson conventionnelle. Cependant, évitez de saler la surface avant ou pendant la cuisson puisque le sel fait sortir le suc des aliments.
- ☐ Vous pouvez utiliser un gril micro-ondes pour que la viande ne trempe pas dans le jus pendant la cuisson.
- ☐ Utilisez un couvercle étanche et un réglage à 40% (braise) ou 50% (simmer) pour les coupes moins tendres de viande, comme la palette, le bas de ronde, la poitrine et la viande à ragoût, qui cuisent dans le liquide.
- ☐ Vérifiez les mets qui demandent des périodes de cuisson assez longues pour vous assurer que le liquide ne soit pas évaporé. Ajoutez du liquide au besoin.
- ☐ Rehaussez la couleur et la saveur du steak, du bœuf haché en paté, des pains de viande et des rôtis avec un des trucs suivants: mélange à sauce brune en poudre; agent brunissant liquide; sauce Worcestershire, soya ou à steak; paprika; bacon cuit; sauce tomate; mélange de soupe à l'oignon déshydratée.
- ☐ La plupart des recettes au bœuf haché demandent de la viande maigre. Si vous utilisez le bœuf haché régulier, retirez la graisse avant d'ajouter les autres ingrédients de la sauce.
- ☐ Les grosses pièces qu'on ne fait généralement pas cuire au barbecue, tel que jambon, gigot d'agneau, rôti de porc, dinde et poulet entier, peuvent être cuites partiellement au four à micro-ondes et finies au gril pour une succulente saveur de fumé et une apparence croustillante et dorée. Partir les côtes levées au four à micro-ondes vous sauve aussi beaucoup de temps.

Utilisation du tableau de décongélation

1. Vous pouvez dégeler la viande dans son emballage original de papier ou de plastique. Enlevez toutes les attaches métalliques et le papier d'aluminium.
2. Placez la viande dans un plat micro-ondes.
3. Dégelez au four à micro-ondes seulement le temps requis, puisque la décongélation se terminera dans le temps de repos. Aussitôt que possible, séparez les saucisses, les côtelettes et les tranches de bacon. Si les morceaux séparés ne sont pas dégelés, répartissez-les également dans le four et continuez la décongélation.
4. Augmentez légèrement le temps pour les poids plus grands que ceux du tableau, mais ne le doublez pas.
5. Si vous ne projetez pas une cuisson immédiate, prenez seulement $^1/_2$ à $^3/_4$ du temps recommandé au tableau. Placez la viande au réfrigérateur pour compléter la décongélation.

TABLEAU DE DÉCONGÉLATION — VIANDES

Viande	Quantité	Réglage de cuisson	Minutes par 450 g (1 lb)	Repos en minutes	Remarques
Bœuf					Décongeler sur une assiette.
Bœuf haché	450 g (1 lb)	30% (defrost)	5 - 6	5	Retourner 1 fois. Enlever à la fourchette les
	900 g (2 lb)	30% (defrost)		5	portions dégelées. Dégeler le reste au four.
	Pâté 115 g ($^1/_4$ lb)	30% (defrost)	1 par pâté	2	Congeler en anneau ou avec une dépression au centre.
Pot-au-feu, palette	Moins de 2 kg (4 lb)	30% (defrost)	3 - 5	10	Retourner 1 fois.
	Plus de 2 kg (4 lb)	70% (roast)	3 - 5	10	Retourner 1 fois.
Rôti de côtes, roulé	1,5 - 2 kg (3 - 4 lb)	30% (defrost)	6 - 8	30 - 45	Retourner 1 fois.
	3 - 4 kg (6 - 8 lb)	70% (roast)	6 - 8	90	Retourner 2 fois.
Rôti de côtes (os)		70% (roast)	5 - 6	45 - 90	Retourner 2 fois.
Rôti de croupe	1,5 - 2 kg (3 - 4 lb)	30% (defrost)	3 - 5	30	Retourner 1 fois.
	3 - 3,5 kg (6 - 7 lb)	70% (roast)	3 - 5	45	Retourner 2 fois.
Steak de ronde		30% (defrost)	4 - 5	5 - 10	Retourner 1 fois.
Steak de flanc		30% (defrost)	4 - 5	5 - 10	Retourner 1 fois.
Steak de surlonge	1 cm d'épais	30% (defrost)	4 - 5	5 - 10	Retourner 1 fois.
Filet		30% (defrost)	5 - 6	10	Retourner 1 fois.
Steaks	2 ou 3	30% (defrost)	4 - 5	8 - 10	Retourner 1 fois.
	1 - 1,5 kg (2 - 3 lb)				
Bœuf à ragoût	1 kg (2 lb)	30% (defrost)	3 - 5	8 - 10	Retourner 1 fois. Séparer.
Agneau					
Cubes pour ragoût		30% (defrost)	7 - 8	5	Retourner 1 fois. Séparer.
Agneau haché	Moins de 2 kg (4 lb)	30% (defrost)	3 - 5	30 - 45	Retourner 1 fois.
	Plus de 2 kg (4 lb)	70% (roast)	3 - 5	30 - 45	Retourner 2 fois.
Côtelettes	2,5 cm (1 po) d'épais	30% (defrost)	5 - 8	15	Retourner 2 fois.
Gigot	2,3 - 3,6 kg (5 - 8 lb)	30% (defrost)	4 - 5	15 - 20	Retourner 2 fois.
Porc					
Côtelettes	1 cm	30% (defrost)	4 - 6	5 - 10	Séparer les côtelettes à mi-décongélation.
	2,5 cm	30% (defrost)	5 - 7	10	
Côtes levées		30% (defrost)	5 - 7	10	Retourner 1 fois.
Rôti	Moins de 2 kg (4 lb)	30% (defrost)	4 - 5	30 - 45	Retourner 1 fois.
	Plus de 2 kg (4 lb)	70% (roast)	4 - 5	30 - 45	Retourner 2 fois.
Bacon	450 g (1 lb)	30% (defrost)	2 - 3	3 - 5	Dégeler jusqu'à séparation des tranches.
Chair à saucisse	450 g (1 lb)	30% (defrost)	2 - 3	3 - 5	Retourner 1 fois. Enlever à la fourchette les portions dégelées, remettre au four.
Bouts de saucisse	450 g (1 lb)	30% (defrost)	3 - 5	4 - 6	Retourner 1 fois. Dégeler jusqu'à ce que les bouts puissent être séparés.
Saucisses fumées		30% (defrost)	5 - 6	5	

TABLEAU DE DÉCONGÉLATION — VIANDES

Viande	Quantité	Réglage de cuisson	Minutes par 450 g (1 lb)	Repos en minutes		Remarques
Veau						
Rôti	1,5 - 2 kg (3 - 4 lb)	30% (defrost)	5 - 7	30	Retourner 1 fois.	
	3 - 3,5 kg (6 - 7 lb)	70% (roast)	5 - 7	90	Retourner 2 fois.	
Côtelettes	1 cm	30% (defrost)	4 - 6	20	Retourner 1 fois.	Séparer les côtelettes, continuer la décongélation.
Abats						
Foie		30% (defrost)	5 - 6	10	Retourner 1 fois.	
Langue		30% (defrost)	7 - 8	10	Retourner 1 fois.	

Utilisation du tableau de cuisson

1. La viande doit être complètement décongelée avant la cuisson.
2. Placez le gril micro-ondes dans un plat de verre et posez-y la viande, le côté gras dessous.
3. Vous pouvez recouvrir la viande de papier ciré pour empêcher les éclaboussures.
4. Utilisez la sonde de température pour une cuisson précise des grosses pièces. Placez le bout de la sonde aussi horizontalement que possible, dans la partie la plus épaisse, en évitant les os et les poches de gras.
5. À moins que spécifié autrement, les temps indiqués pour les steaks et les pâtés vous donneront une cuisson moyenne.
6. Pour les mets en casserole, vous devriez d'abord faire cuire légèrement la viande hachée en l'émiettant dans un plat micro-ondes et en la couvrant de papier absorbant. Ensuite, retirez le gras et ajoutez la viande à la casserole.
7. Pendant le temps de repos, la température interne des rôtis montera d'au moins une dizaine de degrés. Donc, le temps de repos est considéré comme une partie essentielle du temps requis pour la cuisson complète.
8. Les escalopes et côtelettes panées sont cuites aux mêmes réglages de temps et de cuisson que ceux indiqués au tableau.

TABLEAU DE CUISSON — VIANDES

Viande	Quantité	1er réglage de cuisson et de temps	2e réglage de cuisson et de temps	ou	Réglage de sonde de temp. et de cuisson	Repos en minutes	Remarques
Bœuf							
Bœuf haché	en bloc	HI (max.) 2½ mn par 450 g (1 lb)	Remuer. HI (max.) 2½ mn par 450 g (1 lb)			5	Émietter dans le plat, cuire couvert.
Pâtés de bœuf haché 115 g (4 oz), 1 cm d'épais	1	HI (max.) 1 mn	Retourner. HI (max.) 1 - 1½ mn				Plat de cuisson peu profond.
	2	HI (max.) 1 - 1½ mn	Retourner. HI (max.) 1 - 1½ mn				Plat de cuisson peu profond.
	4	HI (max.) 3 mn	Retourner. HI (max.) 3 - 3½ mn				Plat de cuisson peu profond.
Pain de viande	900 g (2 lb)	HI (max.) 12 - 14 mn		ou	HI (max.) 160°F (71°C)	5 - 10	Moule à pain en verre ou moule en anneau en verre.

TABLEAU DE CUISSON — VIANDES

Viande	Quantité	1er réglage de cuisson et de temps	2e réglage de cuisson et de temps	ou	Réglage de sonde de temps. et de cuisson	Repos en minutes	Remarques
Rôti de côtes de bœuf, désossé		HI (max.) mn/450 g (1 lb) saignant: 4 - 5 à point: 5 - 6 bien cuit: 6 - 7	Retourner. mn/450 g (1 lb) 3 - 4 5 - 6 6 - 7 à 70% (roast)	ou	Retourner 1 fois 70% (roast) 120°F (49°C) 130°F (54°C) 140°F (60°C)	10 10 10	Plat de cuisson en verre, avec gril micro-ondes.
Rôti de côtes, avec os		HI (max.) mn/450 g (1 lb) saignant: 3 - 4 à point: 4 - 5 bien cuit: 5 - 6	Retourner. à 70% (roast) mn/450 g (1 lb) 3 - 4 4 - 5 5 - 6	ou	Retourner 1 fois à 70% (roast) 120°F (49°C) 130°F (54°C) 140°F (60°C)	10	Plat de cuisson en verre, avec gril micro-ondes.
Ronde, croupe ou paleron de bœuf, désossé		HI (max.) 5 mn par 450 g (1 lb)	Retourner. 50% (simmer) 20 mn par 450 g (1 lb)			10 - 15	Casserole avec couvercle étanche. Demande du liquide.
Poitrine de bœuf désossée, fraîche ou salée	1,1 - 1,6 kg (2½ - 3½ lb)	HI (max.) 5 mn par 450 g (1 lb)	Retourner. 50% (simmer) 20 mn par 450 g (1 lb)			10 - 15	Casserole de 4 litres ou grosse cocotte avec couvercle étanche. Eau pour couvrir.
Steak de haut de ronde		HI (max.) 5 mn par 450 g (1 lb)	Retourner. 50% (simmer) 5 mn par 450 g (1 lb)			10 - 15	Casserole avec couvercle étanche. Demande du liquide.
Steak de surlonge	2 - 2,5 cm	HI (max.) 4½ mn par 450 g (1 lb)	Égoutter et retourner. HI (max.) 2 mn par 450 g (1 lb)			10 - 15	Plat peu profond ou plat à brunir préchauffé 8 minutes à HI (max.).
Steak minute ou steak attendri	4 steaks 170 g (6 oz)	HI (max.) 1 - 2 mn	Égoutter et retourner. HI (max.) 1 - 2 mn				Plat à brunir préchauffé 8 minutes à HI (max.).
Steak de filet	4 steaks 225 g (8 oz)	HI (max.) en minutes: saignant: 5 à point: 6 bien cuit: 9	Égoutter et retourner. HI (max.) 1 - 2 mn 2 - 3 mn 2 - 3 mn			10 - 15	Plat à brunir préchauffé 8 minutes à HI (max.).
Filet de bœuf ou steak de flanc	675 - 900 g (1½ - 2 lb)	HI (max.) en minutes: saignant: 4 à point: 5 bien cuit: 7	Égoutter et retourner. HI (max.) ½ - 1 mn 1 - 2 mn 2 - 3 mn			10 - 15	Plat à brunir préchauffé 8 minutes à HI (max.).
Agneau Pâtés d'agneau haché	450 - 900 g (1 - 2 lb)	HI (max.) 4 mn	Retourner. HI (max.) 4 - 5 mn				Plat à brunir préchauffé 7 minutes à HI (max.).
Côtelettes d'agneau	450 - 675 g (1 - 1½ lb) 2,5 cm	HI (max.) 8 mn	Retourner. HI (max.) 7 - 8 mn				Plat à brunir préchauffé 7 minutes à HI (max.).
Gigot ou épaule d'agneau avec os		70% (roast) mn/450 g (1 lb) à point: 4 - 5 bien cuit: 5 - 6	Couvrir l'os d'aluminium. Retourner. 70% (roast) 4 - 5 mn 5 - 6 mn	ou	Retourner 1 fois Couvrir l'os d'aluminium. 145°F (63°C) 165°F (74°C)	5 10	Plat de 30 × 18 cm avec gril micro-ondes.
Rôti d'agneau, désossé		70% (roast) 5 - 6 mn par 450 g (1 lb)	Retourner. 70% (roast) 5 - 6 mn par 450 g (1 lb)	ou	Retourner 1 fois 70% (roast) 150°F (66°C)	10	Plat de 30 × 18 cm avec gril micro-ondes.

TABLEAU DE CUISSON — VIANDES

Viande	Quantité	1er réglage de cuisson et de temps	2e réglage de cuisson et de temps	ou	Réglage de sonde de temp. et de cuisson	Repos en minutes	Remarques
Veau							
Rôti d'épaule ou de croupe, désossé	1 - 2,5 kg (2 - 5 lb)	70% (roast) 9 mn par 450 g (1 lb)	Retourner. 70% (roast) 9 - 10 mn par 450 g (1 lb)	ou	Retourner 1 fois 70% (roast) 155°F (68°C)	10	Plat de 30 × 18 cm avec gril micro-ondes.
Côtes ou côtelettes de veau	1 cm d'épais	HI (max.) 2 mn par 450 g (1 lb)	Retourner. HI (max.) 2 - 3½ mn par 450 g (1 lb)				Plat à brunir préchauffé à HI (max.) de 7 à 10 mn.
Porc							
Côtelettes de porc	1 cm d'épais	HI (max.) 6 mn par 450 g (1 lb)	Retourner. HI (max.) 5 - 6 mn par 450 g (1 lb)			5	Plat à brunir préchauffé à HI (max.) 7 minutes.
Côtes levées		70% (roast) 6 - 7 mn par 450 g (1 lb)	Retourner. 70% (roast) 6 - 7 mn par 450 g (1 lb)			10	Plat de 30 × 18 cm avec gril micro-ondes.
Longe de porc désossée	1,4 - 2,3 kg (3 - 5 lb)	HI (max.) 6 mn par 450 g (1 lb)	Retourner. 70% (roast) 5 - 6 mn par 450 g (1 lb)	ou	Retourner 1 fois 70% (roast) 155°F (68°C)	10	Plat de 30 × 18 cm avec gril micro-ondes.
Longe de porc, coupe du centre	1,8 - 2,3 kg (4 - 5 lb)	HI (max.) 5 - 6 mn par 450 g (1 lb)	Retourner. 70% (roast) 4 - 5 mn par 450 g (1 lb)	ou	Retourner 1 fois 70% (roast) 155°F (68°C)	10	Plat de 33 × 23 cm avec gril micro-ondes.
Jambon, désossé, précuit		70% (roast) 5 - 7 mn par 450 g (1 lb)	Retourner. 70% (roast) 5 - 7 mn par 450 g (1 lb)	ou	Retourner 1 fois 70% (roast) 120°F (49°C)	10	Plat de 30 × 18 cm avec gril micro-ondes.
Tranche de jambon, coupe du centre	450 - 675 g (1 - 1½ lb)	70% (roast) 5 mn par 450 g (1 lb)	Retourner. 70% (roast) 5 - 6 mn par 450 g (1 lb)	ou	Retourner 1 fois 70% (roast) 120°F (49°C)	10	Plat à cuire de 30 × 18 cm
Jarret de jambon		70% (roast) 4 - 5 mn par 450 g (1 lb)	Retourner. 70% (roast) 4 - 5 mn par 450 g (1 lb)	ou	Retourner 1 fois 70% (roast) 120°F (49°C)	10	Plat de 30 × 18 cm avec gril micro-ondes.
Jambon en boîte	1,4 kg (3 lb)	70% (roast) 5 - 6 mn par 450 g (1 lb)	70% (roast) 5 - 6 mn par 450 g (1 lb)	ou	70% (roast) 120°F (49°C)	10	Plat de 30 × 18 cm avec gril micro-ondes.
	2,3 kg (5 lb)	70% (roast) 4 - 5 mn par 450 g (1 lb)	Retourner. 70% (roast) 4 - 5 mn par 450 g (1 lb)	ou	Retourner 1 fois 70% (roast) 120°F (49°C)	10	Plat de 30 × 18 cm avec gril micro-ondes.
Saucisses en coiffe	340 g (12 oz)	HI (max.) 2 mn	Retourner. HI ((max.) 1½ - 2 mn				Plat à brunir préchauffé à HI (max.) 7 minutes.
Saucisse (chair)	450 g (16 oz)	HI (max.) 3 mn	Remuer. HI (max.) 1 - 2 mn				Émietter dans un plat de 1,5 L avec couvercle.
Saucisses de porc en bouts		Loo piquer. HI (max.) 1 mn	Retourner. HI (max.) 1 - 1½ mn				Plat à brunir préchauffé à HI (max.) 7 minutes.
	225 g (½ lb) 450 g (1 lb)	HI (max.) 2 mn	HI (max.) 1½ - 2 mn				
Bratwurst, précuit		Bien piquer. 70% (roast) 5 mn/par 450 g (1 lb)	Réarranger. 70% (roast) 4 - 5 mn/par 450 g (1 lb)				Casserole.
Saucisse polonaise, knockwurst, saucisson de Bologne		Bien piquer. 80% (reheat) 2 - 2½ mn par 450 g (1 lb)	Réarranger. 80% (reheat) 2 - 2½ mn par 450 g (1 lb)				Casserole.

TABLEAU DE CUISSON — VIANDES

Viande	Quantité	1er réglage de cuisson et de temps	2e réglage de cuisson et de temps	ou	Réglage de sonde de temp. et de cuisson	Repos en minutes	Remarques
Saucisses fumées, à hot-dogs	1 2 4	80% (reheat) 25 - 30 sec. 25 - 40 sec. 50 - 55 sec.					Plat peu profond.
Bacon	2 tranches 4 tranches 6 tranches 8 tranches	HI (max.) 2 - 2½ mn 4 - 4½ mn 5 - 6 mn 6 - 7 mn					Plat; serviettes de papier entre les tranches. Gril; tranches recouvertes de papier.

Trucs spéciaux pour le bacon

☐ Cuisez le bacon sur une assiette chemisée de papier et couvrez de papier ciré ou de serviettes pour éviter les éclaboussures et absorber la graisse.

☐ Cuisez le bacon sur un gril si vous désirez garder la graisse. Vous pouvez aussi le faire cuire, en tranches ou coupé, dans une casserole, et, si nécessaire, le retirer avec une cuillère trouée.

☐ Si vous voulez du bacon tendre plutôt que croustillant, cuisez moins longtemps.

☐ La qualité du bacon varie; L'épaisseur et la quantité de sucre et de sel utilisée dans la salaison affectera la durée et la coloration. Cuisez les tranches épaisses un peu plus longtemps qu'indiqué au tableau. Vous verrez que le bacon sucré cuit plus rapidement.

☐ Le sucre du bacon fait apparaître des taches brunes sur les serviettes. Si le bacon tend à coller à la serviette, c'est dû à une haute teneur en sucre.

TABLEAU DE DÉCONGÉLATION ET CUISSON —
METS DE BŒUF DÉJÀ PRÉPARÉS

Mets	Quantité	Réglage de cuisson	Temps en minutes	ou	Réglage de la sonde	Remarques
Bœuf barbecue, chili, ragoût, hachis boulettes de viande, etc.	boîtes de 475 mL (16 oz) ou moins	80% (reheat)	3 - 5	ou	150°F (66°C)	Verser dans une casserole ou un plat micro-ondes, couvrir. Remuer à mi-cuisson.
Poivrons farcis, cigares au chou, chow mein, etc.	boîtes de 475 - 950 mL (16 - 32 oz)	80% (reheat)	5 - 9	ou	150°F (66°C)	
Bœuf barbecue, chili, ragoût, hachis au corned-beef, boulettes pâtés en sauce, sauces	paquets de 240 - 475 mL (8 - 16 oz) congelés	HI (max.)	5 - 11	ou	150°F (66°C)	Retirer du contenant d'aluminium, mettre dans une casserole micro-ondes, couvrir. Inciser le sachet de plastique.
Mélanges secs pour casseroles, et bœuf haché cuit, ajouté.	paquets de 185 - 225 g (6½ - 8 oz)	HI (max.)	18 - 22	ou	150°F (66°C)	Verser le mélange dans une casserole micro-ondes de 3 litres. Couvrir. Remuer 1 fois.

Boulettes de viande à la russe

CUISSON: 16 minutes

700 g (1½ lb) de bœuf haché maigre
125 mL (½ tasse) de lait
1 paquet de 35 g (1¼ oz) de mélange pour soupe à l'oignon, divisé
45 mL (3 c. à table) de farine tout usage
375 mL (1½ tasse) d'eau
30 mL (2 c. à table) de persil frais haché
125 mL (½ tasse) de crème sure

Mettre dans un grand bol la viande hachée, le lait et 30 mL (2 c. à table) de mélange à soupe. Mêler le tout et former 24 boulettes. Placer dans un plat micro-ondes oblong de 3 litres. Couvrir de papier ciré et cuire à HI (max.) 3 minutes. Retourner les boulettes. Cuire couvert à HI (max.) 2 minutes. Retirer les boulettes. Incorporer la farine au fond de sauce. Ajouter l'eau, le persil et le reste du mélange à soupe, en remuant. Cuire découvet à 60% (bake) 5 minutes ou jusqu'à ébullition. Ajouter les boulettes. Couvrir et cuire à 60% (bake) 6 minutes en remuant de temps en temps. Incorporer graduellement la crème sure. Laisser reposer, couvert, 5 minutes avant de servir sur un lit de riz ou de nouilles.

6 portions

Bœuf bouilli à la flamande

CUISSON: 1 heure 40 minutes à 1 heure 45 minutes

1 à 1,4 kg (2½ à 3 lb) de bœuf maigre dans le talon de ronde
1 oignon tranché
1 carotte tranchée
5 grains de poivre
1 feuille de laurier
341 mL (12 oz) de bière
Poivre blanc
Sel au goût

Placer tous les ingrédients, sauf le sel, dans un bol micro-ondes de 4 litres. Recouvrir d'eau. Cuire couvert à HI (max.) 30 minutes. Retourner la viande, ajouter plus d'eau si nécessaire. Cuire couvert à 50% (simmer) 60 minutes. Laisser reposer 10 minutes. Si ce n'est pas tendre à la fourchette, remettre au four et cuire couvert à 50% (simmer) 10 à 15 minutes. Retirer la viande et mettre de côté. Couler le bouillon et dégraisser. Trancher la viande mince et servir avec le bouillon. Assaisonner au goût.

6 portions

Bœuf
63

Pâté chinois

CUISSON: 26 minutes

700 g (1¹/₂ lb) de bœuf
     haché maigre
30 mL (2 c. à table)
     de beurre
1 oignon moyen haché fin
30 mL (2 c. à table) de sauce
     brune
5 mL (1 c. à thé) de sauce
     piquante
     Poivre
1 boîte de 540 mL (19 oz)
     de maïs en grains,
     égoutté
1 litre (4 tasses) de purée
     de pommes de terre
     chaude, sans lait
     Paprika

Placer le beurre et l'oignon dans un plat micro-ondes de 22,5 × 22,5 cm. Cuire couvert à HI (max.) 3 minutes. Ajouter bœuf haché, sauce brune, sauce piquante et poivre. Bien mélanger. Cuire couvert à HI (max.) 8 minutes, en égrenant le bœuf à mi-cuisson. Retirer du four, égrener de nouveau le bœuf. Couvrir de maïs en grains puis de purée de pommes de terre. Tracer un motif sur le dessus et saupoudrer de paprika. Cuire découvert, à 80% (reheat), 15 minutes. Laisser reposer 5 minutes.

6 portions

Boulettes Oncle Sam

CUISSON: 13 à 14 minutes

500 g (1 lb) de bœuf
     haché maigre
1 pomme de terre moyenne
     pelée et râpée
     grossièrement
30 mL (2 c. à table)
     de mélange à soupe
     à l'oignon déshydratée
15 mL (1 c. à table)
     de persil séché,
     en flocons
1 œuf battu
500 mL (2 tasses) de bouillon
     de bœuf
15 mL (1 c. à table) de sauce
     Worcestershire
30 mL (2 c. à table) de fécule
     de maïs
30 mL (2 c. à table) d'eau

Combiner bœuf haché, pomme de terre, oignon, mélange à soupe, flocons de persil et œuf dans un grand bol à mélanger. Former 12 boulettes de 3 cm (1¹/₂ po); mettre de côté. Mélanger le bouillon de bœuf et la sauce Worcestershire dans une casserole micro-ondes de 2 litres. Ajouter les boulettes. Cuire couvert à 70% (roast) 10 minutes. Mélanger la fécule de maïs et l'eau dans un petit bol. Incorporer aux boulettes et faire cuire, couvert, à 70% (roast) 3 à 4 minutes ou jusqu'à épaississement de la sauce ou 200°F (93°C) si vous utilisez la sonde. Laisser reposer couvert 5 minutes avant de servir.

4 portions

Steak suisse

CUISSON: 55 minutes

60 mL (¹/₄ de tasse) de
     farine
5 mL (1 c. à thé) de sel
1 mL (¹/₄ de c. à thé) de
     poivre
700 - 950 g (1¹/₂ - 2 lb) de
     steak de ronde de 1 cm
     (¹/₂ po) d'épaisseur
2 gros oignons tranchés
1 poivron vert coupé
     en lanières
2 boîtes de 156 mL
     (5.5 oz) de pâte
     de tomate
1 boîte de 284 mL (10 oz)
     de bouillon de bœuf

Mélanger farine, sel et poivre. Placer le steak sur une planche et faire pénétrer la moitié du mélange de farine de chaque côté en tapant avec un maillet ou le bord d'une soucoupe. Couper la viande en 4 morceaux et placer sur un plat rond de 20 cm ou un plat de 28 × 18 cm. Saupoudrer le reste de farine sur la viande. Étendre les oignons, le poivron vert et la pâte de tomate sur la viande. Verser le bouillon pour recouvrir. Couvrir de papier ciré et cuire à HI (max.) 5 minutes. Cuire à 60% (bake) 40 minutes. Réarranger la viande. Cuire à 60% (bake) 10 minutes ou jusqu'à ce qu'elle soit tendre.

4 portions

Vous obtiendrez 2 portions en réduisant les ingrédients de moitié. Ne cuisez que 3 minutes à HI (max.) et 30 minutes à 60% (bake).

Côtelettes de porc farcies

CUISSON: 14³/₄ à 18³/₄ minutes

30	mL (2 c. à table) de beurre ou de margarine
250	mL (1 tasse) de chapelure grossière
125	mL (¹/₂ tasse) de pomme hachée
30	mL (2 c. à table) de raisins hachés
2	mL (¹/₂ c. à thé) de sel
30	mL (2 c. à table) de sucre
30	mL (2 c. à table) d'oignon haché
1	mL (¹/₄ de c. à thé) de poivre
1	pincée de sauge
30	mL (2 c. à table) d'eau chaude
8	côtelettes de porc minces dans la longe
¹/₂	enveloppe de mélange à sauce brune

Faire fondre le beurre à HI (max.) 45 secondes, dans une mesure en verre de 1 litre. Ajouter chapelure, pomme, sucre, raisins, oignon, sel, poivre et sauge en mélangeant un peu. Humecter légèrement avec l'eau chaude. Enlever tout le gras des côtelettes. Placer 4 côtelettes dans le fond d'un plat micro-ondes carré de 20 cm de côté. Diviser la farce en 4 portions; placer 1 portion sur chaque côtelette. Recouvrir avec les 4 autres côtelettes en pressant un peu. Saupoudrer le mélange à sauce brune sur les côtelettes; utiliser une passoire pour faire une couche égale. Couvrir de papier ciré et cuire à 70% (roast) 14 à 18 minutes, ou jusqu'à ce que la viande soit tendre. Laisser reposer 5 minutes avant de servir.

4 portions

Gigot d'agneau aux herbes

CUISSON: 24 à 48 minutes

1	gigot d'agneau désossé de 1,5 à 2 kg (3 à 4 lb)
2	gousses d'ail
15	mL (1 c. à table) de moutarde en poudre
5	mL (1 c. à thé) de sel
1	pincée de poivre
2	mL (¹/₂ c. à thé) de thym
1	mL (¹/₄ de c. à thé) de romarin
5	mL (1 c. à thé) de jus de citron
22	mL (1¹/₂ c. à table) de sauce soya

Frotter toute la surface de l'agneau avec une des gousses d'ail, pelée et coupée en deux, puis couper les deux gousses en allumettes. Faire des entailles dans l'agneau à divers endroits et y insérer les morceaux d'ail. Mélanger moutarde, sel, poivre, thym, romarin, jus de citron et sauce soya. Étendre sur tout l'agneau. Placer sur un gril micro-ondes dans un plat peu profond. Cuire, couvert d'un papier ciré non serré, à 70% (roast) 8 à 10 minutes par 450 g (1 lb) pour un gigot à point, ou 100 à 12 minutes par 450 g pour un gigot bien cuit. Laisser reposer 10 minutes avant de découper.

6 à 8 portions

Civet de lièvre

CUISSON: 50 minutes

1	lièvre coupé en morceaux
2	carottes moyennes tranchées
1	oignon moyen haché
85	g (3 oz) de lard salé gras, en dés
45	mL (3 c. à table) de farine
2	mL (¹/₂ c. à thé) de fines herbes
1	boîte de 284 mL (10 oz) de bouillon
	Beurre manié pour lier la sauce

Mettre lard et oignon dans un plat micro-ondes rond de 20 cm. Couvrir de papier ciré et cuire à HI (max.) 5 minutes. Mettre de côté. Mélanger farine et fines herbes, en enrober les morceaux de lièvre. Étendre les carottes dans le fond d'un plat micro-ondes de 22,5 × 22,5 cm. Disposer les morceaux de lièvre dessus. Cuire, à 70% (roast). 20 minutes. Retourner et réarranger le lièvre à mi-cuisson. Retirer du four. Ajouter lard et oignon, arroser de bouillon. Cuire, à 60% (bake), 10 minutes. Ajouter le beurre manié, bien remuer. Cuire couvert, à 60% (bake), 15 minutes.

4 portions

LA VOLAILLE À SON MEILLEUR

Le poulet, la dinde, la poule de Cornouailles et le canard sont particulièrement tendres, juteux et savoureux cuits au four à micro-ondes. Parce que la volaille requiert moins de surveillance que les autres viandes, elle est très populaire chez les adeptes du four à micro-ondes les jours où on ne sait pas où donner de la tête. La volaille dorera bien dans votre four mais elle ne deviendra pas croustillante. Si vous avez chez-vous des amateurs de peau croustillante, servez-vous après la cuisson micro-ondes, de votre four conventionnel à 450°F (232°C) pour donner cette touche finale. Vous pouvez aussi éviter de longues sessions autour de votre barbecue en cuisant partiellement la volaille au four à micro-ondes et en finissant la cuisson au charbon de bois. Essayez les délicieuses recettes suggérées dans ce livre et ensuite adaptez les vôtres. Vous voudrez même expérimenter de nouvelles recettes quand vous découvrirez combien il est plus facile de faire cuire la volaille dans votre four à micro-ondes que dans votre four conventionnel.

Si vous préférez une apparence plus dorée que celle que le four à micro-ondes donne normalement, vous pouvez badigeonner la volaille avec une sauce à brunir (au-dessus, à gauche). La meilleure disposition des morceaux de poulet (ci-dessus). Comment retourner le coq rôti micro-ondes (page 76) dans un plat à brunir micro-ondes (à gauche).

Adaptez vos recettes

Toutes les recettes conventionnelles de mets qui demandent de la volaille coupée en morceaux s'adaptent facilement à la cuisson micro-ondes. La sonde de température peut aussi vous aider à obtenir une cuisson précise aussi bien pour un poulet entier que pour un mets à la casserole. Référez aux recettes comparées à la page 36 pour vous guider dans la conversion de vos plats favoris. Voici quelques bons trucs:

☐ Pour obtenir une cuisson et une saveur uniformes, ne faites pas cuire de volaille pesant plus de 6 kg (14 lb) dans votre four à micro-ondes; celle-ci devrait cuire dans votre four conventionnel.

☐ Les dindes injectées de beurre ou d'huile ont souvent des concentrations inégales de gras et cuisent ainsi moins également. Pour de meilleurs résultats utilisez des dindes non-injectées.

☐ Les thermomètres (pop-up) insérés dans la volaille ne sont pas adéquats pour votre four à micro-ondes.

☐ La sonde de température peut être employée pour la cuisson d'une volaille complète. Insérez la sonde dans la partie charnue à l'intérieur de la cuisse, sans toucher l'os.

☐ Les morceaux de volaille préparés dans une sauce à la crème devraient être cuits à 70% (roast) pour éviter que la crème se sépare ou caille.

☐ Le poulet enrobé d'un mélange de chapelure devient plus croustillant si on ne le recouvre pas.

☐ Le gibier à plumes, moins tendre, devrait cuire sur un gril micro-ondes à 70% (roast), en égouttant la graisse, si nécessaire. Pour de meilleurs résultats, faites mariner le gibier avant de le faire cuire.

☐ Le temps de repos est essentiel pour compléter la cuisson. Allouez jusqu'à 15 minutes de temps de repos pour une volaille entière, selon son poids. La température interne s'élèvera d'environ 15°F (8°C) pendant les 15 minutes du temps de repos. Le poulet en morceaux ne demande que 5 minutes de temps de repos.

Utilisation du tableau de décongélation

1. La volaille peut être décongelée dans son emballage de papier ou de plastique. Enlevez tous les anneaux de métal, les attaches de broche et tout papier d'aluminium. Puisqu'il est difficile d'enlever les agrafes de métal sur les cuisses de la dinde surgelée, attendez après la décongélation. Soyez prudent, assurez-vous que le métal est au moins à 2,5 cm des parois du four.

2. Placez la volaille dans un plat micro-ondes pour la décongélation.

3. Décongelez seulement le temps nécessaire. La volaille devrait être froide au centre quand vous la retirez du four.

4. La volaille devrait être placée dans un bain d'eau froide pour accélérer la décongélation pendant le temps de repos.

5. Séparez les morceaux de poulet découpés dès qu'ils sont partiellement dégelés.

6. Le bout des cuisses et des ailes ainsi que la partie près du bréchet pourraient commencer à cuire avant que le centre soit complètement dégelé. Aussitôt que ces surfaces semblent dégelées, couvrez-les de petites bandes d'aluminium; l'aluminium doit être au moins à 2,5 cm des parois du four.

TABLEAU DE DÉCONGÉLATION — VOLAILLE

Volaille	Quantité	Minutes par 450 g (1 lb)	Réglage de cuisson	Repos en minutes	Remarques
Chapon	2,5 - 3,5 kg (6 - 8 lb)	2	70% (roast)	60	Retourner 1 fois. Plonger dans l'eau froide pour le temps de repos.
Poulet, en morceaux	1 - 1,5 kg (2 - 3 lb)	5 - 6	30% (defrost)	10 - 15	Tourner à toutes les 5 minutes. Séparer les morceaux quand ils sont partiellement dégelés
Poulet, entier	1 - 1,5 kg (2 - 3 lb)	6 - 8	30% (defrost)	25 - 30	Retourner 1 fois. Plonger dans l'eau froide pour le temps de repos.
Poules de Cornouailles	1, 450 - 680 g (1 - 1½ lb) 2, 450 - 680 g (1 - 1½ lb) chacune	12 - 13 20 - 21	30% (defrost) 30% (defrost)	20 20	Retourner 1 fois.
Canard	2 kg (4 - 5 lb)	4	70% (roast)	30 - 40	Retourner 1 fois. Plonger dans l'eau froide pour le temps de repos.
Dinde	Moins de 3,5 kg (8 lb) Plus de 3,5 kg (8 lb)	3 - 5 3 - 5	30% (defrost) 70% (roast)	60 60	Retourner 1 fois. Plonger dans l'eau froide pour le temps de repos.
Dinde, poitrine	Moins de 1,8 kg (4 lb) Plus de 1,8 kg (4 lb)	3 - 5 1 2	30% (defrost) 70% (roast) 50% (simmer)	20 20	Retourner 1 fois. Partir à 70% (roast, retourner, continuer à 50% (simmer).
Dinde, cuisses	450 - 680 g (1 - 1½ lb)	5 - 6	30% (defrost)	15 - 20	Tourner à toutes les 5 minutes. Séparer les morceaux quand ils sont partiellement dégelés.
Dinde, désossée, (rôti)	1 - 1,8 kg (2 - 4 lb)	3 - 4	30% (defrost)	10	Retirer du contenant d'aluminium. Couvrir de papier ciré.

Utilisation du tableau de cuisson

1. Décongelez complètement la volaille surgelée avant de la faire cuire.
2. Enlevez les abats, rincez la volaille à l'eau fraîche et asséchez.
3. Badigeonnez la volaille de sauce à brunir avant la cuisson.
4. Quand vous faites cuire une volaille entière, placez un gril dans un plat de cuisson en verre assez grand pour recevoir le jus.
5. Retournez à mi-cuisson, tel qu'indiqué dans le tableau.
6. Recouvrez la volaille avec une tente de papier ciré pour éviter les éclaboussures. Vers la fin du temps de cuisson, vous pouvez masquer le bout des cuisses et des ailes ainsi que le bréchet avec des petits morceaux d'aluminium pour prévenir une cuisson excessive. L'aluminium doit être au moins à 2,5 cm des parois du four.
7. Couvrez la volaille en morceaux soit avec un couvercle de verre ou de la pellicule plastique pendant les temps de cuisson et de repos.
8. Vous pouvez utiliser la sonde insérée dans la partie charnue de la cuisse, réglée à 180°F (82°C) pour la volaille entière et à 170°F (77°C) pour les morceaux, y compris les poitrines de dinde.
9. La volaille termine sa cuisson pendant le temps de repos. Recouvrez-la complètement de papier d'aluminium pendant ce temps.

TABLEAU DE CUISSON — VOLAILLE

Volaille	1er réglage de cuisson et de temps (en minutes)	2e réglage de cuisson et de temps (en minutes)	ou	Réglage de la sonde de température	Repos en minutes	Remarques
Poulet entier 1 - 1,5 kg (2 - 3 lb)	HI (max.) 3 - 4 par 450 g (1 lb)	Retourner. HI (max.) 4 par 450 g (1 lb)	ou	Retourner. 180°F (82°C)	5 Couvert d'alu.	Plat peu profond, avec gril, poitrine sur le dessus.
1,5 - 2,3 kg (3 - 5 lb)	HI (max.) 4 par 450 g (1 lb)	Retourner. HI (max.) 4 - 5 par 450 g (1 lb)	ou	Retourner. 180°F (82°C)	5	Plat de 30 × 18 cm avec gril poitrine sur le dessus.
Poulet, en morceaux 1,1 - 1,6 kg (2½ - 3½ lb)	HI (max.) 10	Retourner. HI (max.) 8 - 12	ou	Retourner. 170°F (77°C)	5	Plat de 30 × 18 cm. Couvrir
Poulet, en quartiers	HI (max.) 3 - par 450 g (1 lb)	Retourner. HI (max.) 3 - 4 par 450 g (1 lb)	ou	Retourner. 170°F (77°C)	5	Plat peu profond, peau en dessous.
Poules de Cornouailles 450 - 680 g (1 - 1½ lb)	HI (max.) 4 par 450 g (1 lb)	Retourner. HI (max.) 3 par 450 g (1 lb)	ou	Retourner. 180°F (82°C)	5	Plat peu profond, poitrine en dessous. Couvrir.
Canard 2 kg (4 - 5 lb)	70% (roast) 4 par 450 g (1 lb)	Retourner. Égoutter le gras. 70% (roast) 4 par 450 g (1 lb)	ou	Retourner. 170°F (77°C)	8 - 10	Plat peu profond, avec gril. Couvrir.
Dinde, entière 3,5 - 6,4 kg (8 - 14 lb)	HI (max.) 5 par 450 g (1 lb)	Retourner. 70% (roast) 4 par 450 g (1 lb)	ou	Retourner. 180°F (82°C) 70% (roast)	10 - 15 Couvert d'alu.	Plat peu profond de 32,5 × 22,5 cm, avec gril, poitrine sur le dessus.
Dinde, poitrine 1,5 - 1,8 kg (3 - 4 lb)	HI (max.) 7 par 450 g (1 lb)	Retourner. 70% (roast) 5 par 450 g (1 lb)	ou	Retourner. 170°F (77°C) 70% (roast)		Plat peu profond, avec gril.
Dinde désossée, (rôti) 1 - 1,8 kg (2 - 4 lb)	70% (roast) 10 par 450 g (1 lb)	Retourner. 70% (roast) 9 par 450 g (1 lb)	ou	Retourner. 170°F (77°C) 70% (roast)	10 - 15	Moule à pain. Couvrir de pellicule plastique.
Dinde, en morceaux 1 - 1,5 kg (2 - 3 lb)	70% (roast) 7 - 8 par 450 g (1 lb)	Retourner. 70% (roast) 7 - 8 par 450 g (1 lb)			5	Plat peu profond, avec gril.

Poulet rôti

CUISSON: 15 à 17 minutes

1 poulet à griller de
  1 - 1,5 kg (2½ - 3 lb)
Sel et poivre
1 petit oignon en quartiers
2 branches de céleri coupé
  en morceaux de 2,5 cm
30 mL (2 c. à table) de
  de beurre mou ou de
  margarine
1 pincée de thym

Enlever les abats, laver et assécher le poulet. Saler et poivrer l'intérieur, y placer l'oignon et le céleri. Trousser le poulet avec de la ficelle. Placer le poulet, poitrine sur le dessus, sur un gril dans un plat micro-ondes de 30 × 18 × 5 cm. Badigeonner avec du beurre mou et saupoudrer de thym. Cuire à HI (max.) 15 à 18 minutes ou jusqu'à ce que prêt. Laisser reposer, couvert de papier d'aluminium, environ 5 minutes, avant de servir.

4 portions

TABLEAU DE CUISSON — METS DE VOLAILLE DÉJÀ PRÉPARÉS

Mets	Quantité	Réglage de cuisson	Temps en minutes	Remarques
Poulet pané, précuit, congelé	1 morceau 2 morceaux 4 morceaux 1 - 1,5 kg (2 - 3 lb)	80% (reheat)	1 - 1¹/₂ 2 - 2¹/₂ 2¹/₂ - 3 10 - 12	Enlever l'emballage et mettre dans un plat micro-ondes.
Poulet à la Kiev, congelé	1 morceau 2 morceaux	30% defrost) HI (max.) 30% (defrost) HI (max.)	4 - 5 2¹/₂ - 3 6 - 7 4 - 5	Enlever l'emballage de plastique. Mettre sur une assiette micro-ondes. Dégeler d'abord à 30% (defrost) et puis cuire à HI (max.).
Poulet à la King, congelé	142 g (5 oz)	HI (max.)	3 - 4	Mettre sur une assiette micro-ondes. Remuer avant de servir.
Poulet en crème, Poulet et dumplings, en boîte	215-300 g (7¹/₂ - 10¹/₂ oz)	80% (reheat)	2 - 4	Remuer 1 fois. On peut utiliser la sonde: régler à 150°F (66°C), cuire à 80% (reheat) pour la volaille en boîte.
Poulet en sauce, chow mein, en boîte	397-680 g (14 - 24 oz)	80% (reheat)	4 - 6	Remuer à mi-cuisson.
Dinde tetrazzini, congelée	340 g (12 oz)	HI (max.)	3 - 4	Mettre sur une assiette micro-ondes. Remuer avant de servir.
Dinde, tranches en sauce, congelée	142 g (5 oz)	HI (max.)	3 - 5	Mettre dans un plat micro-ondes. Entailler le sachet avant de cuire.

Poulet à la paysanne
CUISSON: 46 à 50 minutes

Cuire le bacon en suivant les instructions à la page 71. Émietter et mettre de côté. Mélanger soupe, vin, oignon, ail, bouillon et assaisonnements dans un petit bol. Placer carottes et pommes de terre au fond d'une casserole micro-ondes de 3 litres. Arranger les morceaux de poulet dessus, en plaçant les portions épaisses vers l'extérieur du plat et les ailes au centre. Verser la soupe dessus. Cuire couvert à HI (max.) 30 minutes. Parsemer de bacon et de champignons. Cuire couvert, à 70% (roast) 10 à 15 minutes. Laisser reposer 5 minutes avant de servir.

4 à 6 portions

Pour deux ou trois portions, utilisez trois morceaux de poulet coupé et divisez en deux le reste des ingrédients. Réduisez le temps de cuisson à 20 - 25 minutes à HI (max.).

- 5 tranches de bacon
- 1 boîte de 284 mL (10 oz) de crème de céleri non diluée
- 125 mL (¹/₂ tasse) de vin rouge ou de sherry sec
- 125 mL (¹/₂ tasse) d'oignon haché
- 1 gousse d'ail émincé
- 7 mL (1¹/₂ c. à thé) de bouillon de poulet instantané
- 15 mL (1 c. à table) de persil frais haché
- 2 mL (¹/₂ c. à thé) de sel
- 1 mL (¹/₄ de c. à thé) de thym
- 1 mL (¹/₄ de c. à thé) de poivre
- 2 carottes moyennes tranchées mince
- 6 petites pommes de terre pelées et coupées en deux
- 1 poulet à griller de 1 - 1,5 kg (2¹/₂ - 3 lb) coupé en morceaux
- 250 g (8 oz) de champignons tranchés

Poulet chasseur

CUISSON: 34 à 40 minutes

Combiner oignon, poivron vert et beurre dans une casserole micro-ondes de 3 litres. Cuire couvert à HI (max.) 4 à 5 minutes ou jusqu'à ce que l'oignon soit transparent. Bien incorporer tomates et farine. Ajouter, en remuant, tous les autres ingrédients sauf le poulet. Cuire couvert à HI (max.) 5 minutes. Ajouter les morceaux de poulet en les immergeant dans la sauce. Cuire couvert à HI (max.) 20 à 25 minutes ou jusqu'à tendreté. Remuer une fois pendant la cuisson. Laisser reposer 5 minutes couvert. Retirer la feuille de laurier avant de servir avec du spaghetti ou du riz.

4 à 6 portions

1	oignon moyen haché
1	poivron vert moyen, tranché fin
15	mL (1 c. à table) de beurre ou margarine
1	boîte de 796 mL (28 oz) de tomates entières
60	mL (¼ de tasse) de farine
1	feuille de laurier
15	mL (1 c. à table) de flocons de persil séché
5	mL (1 c. à thé) de sel
1	gousse d'ail émincée
2	mL (½ c. à thé) d'origan
5	mL (1 c. à thé) de paprika
1	mL (¼ de c. à thé) de poivre
1	mL (¼ de c. à thé) de basilic
125	mL (½ tasse) de vin rouge sec ou d'eau
1	poulet à griller de 1 - 1,5 kg (2½ - 3 lb) coupé en morceaux

Poulet à l'estragon

CUISSON: 18 à 22 minutes

Combiner tous les ingrédients sauf le poulet. Disposer les morceaux de poulet, avec la peau dessous et les parties plus épaisses vers l'extérieur dans un plat micro-ondes oblong de 30 cm. Badigeonner le poulet avec la moitié de la préparation d'huile. Cuire couvert de papier ciré, à HI (max.) 10 minutes. Retourner le poulet et badigeonner avec tout le reste de l'huile. Cuire couvert à HI (max.) 8 à 12 minutes. Laisser reposer 5 minutes avant de servir.

4 portions

60	mL (¼ de tasse) d'huile d'olive
60	mL (¼ de tasse) de sherry sec ou de bouillon de poulet
15	mL (1 c. à table) de flocons d'oignon
1	gousse d'ail émincé
5	mL (1 c. à thé) de sel
2	mL (½ c. à thé) d'estragon
	Poivre blanc
1	poulet à griller de 1 - 1,5 kg (2½ - 3 lb) coupé en quatre

Ce mets est délicieux si on finit la cuisson au barbecue. Faites d'abord cuire le poulet au four à micro-ondes 8 minutes d'un côté et 7 - 9 minutes de l'autre ou jusqu'à ce que la cuisson soit presque achevée. Gardez la sauce dans le plat micro-ondes. Rôtissez à 10 cm des charbons pendant 10 à 12 minutes pour bien dorer. Tournez de temps en temps et badigeonnez avec la sauce que vous avez gardée.

Poulet chasseur →

Coq rôti micro-ondes
CUISSON: 10½ minutes

125 mL (½ tasse) de farine
2 mL (½ c. à thé) de sel
1 mL (¼ de c. à thé) de
   poivre
1 pincée de moutarde
   sèche
1 poulet à griller de
   1 - 1,5 kg (2½ - 3 lb)
   coupé, dos et bouts
   d'ailes enlevés
30 mL (2 c. à table) de jus
   de citron
30 mL (2 c. à table) d'huile
   végétale
30 mL (2 c. à table) de
   beurre
   Paprika

Combiner farine, sel, poivre et moutarde dans un sac de papier; bien secouer. Humecter les morceaux de poulet avec le jus de citron. Placer quelques morceaux de poulet à la fois dans le sac de papier et secouer pour bien les enrober. Retirer le poulet du sac et secouer pour enlever l'excédent de farine. Préchauffer un plat à brunir de 22,5 cm à HI (max.) 4½ minutes. Ajouter huile et beurre, arranger le poulet, la peau dessous, sans tasser les morceaux. Couvrir de papier ciré. Cuire à HI (max.) 3 minutes. Retourner le poulet, saupoudrer de paprika. Cuire à HI (max.) 3 minutes. Laisser reposer, couvert de papier d'aluminium, environ 5 minutes avant de servir.

8 à 10 morceaux

Si vous le désirez plus grillé, passez-le sous le gril de votre four conventionnel, surveillez bien. La chapelure fine peut remplacer la farine pour enrober le poulet.

Aiguillettes de sauvagine
CUISSON: 17 minutes

   Poitrines de sauvagine
250 mL (1 tasse) de cidre sec
8 baies de genièvre
75 mL (5 c. à table)
   de beurre
2 pommes évidées, en
   tranches minces
15 mL (1 c. à table) de
   fécule de maïs

Détacher les poitrines d'une oie ou de deux canards sauvages. Trancher en minces aiguillettes. Faire macérer pendant quatre heures dans le cidre avec les baies de genièvre. Faire fondre 30 mL (2 c. à table) de beurre dans un plat micro-ondes couvert, de 23 × 23 cm, à HI (max.) 2 minutes. Bien étaler les pommes au fond. Couvrir, cuire à HI (max.) 3 minutes. Mettre de côté, garder au chaud. Faire cuire le reste du beurre dans un plat micro-ondes couvert, de 20 × 30 cm à HI (max.) 3 minutes. Égoutter et assécher les aiguillettes. Réserver la marinade coulée. Cuire les aiguillettes dans le beurre à HI (max.) 6 minutes, en remuant à mi-cuisson. Délayer la fécule dans la marinade et verser sur les aiguillettes en mélangeant. Cuire à HI (max.) 3 minutes ou jusqu'à ce que la sauce soit épaisse, en remuant à mi-cuisson. Verser sur le lit de pommes. Servir avec du riz sauvage (page 129). Accompagner de cidre.

3 portions

Coq rôti micro-ondes →

Poules de Cornouailles divines

CUISSON: 16 à 24 minutes

2 poules de Cornouailles de 500 - 750 g (1 - 1¹/₂ lb) chacune
30 mL (2 c. à table) de sherry ou d'eau
1 enveloppe de 71 g (2¹/₂ oz) de mélange pour paner, poulet

Laver et couper les poules en deux. Enlever les os du dos, les jeter. Essuyer. Arroser de sherry les deux côtés des moitiés. Enrober avec le mélange assaisonné. Placer les moitiés, côté poitrine en dessous, dans un plat micro-ondes de 30 × 18 cm, les parties épaisses vers l'extérieur du plat. Couvrir de papier ciré et cuire à HI (max.) 8 à 12 minutes. Retourner, couvrir, cuire à HI (max.) 8 à 12 minutes ou jusqu'à tendreté. Laisser reposer 5 minutes avant de servir.

4 portions

Autre méthode: on peut se servir de la sonde après avoir retourné les poules. Insérez-la dans la partie charnue de la cuisse. Réglez-la à 180°F (82°C) et cuisez à HI (max.). Que faire avec les abats? Vous pouvez en faire une sauce. Servez-la maintenant ou congelez-la pour une autre occasion.

Canard de Brome à l'orange

CUISSON: 36 à 48 minutes

1 canard frais ou dégelé de 2 - 2,5 kg (4 - 5 lb)
1 orange pelée, coupée en morceaux
1 oignon moyen, coupé en quatre
125 mL (¹/₂ tasse) de marmelade d'orange

Enlever les abats, laver le canard et l'assécher. Placer l'oignon et l'orange dans la cavité. Fixer la peau du cou avec des cure-dents ou pics de bois. Attacher les cuisses ensemble et les ailes au corps. Placer le canard, poitrine dessous, sur un gril dans un plat de 30 × 18 cm micro-ondes. Mettre la marmelade dans une tasse de verre. Cuire à HI (max.) 1 minute. En étendre la moitié sur le canard. Cuire à 70% (roast) 20 minutes. Retirer du four, égoutter le gras, retourner, enduire avec le reste de marmelade. Couvrir de papier ciré, cuire à 70% (roast) 15 à 20 minutes ou jusqu'à ce que la viande près de l'os ne soit plus rose. Laisser reposer, couvert de papier d'aluminium, 10 minutes avant de servir.

4 portions

Dinde avec farce aux noix

CUISSON: 1 heure 35 minutes à
1 heure 54 minutes

125	mL (¹/₂ tasse) de beurre ou margarine	
250	mL (1 tasse) de bouillon de poulet	
1	gros oignon haché	
2	branches de céleri émincé	
2,5	L (10 tasses) de mie de pain en dés	
5	mL (1 c. à thé) d'assaisonnements pour volaille	
60	mL (¹/₄ de tasse) de persil frais haché	
5	mL (1 c. à thé) de sel	
250	mL (1 tasse) de noix hachées grossièrement	
1	dinde fraîche ou dégelée de 5 - 6 kg (10 - 12 lb)	

Placer beurre et bouillon dans une casserole ou un plat micro-ondes de 3 litres. Ajouter oignon et céleri. Cuire couvert à 50% (simmer) 5 à 6 minutes. Combiner avec mie de pain, assaisonnements pour volaille, persil, sel et noix. Mélanger légèrement. Laver la dinde dégelée, assécher. Remplir l'ouverture du cou avec une partie de la farce. Fixer la peau du cou avec de bons cure-dents ou pics de bois. Mettre le reste de la farce à l'intérieur de la dinde. Avec une bonne corde, attacher ensemble les cuisses et fixer les ailes au corps. Placer la dinde, poitrine dessous, sur un gril, dans un grand plat micro-ondes. Cuire à HI (max.) 5 minutes par 450 g (1 lb). Égoutter le gras et retourner la dinde sur le gril. Cuire couvert d'une tente de papier ciré à 70% (roast) 4 minutes par 450 g (1 lb). Protéger les parties minces avec de l'aluminium. Laisser reposer 10 à 15 minutes avant de découper.

Si vous aimez une peau très croustillante, mettez la dinde dans votre four conventionnel 10 à 15 minutes à 450°F (232°C) ou jusqu'à ce qu'elle soit à votre goût.

Dinde Tetrazzini

CUISSON: 26 à 34 minutes

125	g (4 oz) de spaghetti non cuit, cassé en bouts de 5 cm	
45	mL (3 c. à table) de beurre ou margarine	
125	g (4 oz) de champignons tranchés	
85	mL (¹/₃ de tasse) d'oignon émincé	
45	mL (3 c. à table) de farine	
500	mL (2 tasses) de bouillon de poulet	
125	mL (¹/₂ tasse) de crème légère	
60	mL (¹/₄ de tasse) de vermouth sec	
2	mL (¹/₂ c. à thé) de sel Un soupçon de poivre blanc	
185	mL (³/₄ de tasse) de fromage parmesan râpé, divisé	
500	mL (2 tasses) de dinde cuite coupée en dés	
30	mL (2 c. à table) de persil haché fin	

Cuire le spaghetti suivant les instructions page 129. Égoutter immédiatement, rincer à l'eau froide pour arrêter la cuisson, mettre de côté. Dans une casserole micro-ondes de 3 litres, placer beurre, champignons et oignon. Cuire couvert à 90% (sauté) 3 à 4 minutes ou jusqu'à ce que l'oignon soit transparent. Ajouter la farine et remuer pour faire une pâte lisse. Dans une mesure de 1 litre, mêler bouillon de poulet, crème de vermouth. Chauffer à HI (max.) 2 minutes. Ajouter au mélange de farine en remuant bien. Ajouter 60 mL (¹/₄ de tasse) de fromage, saler, poivrer, bien mélanger. Cuire à HI (max.) 5 à 8 minutes ou jusqu'à ce que le mélange arrive à ébullition et épaississe. Remuer à mi-cuisson. Ajouter le spaghetti cuit, la dinde et le reste du fromage en remuant soigneusement. Cuire couvert à HI (max.) 2 minutes. Laisser reposer couvert 5 minutes avant de servir. Saupoudrer de persil.

6 portions

Pocher les poissons ou les cuire à la vapeur ont toujours été les méthodes de cuisson les plus classiques. Découvrez maintenant les poissons et les fruits de mer style micro-classique! Si juteux, tendres et délicieux que vous ne voudrez jamais les préparer d'une autre façon. Ce n'est pas compliqué: ce n'est plus nécessaire d'utiliser une poissonnière ou de mettre le poisson dans une mousseline. Les mollusques cuits à la va-peur deviennent tendres et succulents avec très peu d'eau. Si vous croyez que le poulet et la viande cuisent vite dans le four à micro-ondes, attendez de voir le poisson! Pour de meilleurs résultats, le poisson ne devrait être préparé qu'à la dernière minute. Même le temps de repos est court. Donc, quand vous décidez de faire un repas de poisson, que tout soit prêt. Puis commencez à cuisiner.

Le saumon poché avec sauce à la crème sure (page 84) est meilleur s'il est préparé dans un plat oblong (en haut, à gauche). Les huîtres à la Rockefeller (page 85) font une délicieuse entrée (en haut, à droite). Les queues de homard sont disposées en cercle avec le bout fin vers le centre du plat (ci-dessus, à gauche). L'achigan farci (page 86) avec sonde de température insérée (ci-dessus, à droite).

Adaptez vos recettes

Si les membres de votre famille mangent les fruits de mer frits et croustillants seulement, faites-leur découvrir un nouveau régal avec les recettes traditionnelles de poissons cuits au four à micro-ondes. Ils penseront que le poisson a été mitonné par un grand Chef. Servez-vous des tableaux de cuisson et des recettes comme guide d'adaptation. Si vous ne trouvez pas de recette qui soit pareille ou proche de la recette conventionnelle que vous voulez adapter, suivez cette règle de base: commencez la cuisson à 70% (roast)

ou à HI (max.) pour le cinquième ($^1/_5$) du temps recommandé dans la recette conventionnelle. Surveillez et si ça semble prêt plus tôt, ouvrez la porte et vérifiez. Si le plat n'est pas cuit, continuez la cuisson 30 secondes à la fois. Comme dans la cuisson conventionnelle des fruits de mer, le secret c'est d'observer attentivement car quelques secondes font toute la différence dans la cuisson du poisson. C'est mieux de retirer le poisson à peine cuit et de laisser la cuisson se terminer pendant le temps de repos. Pour d'excellents résultats, suivez ces conseils:

☐ Vous pourrez très bien réussir la plupart des recettes qui spécifient un poisson particulier en lui substituant n'importe quel poisson blanc. Quand une recette demande des filets de poisson frais ou congelés, utilisez la sole la morue, le flétan, l'aiglefin, le sébaste, etc.
☐ Couvrez le poisson, à moins qu'il ne soit pané, pour emprisonner les jus.
☐ Si vous faites cuire un poisson complet, tournez le plat de 1 quart de tour deux fois pendant la cuisson pour en assurer l'uniformité. Ce procédé est nécessaire à cause de la forme spéciale du poisson.
☐ Le poisson est prêt quand la chair devient opaque et qu'elle s'effeuille à peine à la fourchette.
☐ Les fruits de mer sont prêts quand la chair est opaque et à peine ferme.
☐ Les fruits de mer arrivent dans leurs contenants adéquats pour les micro-ondes. Les coquilles des palourdes et des moules s'ouvrent sous vos yeux. Les carapaces des crevettes, des crabes et des homards deviennent roses.
☐ Toutes les recettes aux fruits de mer se congèlent bien, sauf si autrement spécifié.
☐ Vous pouvez utiliser le plat à brunir pour les filets ou les croquettes de poisson. Préchauffez, ajoutez le beurre ou l'huile et grillez d'un côté.
☐ Pour enlever l'odeur de poisson de votre four, mélangez de l'eau, du jus de citron et des clous de girofle dans une tasse. Faites bouillir plusieurs minutes dans votre four.

Utilisation du tableau de décongélation

1. Le poisson congelé peut être dégelé dans son emballage en enlevant d'abord tout papier d'aluminium, anneau ou attache de métal.
2. Placez le poisson sur un plat micro-ondes. Enlevez l'emballage quand le poisson commence à dégeler.
3. Cela prend 5 à 6 minutes pour quasi dégeler 450 g (1 lb) de poisson, à 30% (defrost).
4. Vous feriez mieux d'enlever le poisson du four avant qu'il soit complètement dégelé pour empêcher les bords de sécher ou de commencer à cuire.
5. Terminez la décongélation en séparant les filets sous l'eau froide courante.

TABLEAU DE DÉCONGÉLATION — POISSONS ET FRUITS DE MER

Aliment	Quantité	Réglage de cuisson	Temps en minutes	Repos en minutes	Remarques
Filets de poisson	450 g (1 lb) 1 kg (2 lb)	30% (defrost) 30% (defrost)	4 - 6 5 - 7	5 5	Dégeler dans le paquet, sur un plat. Séparer avec soin les filets, sous l'eau froide. Retourner une fois.
Darnes de poisson	450 g (1 lb)	30% (defrost)	4 - 6	5	Dégeler dans le paquet, sur un plat. Séparer avec soin les darnes, sous l'eau froide courante.
Poisson entier	227 - 284 g (8 - 10 oz) 680 - 900 g (1½ - 2 lb)	30% (defrost) 30% (defrost)	4 - 6 5 - 7	5 5	Plat peu profond. La forme du poisson détermine la grandeur. Sortir glacé, finir de dégeler à la température de la pièce. Couvrir la tête d'aluminium. Retourner une fois.
Queues de homard	Paquet de 225 g (8 oz)	30% (defrost)	5 - 7	5	Enlever du paquet, mettre dans un plat.
Pattes de crabe	227 - 284 g (8 - 10 oz)	30% (defrost)	5 - 7	5	Plat de verre. Séparer. Retourner une fois.
Chair de crabe	170 g (6 oz)	30% (defrost)	4 - 5	5	Dégeler dans le paquet, sur un plat. Séparer. Retourner une fois.
Crevettes	450 g (1 lb)	30% (defrost)	3 - 4	5	Enlever du paquet. Mettre dans un plat. Étaler sur le plat et réarranger pendant la décongélation si nécessaire.
Pétoncles	450 g (1 lb)	30% (defrost)	8 - 10	5	Dégeler dans l'emballage, s'ils sont en bloc; étaler sur un plat, s'ils sont en morceaux. Retourner et réarranger pendant la décongélation si nécessaire.
Huîtres	340 g (12 oz)	30% defrost	3 - 4	5	Enlever du paquet. Mettre dans un plat. Retourner et réarranger pendant la décongélation si nécessaire.

Utilisation du tableau de cuisson

1. Dégelez complètement les fruits de mer avant de les faire cuire.
2. Enlevez l'emballage. Rincez sous l'eau froide courante.
3. Placez dans un plat micro-ondes, les parties épaisses des filets, des darnes et des crustacés vers l'extérieur du plat.
4. Couvrez le plat de pellicule plastique ou de papier ciré.
5. Vérifiez souvent pendant la cuisson pour éviter une cuisson excessive.
6. La méthode et le temps sont les mêmes pour les fruits de mer avec ou sans coquille.

TABLEAU DE DÉCONGÉLATION ET CUISSON — POISSONS ET FRUITS DE MER DÉJÀ PRÉPARÉS

Aliment	Quantité	Réglage de cuisson	Temps en Minutes	Remarques
Croquettes de crevettes	Un paquet de 340 g (12 oz)	80% (reheat)	6 - 8	Entailler le sachet de sauce, placer sur une assiette de service avec les croquettes. Couvrir. Retourner à mi-cuisson.
Bâtonnets de poisson congelés	112 g (4 oz) 225 g (8 oz)	80% (reheat) 80% (reheat)	2 - 3 3½ - 4½	Cuire sur une assiette de service. Ils ne deviendront pas croustillants.
Casserole de thon congelée	312 g (11 oz)	HI (max.)	4 - 6	Retirer du paquet. Mettre dans une casserole d'un litre. Remuer une fois pendant la cuisson et avant de servir.
Crevettes ou crabes à la Newburg, en sachet congelés	184 g (6½ oz)	HI (max.)	4 - 6	Mettre le sachet sur une assiette. Percer le sachet. Plier le sachet pour mélanger à mi-cuisson. Remuer avant de servir.

TABLEAU DE CUISSON — POISSONS ET FRUITS DE MER

Aliment	Réglage de cuisson	Temps en minutes	ou	Réglage de la sonde de température	Repos en minutes	Remarques
Filets de poisson, 1,3 cm d'épais, 450 g (1 lb) 900 g (2 lb)	HI (max.) HI (max.)	4 - 5 7 - 8	ou ou	140°F (60°C) 140°F 60°C)	4 - 5 4 - 5	Plat de 30 × 18 cm couvert.
Darnes de poisson, 2,5 cm d'épais, 450 g (1 lb)	HI (max.)	5 - 6	ou	140°F (60°C)	5 - 6	Plat de 30 × 18 cm couvert.
Poisson entier 227 - 284 g (8 - 10 oz) 680 - 900 g (1 1/2 - 2 lb)	HI (max.) HI (max.)	3 1/2 - 4 5 - 7	ou ou	170°F (77°C) 170°F (77°C)	3 - 4 5	Plat peu profond approprié.
Pattes de crabe 227 - 284 g (8 - 10 oz) 454 - 568 g (16 - 20 oz)	HI (max.) HI (max.)	3 - 4 5 - 6			5 5	Plat peu profond approprié, couvert. Retourner une fois.
Crevettes, pétoncles 200 g (7 oz) 450 g (1 lb)	70% (roast) 70% (roast)	3 - 4 5 - 7				Plat peu profond approprié, couvert. Réarranger à mi-cuisson.
Escargots, palourdes, huîtres 340 g (12 oz)	70% (roast)	3 - 4				Plat peu profond, couvert. Réarranger à mi-cuisson.
Queues de homards 1: 225 g (8 oz) 2: 225 g (8 oz) chacune 4: 225 g (8 oz) chacune	HI (max.) HI (max.) HI (max.)	3 - 4 5 - 6 9 - 11			5 5 5	Plat peu profond. Fendre la carapace pour l'empêcher de s'enrouler.

Matelote de morue

CUISSON: 31¾ à 32¾ minutes

250	mL (1 tasse) de sauce Béchamel (page 109)
454	g (1 lb) de filets de morue, en tranches minces
4	pommes de terre moyennes, en tranches minces
250	mL (1 tasse) d'eau chaude
2	petits oignons en tranches très minces Poivre, sel
30	mL (2 c. à table) de beurre

Préparer la sauce Béchamel en suivant les instructions à la page 109. Mettre de côté. Placer les pommes de terre et l'eau dans une casserole micro-ondes de deux litres. Couvrir et cuire à HI (max.) 8 minutes, en remuant à mi-cuisson. Égoutter les pommes de terre, réserver le liquide et l'incorporer à la sauce Béchamel. Dans un plat micro-ondes beurré, de 20 × 30 cm, disposer le tiers des pommes de terre puis recouvrir de la moitié de l'oignon et ensuite de la moitié du poisson. Saler et poivrer. Verser la moitié de la sauce. Répéter ce procédé et terminer avec un rang de pommes de terre. Parsemer de noisettes de beurre. Couvrir de pellicule plastique. Cuire à HI (max.) 17 minutes en tournant le plat deux fois pendant la cuisson. Laisser reposer 5 minutes et servir.

4 portions

Filets de poisson amandine

CUISSON: 10 minutes

Mettre les amandes et le beurre dans un plat micro-ondes de 20 cm. Cuire découvert à HI (max.) 5 minutes ou jusqu'à ce que les amandes et le beurre soient bien dorés. Retirer les amandes et mettre de côté. Placer le poisson dans le plat avec le beurre en le retournant pour l'enrober des deux côtés. Mettre dessus sel, poivre, persil, jus de citron et fenouil. Rouler les filets et laisser dans le plat. Couvrir de papier ciré et cuire à HI (max.) 4 minutes. Découvrir, parsemer d'amandes. Cuire couvert à HI (max.) 1 minute ou jusqu'à ce que le poisson s'effeuille à la fourchette. Laisser reposer 4 minutes avant de servir. Garnir avec du citron, des branches de persil et saupoudrer de paprika.

125	mL ($^{1}/_{2}$ tasse) d'amandes effilées
125	mL ($^{1}/_{2}$ tasse) de beurre ou margarine
500	g (1 lb) de filets de poisson
2	mL ($1^{1}/_{2}$ c. à thé) de sel
1	mL ($^{1}/_{4}$ de c. à thé) de fenouil frais
	Poivre
5	mL (1 c. à thé) de persil haché frais
15	mL (1 c. à table) de jus de citron

2 à 3 portions

Filets de poisson aux champignons

CUISSON: 5 minutes

Disposer les filets de poisson dans un plat micro-ondes de 30 × 18 cm en mettant les parties épaisses vers l'extérieur. Parsemer de beurre. Mêler le jus de citron et le vin et mettre sur le poisson avec les autres ingrédients. Couvrir de papier ciré, cuire à HI (max.) 5 minutes. Laisser reposer couvert 5 minutes.

454	g (1 lb) de filets de poisson
30	mL (2 c. à table) de beurre ou margarine
2	mL ($^{1}/_{2}$ c. à thé) de jus de citron
30	mL (2 c. à table) de vin blanc sec
2	échalotes émincées
125	mL ($^{1}/_{2}$ tasse) de champignons tranchés
1	tomate pelée et coupée en dés
2	mL ($^{1}/_{2}$ c. à thé) de sel

3 à 4 portions

Pour deux portions, utilisez 250 g ($^{1}/_{2}$ lb) ou 2 morceaux de filets de poisson, 1 petite tomate et la moitié des autres ingrédients. Réduisez le temps de cuisson à $2^{1}/_{2}$ - 3 minutes.

Darnes de saumon

CUISSON: 6 à 7 minutes

Préchauffer un plat à brunir de 22,5 cm pendant 5 minutes à HI (max.). Badigeonner d'huile un côté des darnes. Ajouter le zeste de citron et le paprika. Placer le côté assaisonné sur le plat préchauffé. Cuire couvert 1 à 2 minutes ou jusqu'à ce que tendre à la fourchette. Retourner, couvrir et laisser reposer 2 minutes. Retourner et servir immédiatement.

2	darnes de saumon d'environ 227 g (8 oz) chacune
15	mL (1 c. à table) d'huile végétale
	Zeste de citron
	Paprika

2 portions

Thon aux épinards

CUISSON: 12³/₄ à 13³/₄ minutes

500	g (1 lb) d'épinards frais
1	boîte de 184 g (6¹/₂ oz) de thon
1	boîte de 113 mL (4 oz) de champignons tranchés
30	mL (2 c. à table) de jus de citron
30	mL (2 c. à table) de beurre ou margarine
15	mL (1 c. à table) d'oignon haché
30	mL (2 c. à table) de farine
1	mL (¹/₄ de c. à thé) de sel Poivre
1	œuf légèrement battu
125	mL (¹/₂ tasse) de croustilles de pommes de terre émiettées

Rincer les épinards à l'eau froide, les égoutter. Défaire en morceaux en enlevant la nervure coriace. Placer dans une casserole micro-ondes de 2 litres. Cuire couvert à HI (max.) 3 à 4 minutes jusqu'à ce qu'ils s'affaissent. Bien égoutter, mettre de côté. Égoutter le thon, mettre de côté. Égoutter les champignons en versant le jus dans une tasse et ajouter assez de jus de citron et d'eau pour avoir 250 mL (1 tasse) de liquide. Placer 30 mL (2 c. à table) de beurre dans une mesure de verre d'un litre. Faire fondre à HI (max.) 45 secondes. Ajouter oignon, farine, sel et poivre en remuant bien. Incorporer vivement le mélange liquide. Cuire découvert à 60% (bake) 5 minutes ou jusqu'à épaississement en remuant 2 fois pendant la cuisson. Ajouter un peu de sauce dans l'œuf, bien battre et remettre le tout dans la sauce bouillante. Incorporer les champignons. Mettre les épinards bien égouttés dans une casserole micro-ondes de 2,5 litres. Défaire le thon en flocons sur les épinards. Verser la sauce sur le dessus. Parsemer de croustilles émiettées. Cuire découvert à HI (max.) 4 minutes. Laisser reposer 2 à 3 minutes avant de servir.

4 portions

Saumon poché avec sauce à la crème sure

CUISSON: 10 à 12 minutes

375	mL (1¹/₂ tasse) d'eau chaude
85	mL (¹/₃ de tasse) de vin blanc sec
2	grains de poivre
1	citron en tranches fines
1	feuille de laurier
5	mL (1 c. à thé) de flocons d'oignon instantanés
5	mL (1 c. à thé) de sel
4	petites ou 2 grosses darnes de saumon

Sauce:

125	mL (¹/₂ tasse) de crème sure
15	mL (1 c. à table) de persil haché
5	mL (1 c. à thé) de jus de citron
2	mL (¹/₂ c. à thé) de fenouil frais
1	pincée de poivre

Verser l'eau et le vin dans un plat micro-ondes oblong, ajouter grains de poivre, citron, feuille de laurier, oignon et sel. Cuire à HI (max.) 5 minutes ou jusqu'à pleine ébullition. Déposer soigneusement les darnes de saumon dans le liquide chaud. Cuire couvert de pellicule plastique à HI (max.) 2 à 3 minutes ou jusqu'à ce que le poisson devienne opaque. Laisser reposer 5 minutes pour terminer la cuisson. Pour préparer la sauce, mélanger tous les ingrédients dans une mesure de verre de 500 mL. Cuire à 50% (simmer) 3 à 4 minutes ou jusqu'à ce que chaud. Égoutter le saumon et servir avec la sauce chaude.

4 portions

On peut remplacer cette sauce par la sauce au beurre citronnée (page 111).

Pour réduire les calories, omettez la sauce et servez avec des quartiers de citron et du persil.

Cette recette est aussi délicieuse avec le flétan, la morue, l'aiglefin etc.

Crevettes à la créole

CUISSON: 14 à 15 minutes

Dans une casserole micro-ondes de 2 litres, combiner échalotes, céleri, poivron vert, beurre et ail. Cuire couvert à HI (max.) 3 minutes. Incorporer les autres ingrédients. Cuire couvert à 80% (reheat) 5 minutes. Remuer. Cuire couvert à 80% (reheat) 6 à 7 minutes ou jusqu'à ce que ce soit très chaud. Laisser reposer couvert 5 minutes avant de servir sur un lit de riz chaud.

4 à 6 portions

Autre méthode: Si vous utilisez la sonde de température, réglez-la à 150°F (66°C) et cuisez couvert de pellicule plastique à 80% (reheat).

4	échalotes émincées
60	mL (¼ de tasse) de céleri haché
125	mL (½ tasse) de poivron vert haché
30	mL (2 c. à table) de beurre ou margarine
1	gousse d'ail émincé
1	boîte de tomates de 473 mL (16 oz) égouttées et hachées
1	boîte de pâte de tomates de 156 mL (5½ oz)
5	mL (1 c. à thé) de sel
10	mL (2 c. à thé) de persil séché
1	mL (¼ de c. à thé) de poivre de cayenne
1	paquet de crevettes congelées cuites de 283 g (10 oz) dégelées

Huîtres à la Rockefeller

CUISSON: 14 à 17 minutes

Écailler les huîtres, les mettre de côté. Choisir 36 écailles; celles qui se tiennent bien assises sont les meilleures. Bien rincer. Les placer dans 2 plats micro-ondes de 30 × 18 × 5 cm. Réserver. Mettre les épinards dans une casserole micro-ondes de 1,5 litre. Cuire, couvert, à HI (max.) 8 à 9 minutes. Égoutter. Mettre entre des papiers absorbants et bien essorer. Mélanger épinards, beurre, oignon, persil, sel, sauce Worcestershire, poivre et crème. Répartir la moitié du mélange dans les écailles. Ajouter une huître sur chaque écaille. Couvrir avec le reste de préparation aux épinards et saupoudrer généreusement de parmesan. Couvrir les plats de papier ciré. Placer un plat sur la grille du centre et l'autre dans le bas du four. Cuire à 70% (roast) 6 à 7 minutes, jusqu'à ce que les huîtres soient gonflées et les bords frisés. Inverser la position des plats à mi-cuisson. Laisser reposer 5 minutes avant de servir. Garnir de quartiers de citron.

6 portions

Vous pouvez faire une demi-recette, dans un seul plat. Placez-le dans le bas du four et cuisez à 70% (roast) 5 minutes.

36	grosses huîtres en écailles
1	paquet de 283 g (10 oz) d'épinards hachés congelés
30	mL (2 c. à table) de beurre ou margarine
15	mL (1 c. à table) d'oignon émincé
45	mL (3 c. à table) de persil frais haché
2	mL (½ c. à thé) de sel
15	(1 c. à table) de sauce Worcestershire
1	mL (¼ de c. à thé) de poivre de cayenne
250	mL (1 tasse) de crème légère
	Fromage parmesan

Achigan farci

CUISSON: 12 à 19½ minutes

Laver le poisson à l'eau froide, bien assécher, réserver. Placer beurre et oignon dans un plat de verre de 1,5 litre. Cuire à HI (max.) 2 minutes ou jusqu'à ce que l'oignon soit transparent. Ajouter tous les autres ingrédients sauf la sauce brune et l'eau. Bien mélanger et farcir le poisson. Placer dans un plat micro-ondes oblong de 30 × 18 × 5 cm. Mêler la sauce brune et l'eau et badigeonner le poisson. Masquer la tête et la queue avec du papier d'aluminium. Couvrir le plat de pellicule plastique et cuire à HI (max.) 5 à 7 minutes par 450 g (1 lb). Laisser reposer 5 minutes avant de servir.

4 à 6 portions

Vous pouvez remplacer l'achigan par tout autre poisson entier de même taille (truite, ouananiche, petit saumon, doré). Si vous vous servez de la sonde, insérez-la parallèlement à l'arête, en ne touchant pas à l'aluminium; réglez-la à 170°F (77°C) et cuisez à HI (max.)

1	achigan entier d'environ 1 kg (2 - 2½ lb) nettoyé
30	mL (2 c. à table) de beurre ou margarine
60	mL (¼ de tasse) d'oignon haché
125	mL (½ tasse) de champignons hachés
185	mL (¾ de tasse) de chapelure
30	mL (2 c. à table) de persil frais haché
1	œuf battu
15	mL (1 c. à table) de jus de citron
5	mL (1 c. à thé) de sel Poivre
15	mL (1 c. à table) de sauce brune en bouteille
15	mL (1 c. à table) d'eau

Bouillabaisse

CUISSON:

Mettre oignon, poivron vert, céleri, ail et huile d'olive dans une casserole micro-ondes de 4 litres. Cuire à HI (max.) 5 minutes. Ajouter les tomates écrasées à la fourchette, sauce tomate, basilic, feuille de laurier, poivre et sel. Couvrir et cuire à HI (max.) 15 minutes. Pendant ce temps, couper le poisson en morceaux et brosser les moules pour enlever tout le sable. Ajouter poisson blanc, vin, crevettes et pétoncles à la sauce. Faire cuire à HI (max.) 10 minutes. Placer les moules en un seul rang sur la préparation. Faire cuire, à 70% (roast), 3 à 4 minutes ou jusqu'à ce que les coquilles s'ouvrent. Servir dans de grandes assiettes à soupe et garnir de persil.

8 portions

1	gros oignon haché
1	poivron vert moyen, haché
125	mL (½ tasse) de céleri émincé
3	gousses d'ail émincé
45	mL (3 c. à table) d'huile d'olive
2	boîtes de 796 mL (28 oz) de tomates
1	boîte de 213 mL (7½ oz) de sauce tomate
5	mL (1 c. à thé) de basilic
1	feuille de laurier
5	mL (1 c. à thé) de sel
1	mL (¼ de c. à thé) de poivre
454	g (1 lb) de poisson blanc
16	moules dans leurs coquilles
375	mL (1½ tasse) de vin blanc sec
227	g (½ lb) de crevettes fraîches, nettoyées et déveinées
227	g (½ lb) de pétoncles Persil haché